Николай ЛЕОНОВ

Алексей МАКЕЕВ

ЛЮКС
С ВИДОМ
НА КЛАДБИЩЕ

ЭКСМО
Москва
2014

УДК 821.161.1-312.4
ББК 84(2Рос=Рус)6-44
Л 47

Оформление серии *Г. Саукова, В. Щербакова*

Серия основана в 1993 году

Иллюстрация на обложке *В. Петелина*

Леонов, Николай Иванович.
Л 47   Люкс с видом на кладбище / Николай Леонов, Алексей Макеев. — Москва : Эксмо, 2014. — 384 с. — (Черная кошка).

ISBN 978-5-699-74695-8

В элитном московском клубе убит помощник министра инноваций и технологий Валентин Сивяркин. Высокопоставленный чиновник погиб мгновенно — от точнейшего удара ножом в сердце. Такой профессиональный удар не мог нанести дилетант, и этот факт навел экспертов на мысль о заказном характере преступления. Дело поручают лучшим столичным сыщикам — полковникам Гурову и Крячко. Они немедленно принимаются за работу и вскоре выясняют, что смерть Сивяркина — не первая в клубе. Несколько месяцев назад здесь же был убит известный московский бизнесмен. Аналогичным образом — профессиональным ударом ножа в сердце...

УДК 821.161.1-312.4
ББК 84(2Рос=Рус)6-44

ISBN 978-5-699-74695-8

Люкс с видом на кладбище

РОМАН

Глава 1

Сыщик выхватил пистолет и ринулся в темень двора, непрофессионально громко топая башмаками по асфальту. В этот момент какой-то очень нехороший, нескладный, громко сопящий верзила с обрезом двустволки в руке выскочил из-за угла и выстрелил сыщику в спину. Бах! Мимо! Еще выстрел! Опять не попал!

Сыщик круто развернулся, вскинул пистолет и мгновенно поймал негодяя на мушку. Он расправил плечи, грозно сверкнул очами и начал дежурную обличительную речь, достойную провинциального театра первой половины девятнадцатого века.

Это был своего рода монолог воплощенной добродетели, собирающейся покарать порок.

«Вот ты и попался, Мерзавин! Да, долго мне пришлось тебя ловить, очень даже. Но теперь ты в руках закона, и тебя ждет долгая отсидка, справедливая кара за содеянное. Помнишь, как когда-то ты ограбил банк и удирал от меня на новеньком «Форде», а я безуспешно пытался преследовать тебя на старой «копейке»? Как ты смеялся, оглядываясь назад? Помнишь? Да, ты не забыл! Теперь я догнал тебя на «Ладе Приоре», и твоя отстойная «Мазда» тебе уже не помогла. Ну, все, Мерзавин. Сейчас я защелкну на твоих бандитских лапах наручники, и ты поедешь в Лефортово!»

В этот момент за спиной сыщика, громко кряхтя и громыхая крышкой люка, из канализационной шахты выскочил сообщник Мерзавина, щуплый долговязый тип в очках с противной мордой садиста-беспредельщика, копия одного из главарей киевского майдана. Он с размаху ударил служителя правопорядка по голове чем-то длинным и, надо думать, чрезвычайно твердым. Тот лишился чувств, очень красиво упал на асфальт и замер в эстетичной, гордой позе, которая могла свидетельствовать о его несокрушимой воле и преданности идеалам законности и справедливости.

Гнусно гогоча и уродливо подпрыгивая, отморозки побежали к поганке «Мазде», угодливо дожидающейся своих скверных хозяев, которые не преминули возможностью попутно лягнуть сиротливую понурую «Ладу Приора». Ее доблестный водитель лежал без чувств, сраженный ударом подлой руки. А преступники рванули в ночную темень. Они продолжали дико гоготать, на ходу булькали водкой, поглощали ее прямо из горлышка бутылки и закусывали палкой сервелата, которой сообщник и нанес коварный удар.

Одним глазом поглядывая на телеэкран, а другим — на накрытый стол, оперуполномоченный главка уголовного розыска полковник полиции Станислав Крячко сокрушенно покрутил головой и тягостно вздохнул:

— Я что-то так и не понял. Это фильм на полном серьезе или пародия на детективный боевик? Если это снято всерьез — то идиотство полнейшее. А если пародия — идиотство тупейшее, — заявил он.

За непроницаемо темным окном, как бы соглашаясь с ним, возмущенно прошумел прохладный сентябрьский ветер, через открытую форточку взметнув оконные шторы.

— О чем ты, Стас?! Это же последний писк мира искусств — экспериментальный проект, который условно можно было бы назвать «Снимаем как умеем», — рассмеявшись, пояснил его друг и приятель, старший оперуполномоченный упомянутой структуры и тоже полковник Лев Гуров. — Видишь ли, нынче пошла мода на, так сказать, новаторство в искусстве. Вон в иных театрах сейчас такое ставят! Вроде бы и классика наподобие «Гамлета», а на деле черт знает что. Киношки уровня какого-нибудь Тинто Брасса смотрятся в сравнении с этим, извините, новаторством образцом целомудрия. Вот и некоторые режиссеры решили поэкспериментировать. Они собирают труппу, случается, даже из непрофессионалов, из первых попавшихся людей. Снимают свою хрень чем придется, вплоть до камеры сотового телефона. Потом все это монтируется, озвучивается. В результате получается именно то, что мы сейчас и видим.

— Торжество воинствующего кича и апофеоз бездарности!.. — подняв пульт и переключившись на другой канал, саркастично заключила Мария Строева, спутница жизни Льва Гурова и ведущая прима одного из лучших столичных театров, который избег увлеченности продвинутой авангардистской пошлятиной. — Недавно читала в либеральной газетенке хвалебную рецензию на этого порнографического «Гамлета». Похоже, автор писал и причмокивал, истекая слюной. Это прямо меж строк просматривалось. Как спектакль, так и рецензия — одна бездарность, превозносящая другую.

— Ага! Я понял, о каком издании речь, — Лев Иванович махнул рукой. — «Неоновый мираж»? Вот-вот!.. Главный редактор — Илона Меркато, лучшая ученица «скунса пера» Быстряевой. Ее патронесса уже на пенсии, а ученица продолжает бесславное дело своей наставницы. Ну, давайте еще тостик за успех лучшей актрисы всей вселенной и даже ее окрестностей!

— Я только «за»! — с приятным бульканьем наполняя хрустальную рюмку, откликнулся Стас. — И провозгласим не тостик, а тостище! За несравненную, за бесподобную, за...

В этот момент раздался звонок городского телефона.

Гуров поднялся из-за стола и направился к тумбочке из лакированного дубового массива, проворчав на ходу:

— Сто против одного, что это Петруха. И чего ему, ешкин кот, не спится?

Он оказался прав. Это и в самом деле был их со Станиславом друг и начальник генерал-лейтенант Петр Орлов. Он узнал, что Лев и Стас в компании с Марией обмывают ее театральную награду «Золотая Мельпомена», полученную актрисой за лучшее премьерное исполнение роли в новой постановке по Шекспиру, и сокрушенно вздохнул:

— Лева, мне очень жаль, что вас беспокою, тем более в такой момент, — проговорил генерал. — Кстати, передай Марии мои искренние поздравления и наилучшие пожелания! Но ничего не поделаешь. Придется вас со Стасом оторвать и — да, да, да! — отправить на место происшествия. Короче, Лева, произошло убийство, которое может стать очень громким. Хотя информация о случившемся, вплоть до мелочей, в любом случае должна остаться в секрете. Кто бы и что ни выяснял. В первую очередь, разумеется, это касается СМИ.

— Ну вот, ты, как никто другой, умеешь сделать самый лучший подарок в особенно подходящий момент, — с ироничной досадой прокомментировал Гуров. — Как мы сейчас куда-то поедем, на какое-то происшествие, если уже приняли на грудь граммов по двести коньяка?

Однако этот довод Орлова ни в чем не убедил.

— Лева, — укоризненно даже не сказал, а вздохнул Петр. — Что такое двести граммов коньяка для таких мужиков, как вы со Стасом?! А-а-а! Понял! Ты, наверное, имеешь в виду, что вам сейчас нельзя садиться за руль? Не переживай! Машину за вами я уже выслал.

Опустив трубку и прикрыв микрофон рукой, Лев Иванович вполголоса сообщил Станиславу скороговоркой:

— За нами уже вышла машина. Загнал в тупик, зараза!

— Алло, алло, Лева! Ты куда исчез? — с беспокойством проговорил генерал, дуя в трубку. — А! Это ты, поди, Стасу на меня наябедничал? Нет, ну а что прикажешь делать? Тут такая ситуация, что кого попало не пошлешь. Нет-нет, подробностей я пока что и сам не знаю, но понял, что в этом деле замешаны очень даже большие люди.

— Так ты хотя бы скажи, где это случилось, — спросил Гуров. — А то, как говорил Райкин, сплошные рекбусы и кроксворды!

— Разумеется, разумеется... Улица Полтинная, дом тринадцать, — поспешил сообщить Орлов. — Что там за богадельня, я и сам пока не в курсе. Мне из министерства дежурный позвонил, сообщил об убийстве, назвал адрес, намекнул, что потерпевший из числа наших столичных ВИП-персон. Больше ничего не знаю.

Прислушиваясь к их диалогу, Крячко изобразил пренебрежительно-ироничную гримасу.

«Да и хрен бы с ними, с этими ВИП-персонами погаными! Такой праздник испортили, раздолбаи!..» — было написано на его лице.

Не менее язвительно был настроен и Лев Иванович.

— Не знаешь? Зато я знаю! — заверил он, перейдя на интонацию телеведущего, начинающего программу о мистике и ужасах. — Там находится тайное логово высокопоставленных вампиров-любителей, один из которых перебрал по части своего любимого напитка или полакомился кровью токсикомана и заработал отравление!

Орлов невольно рассмеялся, но тут же строго откашлялся и укоризненно резюмировал:

— Лева, ведь ты же не Стас! Что за клоунада? Так вы едете или нет?

— Ладно уж, таинственный ты наш, поедем, — с оттенком досады пообещал Гуров. — Куда от тебя денешься, липучего и настырного? Кстати, тебе особая признательность от Марии. Она, я вижу, так счастлива, что даже слов не находит, как бы выразить всю полноту своих чувств.

Мария почти сразу же догадалась, что их посиделки накрылись медным тазом. Она и впрямь несколько поскучнела, хотя виду старалась не подавать. Петр рассыпался в извинениях, тем не менее твердо стоял на своем: надо ехать! Он попросил держать его в курсе и звонить в любое время, когда только понадобится.

Положив трубку, Гуров развел руками и заявил:

— Собираемся. На Полтинной, тринадцать, кто-то кого-то грохнул. Явно из граждан, по недоразумению возомнивших себя элитой.

Стас поднялся из-за стола, что-то припоминая, наморщил лоб.

— Полтинная, тринадцать? — переспросил он. — Полтинная... Постой-постой! Что-то знакомое. По-моему, там какой-то гадюшник. То ли закрытый клуб, то ли что-то наподобие этого.

— Ладно, давайте не будем расстраиваться. — Мария уже вполне оправилась от столь неожиданного финала этого застолья, так замечательно начавшегося, и грустно улыбнулась: — С учетом некоторых обстоятельств тот час, который мы вот так здорово провели вместе, — уже подарок судьбы. В конце концов, Петр мог позвонить гораздо раньше. Тогда наше милое мероприятие вообще закончилось бы, даже не начавшись.

— Красивая женщина — это великолепно. Если она еще и мудрая — это просто потрясающе! — Крячко раскланялся и направился в прихожую, декламируя на ходу: — Урыли честного жигана и форшмануали пацана, маслина в пузо из «нагана», макитра набок — и хана!

— Стас, это что за дичь? — недоуменно спросила Мария, тоже выйдя в прихожую и с трудом сдерживая смех. — Какая-то криминальная, мягко говоря, поэзия...

Стас встал в позу древнеримского декламатора и объявил:

— Сие есть пародия на бессмертное творение Лермонтова: «Погиб поэт, невольник чести, пал, оклеветанный молвой». Народный пересказ классического произведения. Там имеются еще и такие строки: «Не вынесла душа напряга, гнилых базаров и понтов. Конкретно кипишнул бродяга, попер как трактор... и готов! Готов!.. Не войте по баракам, нишкните и заткните пасть; теперь хоть боком встань, хоть раком, легла ему дурная масть!»

— Ну, Стас! Это просто какое-то литературное хулиганство! — Строева попыталась возмутиться, но вместо этого рассмеялась, осуждающе хлопнула Крячко ладонью по спине и вернулась в залу.

Опера спустились вниз и сразу же увидели перед подъездом дежурную «Ладу Приора» с хорошо им знакомым сержантом Юркой за рулем.

Садясь в салон, Стас вполголоса отметил:

— «Приора»!.. Продолжение киношки наяву.

Гуров ничего на это не ответил, лишь понимающе усмехнулся. Он знал, что для Станислава нет машины лучше его собственного старинного «Мерседеса», с некоторых пор отменно отремонтированного. Юрка включил передачу, и машина тут же помчалась по ночной улице, залитой несколько неестественным светом фонарей.

— Лев Иванович, вопрос позволите? — неожиданно спросил сержант, лихо проруив через перекресток, на котором замерли два крепко поцеловавшихся иностранца — «Форд» и «Рено».

— Давай. Что там за вопрос?.. — Лев Иванович сдержанно кивнул.

— А вот мы едем на Полтинную, тринадцать, — заговорил Юрка, чему-то непонятно улыбаясь. — Это не около пивбара «Бир Бэр»? Это ж там месяца два назад какого-то торгаша застрелили?

Гуров оглянулся на Стаса. Тот, наморщив лоб, что-то напряженно вспоминал.

— Юра, а на убийство тогда кто выезжал? — уточнил Гуров.

— Так майор Крайний им занимался. Я его туда возил. В общем, куда и по каким делам тот мужик приехал, я так и не понял. Да и майор, по-моему, не слишком въехал. Короче, тот тип остановился между пивбаром и каким-то старинным домом. Там фирма, что ли, какая-то?.. Стал выходить из своей тачки, и тут к нему на хорошем гоночном байке подскочил какой-то крутяк, в упор выпустил в него несколько пуль и тут же смылся. Никто сразу ничего и понять не смог.

— Что-то я про этот случай ничего не помню, — откликнулся Крячко, недоуменно пожимая плечами.

— Я как будто что-то такое слышал, но только мельком. — Лев Иванович потер лоб и тут же хлопнул ладонью по коленке: — А-а! Вспомнил! Это произошло-то как раз тогда, когда мы занимались исчезновением Тома Хантли, он же герцог Урриморский. А на тот момент мы летали на Алтай. У нас и потом хватало суматохи через край. Когда вернулись в Москву, мы еще и провожали этого англичанина. Вот поэтому та история и прошла мимо нас, в памяти толком не отложилась. Вспомни, недели три назад на планерке Андрюхе Крайнему таких шишек отсыпали за глухаря, кисло не показалось! Он же прояснить в том деле так ничего и не смог, все зависло и зачахло.

— А-а, вон ты о чем, — Стас категорично махнул рукой. — Там — да, вообще дохлое дело. Абсолютно никаких зацепок. Сработал профессионал высокого класса. Видимо, подготовку прошел на уровне спецназа ГРУ.

13

— Вот уже и зацепка, — с иронией проговорил Гуров. — Только пусть это останется в секрете. Разве что Крайнему втихаря такую подсказку сделать. А объявим об этом вслух — на нас же хомут и повесят. Тогда придется перейти на круглосуточный режим работы.

Улица Полтинная представляла собой мешанину старых каменных особняков купеческого фасона и современного модернового новостроя. Из-за этого ряды домов, идущих по обеим ее сторонам, напоминали чьи-то челюсти, где наполовину стертые пеньки чередовались с хорошо сохранившимися клыками и резцами.

Подрулив к парковке, Юрка с хохмаческой торжественностью объявил:

— Прошу обратить внимание! Слева — пивбар «Бир Бэр», а справа — тот самый дом номер тринадцать.

Сыщики вышли из машины и огляделись. Пивбар, функционировавший почти круглосуточно, прилепился боком к высотке из стекла и алюминия. В это время заведение было безлюдным. Впрочем, в тени разросшихся туй были заметны силуэты тех, кто, скорее всего, недобрал в стенах бара и теперь уже на улице восполнял недополученные градусы.

Метрах в тридцати справа виднелся освещенный фасад старинной двухэтажки с лепниной и фигурной кирпичной кладкой, с выступающими из стены полуколоннами и пристроенным просторным вестибюлем. К нему вела широкая каменная лестница с перилами, на которых в самом низу возлежали два каменных льва.

Здание уходило далеко в глубину двора. Часть его окон, зашторенных чем-то голубым, светилась изнутри, остальные были непроницаемо черны. Перед фасадом здания на газонах между туями и кипарисами лежали огромные каменные глыбы, красноватые и светло-зеленые, угловатые и гладко обкатанные.

— Смотри-ка, какие интересные эрратические валуны! — заметил Гуров, на ходу кивнув в их сторону.

— Эротические?! — переспросил Станислав, ошарашенно захлопав глазами.

Лев Иванович иронично улыбнулся:

— Ай-ай-ай! — Он укоризненно вздохнул и пояснил: — Стас, не эротические, а эрратические, то есть принесенные ледником. Да, лишний раз убеждаюсь, насколько права поговорка, гласящая, что голодной куме — одно на уме.

— Вот зараза! — возмущенно, хотя и вполголоса парировал Крячко. — Спецом же впихнул это словцо, чтобы иметь возможность поприкалываться. Небось специально его нашел и выучил, всезнайка ты наш! Что, скажешь, я не прав?

— Отчасти, — согласился Лев Иванович. — Это нам еще на уроках наша географичка рассказывала. Где-то в памяти застряло, а тут вдруг вспомнилось. Ну а насчет прикола ты прав полностью. Причем, согласись, он вполне удался.

Поднявшись на крыльцо, они увидели солидного бородатого швейцара с плечами штангиста, кандидата, а то и мастера спорта. Привратнику на вид было около сорока. Бороду, скорее всего, он отпустил лишь для того, чтобы соответствовать своему высокому статусу. Швейцар недвижимо стоял у резной остекленной двери старинного фасона. Рядом с ней на стене вестибюля висела табличка, извещавшая, что здесь находится консалтинговая фирма «Ноу-Хау-Вест».

— Простите, господа, вы по какому делу? — сочным рокочущим басом поинтересовался швейцар.

— Главное управление уголовного розыска, — показав удостоверение, уведомил его Гуров.

— Прошу! Вас ждут! — Привратник кивнул и распахнул дверь

Опера шагнули в вестибюль, роскошно отделанный ценными породами дерева. Они сразу же обратили внимание на двух верзил-охранников. Те недвижимыми монументами стояли по обе стороны этого помещения и безразлично взирали на гостей. Примерно так два избалованных кота смотрели бы на предмет, пусть, может быть, и интересный, но никак не похожий на миску со сметаной.

Полковники открыли еще одну дверь и оказались в просторном холле, похожем на филиал Лувра или Зимнего дворца. Под расписным потолком ярко светило несколько люстр, переливающихся всеми цветами радуги. Стены холла украшали картины, написанные в стиле классической «обнаженки».

Вдоль стен стояли диваны с сафьяновой обивкой. Ради ее сотворения наверняка пришлось расстаться с жизнью и шкурами не одному десятку коз. На них сидели чрезвычайно небедно одетые люди разных возрастов обоего пола. Всего тут насчитывалось около четырех десятков человек. Перед этой публикой, разодетой в наряды от-кутюр, блистающей украшениями, стоившими минимум десятки тысяч долларов, несколько нервозно расхаживал представительный мужчина в смокинге с дымящейся сигарой в руке.

Он умоляюще втолковывал:

— Господа, очень прошу вас проявить понимание и терпение. Надеюсь, это ненадолго. Поймите правильно — имело место крайне неприятное ЧП. Я очень не хотел бы, чтобы на кого-то из здесь присутствующих пали подозрения. Согласитесь, нежелание встретиться с представителями правоохранительных органов может повлечь ненужные кривотолки и сомнения в чьей-то искренности и невиновности. Господа, умоляю, давайте проявим ответственность и выдержку.

По холлу бесшумными тенями ходили несколько человек из обслуги, что явствовало из их ливрей. Они разносили всем желающим фруктовые напитки и минеральную воду, вино, коньяк и сигары.

Операм сразу же бросилось в глаза, что почти все присутствующие выглядели напуганными и растерянными. Несколько дам нервно курили в углу у роскошной пальмы, растущей в большущей емкости, украшенной мозаикой из отблескивающей смальты.

Взгляды большинства дам и господ, скорее всего здешних завсегдатаев, тут же устремились на Гурова и Крячко. Субъект в смокинге последний раз пыхнул сигарой, торопливо отправил ее в напольную пепельницу и направился навстречу операм.

— Вы из главка уголовного розыска? — спросил он с надеждой в голосе.

Этот господин услышал утвердительный ответ, заглянул в развернутые удостоверения и торопливо закивал. Он давал понять, что не имеет и тени сомнения в том, кто именно прибыл в это заведение.

16

Тип в смокинге чуть откашлялся и перешел на официальный, деловой тон:

— Господа, позвольте представиться — топ-менеджер клуба по интересам «Сады Астарты» Антоновский Евгений Эрастович. Прошу вас пройти в будуар, где вы сами все увидите. Там произошло убийство, для нашего заведения — случай совершенно немыслимый. Клянусь, это не просто слова. Мы существуем уже несколько лет, и у нас за все это время не произошло ни одного самого пустячного скандала. Я ни разу не замечал ни единой, даже мимолетной ссоры. А тут такое!..

— Как я понял из названия, ваше заведение «по интересам» фактически представляет собой свингер-клуб, где супружеские пары участвуют в... — Стас хотел сказать «свальном грехе», но передумал и несколько смягчил формулировку: — В интимных действиях, сопряженных со сменой партнеров. Не так ли?

Это замечание Крячко на топ-менеджера явно подействовало, как вид палки на шкодливого кота.

Антоновский сокрушенно вздохнул, снова закивал в ответ и промямлил:

— Видите ли, господа, это не совсем так. У нас здесь постоянно действующий лекторий, консультативный центр, дискуссионная площадка, несколько различных студий. Но мы не препятствуем персональным устремлениям людей, которые желают чего-то особенного. Новая эпоха, знаете ли, иные веяния, современные нравы. Что поделаешь?.. — Он изобразил некий многозначительный жест. — Люди желают получить те или иные услуги — мы им их предоставляем. Но даже если у кого-то с кем-то и произошло свидание, сопряженное с... реализацией их личных, интимных устремлений, то это вовсе не проституция. Ни в коем случае! Здесь нет платного предоставления сексуальных услуг. Это всего лишь форма развлечения взрослых людей, утомленных семейным однообразием. Их чувства уже притупились. Они хотят встряхнуться, освежиться, ощутить второе дыхание. На Западе это давно уже обыденное явление. Мы же, как и всегда, в роли догоняющих. Прошу сюда! — Он указал на лестницу, устланную ковром, с роскошными перилами, покрытыми позолотой.

— Знаете, я не уверен в том, что в этом плане мы кого-то должны, так сказать, догонять и перегонять, — заявил Гуров. — Кстати, Евгений Эрастович, мы с вами раньше никогда не встречались? Почему-то ваше лицо мне показалось удивительно знакомым.

Антоновский свернул из гостиной второго этажа в один из боковых коридоров, категорично помотал головой, сокрушенно рассмеялся, как бы с сожалением разводя руками.

— Нет-нет, Лев Иванович, с вами мы никогда ранее не встречались, — заверил он. — Разве что, может быть, пересекались где-то чисто случайно. Вы не были в прошлом году на московском биеннале современного искусства «Грезы любви»? Зря!.. Много потеряли. Это было нечто необыкновенное. Именно на таких мероприятиях я и бываю чаще всего. Еще люблю посещать премьеры театрального андеграунда. Пожалуйста, сюда!

— Вы имеете в виду постановки, где от классики остаются рожки да ножки, об искусстве судят по степени оголения актеров и тому, сколь часто они прилюдно занимаются сексом? — осведомился Крячко и иронично прищурился.

— Станислав Васильевич, а что есть искусство? — риторически, с философской глубиной в голосе, вопросил Антоновский, открывая дверь, украшенную, как и все прочие, голубками, амурами и сердцами, пронзенными стрелами. — Предлагаю вашему вниманию ужасную картину, написанную кровью. Это ведь тоже своего рода искусство, только оцениваемое судом присяжных. Прошу! Если что-то потребуется — говорите. Я готов немедленно оказать вам любое необходимое содействие.

Опера прошли следом за ним в богато обставленное помещение, освещенное бра с лампочками, стилизованными под свечи, с кроватью, судя по ее размерам, рассчитанной на пятерых, на которой были хаотично разбросаны постельные принадлежности. На полу помещения сыщики увидели распростертое тело мужчины, уже достигшего того возраста, который принято именовать средним. Одежды на мужчине не было вообще, если не считать темно-синего шелкового плаща-накидки наподобие тех, что носили во времена мушкетерских дуэлей. На голове была надета старинная шляпа-треуголка с «веселым Роджером» на одном из отворотов. Вероятнее всего, он изображал из себя пирата.

Но самое главное, что бросилось в глаза операм в этой картине, — рукоять ножа, вонзенного в левую сторону груди. Они переглянулись и без слов согласились с тем, что такой удар мог нанести только профессионал, не испытывавший ни малейших сомнений, переживаний или волнений. Убийца спокойно подошел к своей жертве, размахнулся и вогнал нож в грудь четко выверенным движением.

Сыщики обратили внимание на выражение безмерного удивления и ужаса, написанное на лице убитого мужчины. Судя по всему, того человека, который пришел за его жизнью, потерпевший увидел лишь в последний миг своего земного бытия. Вероятно, он даже не успел вскрикнуть.

— Та-ак... — обойдя труп со всех сторон, хмуро протянул Гуров. — Каких-либо отпечатков пальцев тут обнаружить не удастся.

— Сто пудов — глухарь! — досадливо констатировал Крячко.

— Рассказывайте, кто это, чем он тут занимался, кто с ним был, — Лев Иванович строго взглянул на Антоновского.

Кивнув в ответ, топ-менеджер сообщил о том, что этот мужчина, Валентин Сивяркин, являлся постоянным членом клуба. Он был помощником федерального министра инноваций и технологий. Антоновский рискнул сообщить об этом Гурову только шепотом и на ухо. В клуб Сивяркин прибыл около восьми вечера со своей женой Юлией. Они поучаствовали в дискуссии по поводу такого вопроса, как преимущества и недостатки жизнеустройства пар чайлд-фри, то бишь придерживающихся бездетности. Чета Сивяркиных являла собой именно такую пару, бездетную не просто так, а идейно.

Час спустя, пообщавшись в гостиной с некоторыми членами клуба обоего пола, Валентин взял ключ от одной из комнат, предназначенных для медитации, и прошел сюда вместе с Жанной Гойдо, известной телеведущей, состоящей в браке с серьезным бизнесменом Романом Гойдо, владеющим контрольным пакетом акций нескольких крупных торговых компаний.

— А сам Роман Гойдо это видел? Он сейчас здесь? — насторожился Крячко.

— Да, разумеется! — поспешно подтвердил Антоновский. — Супруги в нашем клубе уже давно, почти с самого его открытия. Он и сам очень часто медитирует в компании с кем-нибудь...

— Женского пола? — иронично уточнил Стас.

— Ну, в общем-то, да, — не очень охотно подтвердил топ-менеджер.

Как он поведал далее, медитировать Гойдо чаще всего предпочитал сразу с двумя-тремя дамами, в число которых частенько входила и Юлия Сивяркина — ведущий креативный модельер одного из столичных домов моды.

— Поэтому ни о какой ревности тут, разумеется, не может быть и речи, — подчеркнул Антоновский.

— Тем не менее мы вынуждены констатировать, что в данном заведении, наряду с заявленными формами досуга вполне пристойного свойства, практикуются и такие формы «отдыха», которые имеют признаки организованного разврата. В таком случае ваше учреждение вполне можно считать притоном, — суховато резюмировал Гуров. — Я так понял, вы попросили наших коллег сузить до минимума число тех, кто мог бы оказаться очевидцем данного происшествия?

Антоновский уже в который раз издал сокрушенный вздох и подтвердил это. Учитывая элитарный состав мужчин, членов клуба, и их спутниц, он лично позвонил в Министерство внутренних дел. Ему было достаточно сообщить лишь несколько фамилий, чтобы его собеседники тут же сделали соответствующие выводы. Там в момент поняли, что в случае утечки информации скандал получится грандиозный.

— Нет, уважаемый! — Крячко чуть наморщил нос. — Круг осведомленных лиц в любом случае придется расширить. Для проведения нормальных следственных действий нам необходимы судмедэксперт, криминалисты, да и кинолог с собакой был бы не лишним.

— Но допрашивать и брать, скажем так, какую-то личную информацию будем только мы со Станиславом Васильевичем, — подсластил пилюлю Гуров. — Это я могу обещать твердо.

— Что ж, и на этом спасибо, — безрадостно согласился топ-менеджер. — Кого вы хотели бы видеть в первую очередь?

— Безусловно, Романа и Жанну Гойдо, а также Юлию Сивяркину, — доставая сотовый, деловито пояснил Лев Иванович.

Он набрал номер Орлова и почти сразу же услышал заспанный голос:

— Да, Лева, слушаю!

Гуров рассказал Петру о том, что они со Стасом увидели на месте происшествия, и попросил в срочном порядке прислать судмедэксперта Дроздова, дежурную команду криминалистов, а также кинолога с собакой.

Выслушав его, Орлов немного о чем-то поразмышлял, после чего из трубки донеслось:

— Хорошо, минут через пятнадцать будут. Только ты смотри, слишком уж эту публику не прессуй. Иначе завтра же либералы взвоют. Мол, злые менты превратили свингер-клуб в пыточную избу.

Опера следом за Антоновским прошли на первый этаж и заняли помещения, отведенные им. Гуров обосновался в небольшом конференц-зале. Стасу достался какой-то административный кабинет с сейфом и металлическим шкафом для бумаг, закрытым на замок.

Топ-менеджер заглянул к Гурову и не очень уверенно спросил:

— К вам уже можно? Роман Алексеевич, прошу!

Из-за двери появился рослый мужчина с насупленным лицом. Он прошел к столу, плюхнулся на стул и окинул Льва Ивановича неприязненным взглядом. Гуров задал ему дежурные вопросы, занес ответы в протокол и поинтересовался, как Роман Гойдо проводил время в стенах данного заведения. Тот, все так же строя из себя небожителя, сообщил, что приехал сюда со своей женой, чтобы по-человечески отдохнуть. По его словам, после окончания дискуссии ее участники занялись тем, что каждому больше по вкусу. Лично он, Роман Гойдо, предпочел медитацию по системе раджа-йога в компании с

Юлией Сивяркиной и Тамарой Крубновой. О том, что произошло с Валентином Сивяркиным, он узнал от Антоновского, который постучал в дверь будуара, прервал их коллективную медитацию и сообщил о случившемся.

— А вот как вы относитесь к тому, что ваша жена в это же самое время тоже, так сказать, медитировала в компании с Валентином Сивяркиным? — совершенно сухо, сугубо официально поинтересовался Лев Иванович, испытующе глядя на своего собеседника.

Роман изобразил снисходительную улыбочку и пренебрежительно взглянул на сыщика, давая понять, что этот вопрос совершенно неуместен.

— У нас свободные отношения. Мы не сковываем друг друга пустыми условностями, — неспешно процедил он.

Как явствовало из дальнейшего разговора, у Романа Гойдо этот брак был третьим. При этом ни один из своих союзов он не оформлял в ЗАГСе. К женщинам бизнесмен относился как к расходному материалу — попользовался и выбросил. Поэтому ревновать и тем более на кого-то покушаться из-за, условно говоря, жены он даже и не помышлял.

После Романа к Льву Ивановичу вошла пышногрудая, но довольно стройная крашеная блондинка лет тридцати с небольшим, которая выглядела угнетенной и подавленной. Это была Жанна Гойдо, напарница Сивяркина по своеобразной медитации. Гуров задал ей те же самые дежурные вопросы, а потом Гуров попросил рассказать о том, что происходило между нею и Валентином Сивяркиным в будуаре и как именно произошло убийство.

Как видно, Жанна была кем-то хорошо проинструктирована. Она достаточно уверенно заявила о том, что они с Валентином всего лишь медитировали по системе раджа-йоги, имитировали интимные отношения, не вступая в физический контакт.

— Это был как бы тренинг для реальных отношений с мужем, — со значением в голосе подчеркнула Жанна. — С Валей мы отрабатывали ролевую игру, где я была графиней, попавшей в плен к пиратам, а он — капитаном их судна. Валентин объяснил мне мизансцену нашего спектакля. Он как

22

бы врывался в каюту, в которой находилась я, связанная, с какой-то тряпкой на лице, закрывающей глаза. А я должна была умолять меня не трогать. И вся задача была в том, чтобы я не пережала по части жалости к себе, чтобы мои просьбы не убили в нем желания. — Жанна отчего-то засмущалась и замолчала.

Гуров, сохранявший абсолютно безразличный вид, суховато обронил:

— Дальше?

— Ну и по его команде мы разыграли эту сценку. — Женщина пожала плечами. — Я сидела на постели и упрашивала его меня пощадить. Он, изображая безжалостного злодея, приближался ко мне и говорил о том, что сейчас же, немедленно овладеет мною. В какой-то момент Валентин внезапно замолчал, и я услышала, как что-то тяжелое упало на пол. Я его окликнула, но он не ответил. Я почуяла что-то неладное, стащила с глаз повязку и увидела Валю лежащим на полу с ножом в груди. Какой-то миг я еще надеялась, что он экспромтом ввел новый элемент игры. Но мне тут же вдруг стало ясно — Валентин убит. А вот кем и почему — этого я не могу понять до сих пор. Как убийца проник в номер — тоже совершенно непонятно. Дверь была заперта. Снаружи ее можно открыть только при помощи специальной карточки с магнитным кодом.

— А у кого есть такая карточка? — заинтересовался Гуров.

— От этого замка их всего три. У горничной, у меня и Валентина.

— Кто горничная? Как зовут?

— По-моему, ее зовут Наташей. Это у Евгения Эрастовича можно будет уточнить. Я сразу же нажала тревожную кнопку. Прибежали двое охранников, помогли мне освободиться от пут, а потом пришел Евгений Эрастович. Я ему все рассказала, и он позвонил в полицию.

— Кто охранники, как зовут? — уточнил Лев Иванович.

Жанна отрицательно помотала головой:

— Даже не представляю. Здесь вообще-то не поощряется установление знакомств между посетителями клуба и прислугой, — пояснила она.

Гуров пригласил к себе Антоновского и распорядился, чтобы к нему прислали горничную Наталью и двух охранников, которые первыми вошли в будуар к Жанне.

Стас тем временем выяснял обстоятельства пребывания в «Садах Астарты» Юлии Сивяркиной и Тамары Крубновой, жены владельца крупной транспортной компании. Юлия, подвижная шатенка с явно силиконовым бюстом, выглядела крайне расстроенной. На вопросы она отвечала в том же ключе, что и собеседники Гурова. Здесь нет никакого секса, только лекции, диспуты и медитация. О том, кто желал бы смерти ее мужу, Юлия не могла сказать даже приблизительно. По ее мнению, Валентин был человеком абсолютно бесконфликтным, отзывчивым и безусловно положительным во всех отношениях. Почти слово в слово это же повторила и Крубнова.

После них сыщики уже «поточным методом» пропустили всех прочих, задавая главный вопрос — не видел ли кто-нибудь чего-то странного и непонятного. Как и следовало ожидать, никто ничего подобного не заметил. Напоследок дали показания сам Антоновский, охрана и прислуга.

В тот момент, когда Лев Иванович беседовал с Наташей, этакой пампушкой с ржаными волосами и свекольным румянцем щек, к нему неожиданно, без стука, вошел известный столичный адвокат Гарри Бугва. Этот субъект с крупными чертами лица, лысиной вполголовы и кожаной папкой под мышкой с ходу начал «ставить» себя, демонстрировать свою значимость и крутизну.

— Считаю совершенно недопустимым проведение опроса свидетелей в столь поздний час. Вы причиняете людям моральные и физические страдания! — с апломбом заявил он, величественно поводя руками. — Уважаемая, этот господин оказывал на вас какое-то давление? Он заставлял вас признаваться в том, чего вы не совершали? — Адвокат эдаким буревестником посмотрел на вконец растерявшуюся горничную.

Та с растерянным видом отрицательно покачала головой. Бугва тут же истолковал это по-своему:

— Вот видите, господин Гуров, как вы запугали человека — в вашем присутствии данная гражданка даже слово боится сказать!..

Лев Иванович от души рассмеялся в ответ и поинтересовался:

— Вас Антоновский, что ли, вызвал?

— Гм... Это неважно! Главное, я прибыл вовремя и не позволил совершиться полицейскому произволу. Что это у вас тут за намеки относительно существования в этих стенах свингер-клуба? С чего вы вдруг это взяли?

— Исходя из совокупности фактов, которые и дали мне основание сделать такой вывод, — невозмутимо проговорил Гуров. — Наличие помещений со спальными местами, нахождение в них людей, раздетых донага, времяпровождение супружеских пар, которое естественным никак не назовешь. Все признаки секс-притона налицо.

Бугва хлопнул себя по боку рукой и осведомился:

— У вас дома спальные места есть? — Адвокат вскинул к потолку указательный палец. — Есть. Если к вам придут знакомые и попросятся в спальню на пять минут, чтобы устранить непорядок с одеждой, а вместо этого займутся там любовью, то вашу квартиру в таком случае тоже надлежит считать секс-притоном?

— Наташа, скажите, чем занимаются члены клуба в будуарах, для чего они обмениваются женами и мужьями? — простецки, даже чуть скучающе, поинтересовался Лев Иванович. — Эти господа не предлагали вам вместе с ними заняться медитацией?

Женщина застенчиво улыбнулась, что-то хотела сказать, но Бугва поспешил ее перебить:

— Наташа, ни слова! Вы имеете право не отвечать на этот вопрос!

Не тая иронии, Гуров как бы про себя вполголоса резюмировал:

— Не беда! Вы здесь один, а нас двое. Думаю, Станислав Васильевич уже успел найти достаточное число доказательств того, что здесь находится именно притон, а не что-то иное.

Бугва некоторое время оторопело таращился на него, потом растерянно шлепнул варениками губ, громко засопел своим шнобелем и поспешно выскочил в коридор. Наталья, видевшая все это, негромко рассмеялась. При этом было заметно, что ее что-то очень тяготит.

— Вы, я вижу, хотели бы что-то мне рассказать, но отчего-то боитесь это сделать, — задумчиво констатировал Лев Иванович, окинув ее изучающим взглядом.

Та испуганно дернулась и начала уверять сыщика в том, что больше ничего не знает и говорить ей не о чем. Из чего Гуров сделал окончательный вывод: она непричастна, но что-то знает наверняка.

В этот момент дверь снова распахнулась. Вошел судмедэксперт Дроздов, как всегда несколько заумно-задумчивый.

— Не помешал? — флегматично спросил он, с трудом сдерживая зевок. — В общем, смерть наступила примерно час назад, причина — удар ножом в сердце. Сработано исключительно точно, как на стенде. Криминалисты просили сообщить вам, что на рукояти ножа нет отпечатков пальцев. Они не нашли каких-то утерянных пуговиц, зажигалок и прочего. Как будто там побывал бесплотный дух. На дверных ручках отпечатков полно, но почти все смазанные. Катафалк я уже вызвал, с усопшим завтра еще поработаю, но, скорее всего, это вряд ли хоть что-то добавит.

Лишь к четырем утра следственные действия в «Садах Астарты» наконец-то удалось закончить. Лев Иванович пришел домой где-то в пять и смог поспать лишь каких-то часа три. Проснулся он сам, без будильника, словно кто-то толкнул его в бок. Гуров быстро покончил с утренними процедурами и завтраком, а потом отправился на работу.

Глава 2

Лев Иванович прибыл в главк уже в десять, когда лужицы дождика, пролившегося под утро, уже начали подсыхать под лучами солнца, выглянувшего из туч. Поднявшись на крыльцо, он увидел Станислава, торопливо шагающего по улице. Это было настолько неожиданно, что Гуров не мог не улыбнуться. Прийти на работу пусть и поздним утром, но после бессонной ночи для Крячко было настоящим подвигом.

Не заходя в свой кабинет, приятели напрямую отправились к Орлову. Тот, как видно, этой ночью тоже спал мало и плохо, выглядел усталым, осунувшимся.

Поздоровавшись и протерев кулаками глаза, он поморщился и со вздохом поинтересовался:

— Ну и чего там?

Выслушав достаточно лаконичный доклад, Петр тяжело задумался, потом помотал головой и сердито стукнул кулаком по столу.

— Твою дивизию! — вполголоса пробормотал он и уже громче пояснил: — Вот ведь какой геморрой свалился на нашу голову! Мне сегодня часов с пяти утра названивают всякие большие чины, которые требуют немедля вынуть из кармана и положить на стол негодяя, виновного в смерти Сивяркина. Прямо впору самому, задрав штаны, бежать по улицам города на ловлю мокрушников. Даже позавтракать не дали. Только сел за стол — звонок: «А чего это до сих пор нет подозреваемых и задержанных?» Я сказал, давайте, мол, возьмем пару человек уровня гендиректора телеканала ЛТР Шлимцева или Рязанина — главного продюсера кинокомпании «Эксперимент-ТТТ». Они тут же пятками назад: «Вы нас неправильно поняли. Просто мы хотим, чтобы вы поскорее нашли виновных». Ну и лучший друг из нашего министерства напомнил о себе: «Когда приступите к работе? Все еще копаетесь и раскачиваетесь? Эти твои хваленые Гуров и Крячко горазды только скандалы устраивать. Вон на всю Европу уже прославились, им уже и въезд запрещают!..»

Лев и Станислав, переглянувшись, дружно рассмеялись — надо же, какой актуал выискался!

— Да, вот такие претензии! — Орлов изобразил витиевато-ироничный жест. — Ну, я ему и сказал, что быть в одной компании с такими невъездными персонами куда почетнее, чем с людьми, подвергающими сомнению государственную политику в области права. Он: «О чем это вы?» Говорю ему: «Им закрыли въезд в ряд стран по той причине, что они поддержали законы о запрете пропаганды гомосексуализма, усыновления наших детей в США и об НКО. Следует понимать, что вы придерживаетесь противоположного мнения?» Он тут же заткнулся, похоже, обделался по полной — аж в телефоне забулькало! — и тут же бросил трубку.

Вскинув большой палец, Стас энергично кивнул и заявил:

— Классный апперкот! Это ты его, можно сказать, отправил в моральный нокаут. Но знаешь, таких поганеньких людишек в наши дни, к великому сожалению, с переизбытком. Наш народ я уважаю и ценю, но, увы, немалое число своих сограждан считаю быдлом и отбросами, независимо от их социального положения. Вот пример из жизни. Недавно моего соседа по двору наши, так сказать, коллеги попытались отправить на нары по высосанному из пальца обвинению. Он дал подзатыльник одному зарвавшемуся щенку, папочка которого — наш участковый. Мужика загребли в КПЗ да еще и наркоту ему подкинули!..

— Ну так ты бы вмешался! — Орлов свирепо засопел.

Он край как не любил, если сотрудники органов вели себя не лучше отмороженных урок.

— Так я и вмешался. — На лице Станислава мелькнула победоносная улыбка. — Пошел в этот райотделовский гадюшник, стал разбираться, что там да как. У этих всех — полны штаны пессимизма. Начали выкручиваться. Да мы не такие, да мы на копеечку дороже. А я их сразу предупредил: если с моего соседа хоть волос упадет, всех наизнанку выверну. Найду у любого столько грехов, что кое-кому самому придется мотать реальный срок. Ребятки тут же прижухли и заткнулись. Объявили, что претензии сняты, и прямо при мне выпустили соседа из «обезьянника».

Гуров с сожалением усмехнулся и заметил:

— Это, мужики, следствие селекции наоборот. По-моему, об этом я уже говорил не раз. Войны, революции, репрессии выбивают самых, самых, самых. А вот оставить потомство, к сожалению, чаще имеют шанс трусоватые, вороватые, подхалимистые, но при всем том наглые и беспринципные особи. А порода — это всегда порода. И у лошадей, и у собак, и у людей. От вора чаще всего рождается вор, от отморозка — отморозок, от смелого — смелый, от труса — трус. Хоть это и горько, но приходится признать, что мы как народ, к сожалению, мельчаем. Ой мельчаем!..

Проведя по лицу ладонями, Петр крепко зажмурился. Даже не спрашивая, можно было догадаться, как у него ломит в темени и висках.

Потом он несколько глуховато поинтересовался:

— Ну-ка, что это там за сдвинутый по фазе райотдел? Сегодня же созвонюсь с городским УВД! — Генерал сделал пометку в блокноте и бросил авторучку на стол. — Что у вас там на сегодня? В какую сторону думаете копать?

— Сейчас поеду в этот бордельчик на Полтинной, изучу его досконально. — Лев Иванович говорил размеренно и деловито. — Мне почему-то думается, что убийца не из состава этих свинтусов, то есть свингеров. Во всяком случае, из всех тех, кого допрашивал, ни в одном явного убийцу я не почувствовал. Да и у Стаса вроде бы то же самое.

— Да-да, — Крячко изобразил глубокую задумчивость и утвердительно кивнул. — Публика там бойкая только по части постельных подвигов. А вот насчет того, чтобы кого-то ножом пырнуть, да еще так профессионально, — это вряд ли.

Дав Станиславу договорить, Гуров продолжил:

— Значит, надо будет просчитать, каким образом убийца смог проникнуть в клуб. Кстати! Есть одна особа из обслуги, которая, я так понял, что-то знает, но боится об этом рассказать. То ли запугана, то ли это может касаться кого-то из ее близких — непонятно. Но она — сто против одного — что-то видела, что-то знает. Надеюсь, в ближайшее время женщина все же соберется с духом и расскажет. Слушай-ка, Стас, а может, ты попробуешь подобрать ключики к ней?

Станислав саркастично хохотнул, укоризненно покрутил головой и заявил:

— Ну, блин, опять почетное задание. Надо же, как низко я пал! Ладно уж, рискну, хотя за результат не ручаюсь. Она кто там?

— Горничная со второго этажа. — Гуров признательно улыбнулся и подмигнул: дескать, молоток, дружище, поддержал! — Обслуживает помещения в том коридоре, где будуары с тринадцатого по восемнадцатый. Зовут Наташей. Симпатичная, доброжелательная, скромная. Координаты и телефон имеются — надо только поднять бумаги.

— Ах! Я уже горю от нетерпения!.. — Стас обхватил себя руками, изображая томительную негу.

При его мощной фигуре и воловьей шее, на которой, что называется, хоть дуги гни, со стороны это смотрелось более чем уморительно. Орлов снисходительно хмыкнул и коротко махнул рукой. У Крячко вечно шутовство на уме.

— Из всех возможных причин убийства основной считаю месть, — продолжил Лев Иванович с абсолютно невозмутимым видом. — Ограблением тут и не пахнет. О ревности даже говорить смешно. Остается только месть и в гораздо меньшей степени — профессиональная деятельность. Отсюда следует вывод, что нужно тщательнейшим образом изучить, чем покойничек занимался последнее время, проработать всю его биографию.

— Кстати, Лева, а вот Антоновский показался тебе знакомым, — напомнил Крячко, в момент перейдя от ломания комедии к полной серьезности. — С этого конца, я думаю, какие-то зацепки тоже возможны.

— Да, это факт. — Гуров утвердительно кивнул. — Странный случай. Почему-то я, можно сказать, уверен на все сто: мы с ним когда-то сталкивались. Тут и к гадалке не ходи. Только вот где именно, никак не могу вспомнить. Да и его реакция на мое появление сказала о многом. Как он сразу начал отнекиваться, когда я сказал, что мы с ним уже сталкивались! По его же глазам было видно: врет. Он меня узнал! И это его здорово напугало. Как бы, ешкин кот, этот господин не ударился в бега. Наши ребята вчера сняли все пальчики, имевшиеся на дверной ручке будуара. Надеюсь, его отпечатки сохранились достаточно хорошо. Если нет, то придется их как-то раздобыть.

— И еще момент, — Крячко вскинул руку. — Этот бордель именуется «Сады Астарты». Он назван по имени какой-то там языческой богини, вроде бы покровительницы секса. Вот!.. Не могло так получиться, что на волне нынешнего сектантства у нас появились язычники, поклоняющиеся этой самой Астарте? Вдруг это убийство — в некотором смысле ритуальное жертвоприношение, а?

Гуров и Орлов на это предположение отреагировали каждый по-своему. Лев Иванович задумчиво откинулся на кресле и с некоторым сомнением повел головой, как бы желая сказать: «Теоретически-то возможно и это, а вот практически — слишком уж лихо закручено». Петр же эту мысль отмел с ходу как совершенно нереальную. Ну, скажите, пожалуйста, откуда в России может появиться культ Астарты?!

— Значит, сегодня свингер-клуб, горничная Наташа и Министерство инноваций и технологий, — завершая свою критичную тираду, уже почти оптимистично резюмировал генерал. — Ну, неплохо. За дело, мужики! Я сейчас тоже уезжаю. У нас будет архиважное совещание по вопросу улучшения раскрываемости.

Опера зашли к себе и в течение нескольких минут определились с направлениями. Гуров, как и собирался изначально, основным пунктом своего маршрута выбрал свингер-клуб. Он решил подробно поговорить с Антоновским, уточнить ряд вопросов, возникших к нему. Затем, в зависимости от того, как и кому удастся по времени, кто-то из них поедет в министерство, где работал новопреставленный господин Сивяркин.

Кроме того, Лев Иванович решил дать задание своему бессменному информатору Константину Бородкину, в криминальном мире известному под погонялом Амбар. Разумеется, учитывая особую щекотливость темы, этого субъекта не следовало слишком уж глубоко посвящать в обстоятельства происшедшего. Но и нехватка информации заведомо обрекала работу Амбара на пустопорожний бег на месте. Поэтому Гуров счел резонным сформулировать задание не в лоб, а в несколько косвенном варианте.

Услышав в трубке хорошо знакомый дребезжащий тенорок, он сообщил, что хотел бы узнать, кто такой Валентин Сивяркин, чем занимается и жив ли на настоящий момент. Немного похмыкав, Бородкин заверил, что нынче же прозвонит братву, узнает, что это за хмырь и чем он дышит.

Сразу же после этого разговора Лев Иванович позвонил в свингер-клуб, но никто ему не ответил. Не было отклика на звонок по второму номеру, по третьему. Не отозвался и сам Антоновский.

Тогда полковник позвонил на телефон главного бухгалтера консалтинговой фирмы «Ноу-Хау-Вест» и услышал женский голос, скороговоркой произнесший крепко заученную фразу:

— Добрый день! Консалтинговая фирма «Ноу-Хау-Вест» рада вас приветствовать. Готовы вас выслушать и помочь.

Поздоровавшись и представившись, Гуров объяснил, по какому вопросу он звонит. Его собеседница несколько опешила от такой неожиданности, потом сообщила, что в данный момент Евгений Эрастович отсутствует. Она не знает, где он находится. Однако только что подошел его заместитель, Бубникс Георгий Павлович, который может ответить на все вопросы, интересующие уважаемого господина полковника.

Лев Иванович попросил пригласить заместителя к телефону. Через несколько секунд в трубке послышался сытый баритон уверенного в себе дельца, наполненный претензиями на некую особую значительность собственной персоны. Узнав, что сотрудник главка уголовного розыска собирается осмотреть здание, он уведомил Гурова, что сильно занят. Ему сейчас придется уехать, однако он не будет возражать, если Яна Константиновна окажет господину полковнику все необходимое содействие.

Гуров вызвал из гаража главка машину — сержант Юрка с его «Ладой Приора» с утра числился выходным после суточного дежурства — и снова отправился на улицу Полтинную. Прибыв туда уже ближе к полудню, он с удивлением обнаружил, что днем, в отличие от ночи, почти вся эта улица была плотно забита автотранспортом, тогда как пешеходов замечалось не так уж и много. Судя по всему, здесь располагалось сразу несколько каких-то контор, организаций, мелких и крупных шарашек. В них работало немалое число сотрудников, другие же люди приезжали сюда как клиенты.

Лев Иванович вышел из машины у здания консалтинговой фирмы «Ноу-Хау-Вест», она же — свингер-клуб «Сады Астарты», отпустил шофера поискать место для парковки и

32

направился к вестибюлю. Швейцара у входа на сей раз не было. Видимо, его держали для декора в вечерние часы, когда сюда приезжали особо важные клиенты.

Впрочем, и сама дверь была заперта изнутри. Сыщику пришлось стучать кулаком в стекло. Достаточно скоро в вестибюль вышел охранник и вопросительно воззрился на визитера, незнакомого ему. Однако удостоверение, предъявленное полковником, оказалось вполне убедительным аргументом.

Щелкнул замок, и Лев Иванович прошел в совершенно безлюдный холл здания. Охранник, следовавший за ним, пояснил, что Яна Константиновна находится в бухгалтерии, которую можно найти, пройдя через дверь в конце холла, за зеленой завесой разросшейся монстеры и сансевьеры. И в самом деле, обогнув редут тропической зелени, Гуров увидел в стене дверь, за которой обнаружился коридор, куда открывалось несколько дверей подсобных, технологических и служебных помещений.

Сыщик подошел к двери с табличкой «Бухгалтерия», постучался и вошел в помещение, заставленное типовыми шкафами с бухгалтерской документацией. За столом с компьютером сидела женщина средних лет, больше напоминающая школьную учительницу русского языка и литературы. На какой-то миг Льву Ивановичу показалось, что она сейчас поднимется и скажет: «Дети, сегодня мы будем учить правописание «жи-ши» и «ча-ща».

Но хозяйка кабинета, приветливо улыбнувшись, поинтересовалась, что может предложить своему гостю — чай или кофе. Гуров поблагодарил ее и пояснил, что хотел бы прежде всего осмотреть здание, а поэтому просил бы кого-нибудь из здешних сотрудников его сопроводить и дать все необходимые пояснения.

Женщина понимающе кивнула в ответ, набрала на сотовом чей-то номер, дождалась отклика и попросила какого-то Володю зайти в бухгалтерию.

Этот самый Володя оказался плотным, неплохо скроенным парнем с кучерявым чубом. На нем была черная униформа. Первым делом Лев Иванович решил осмотреть наружный периметр здания. Они с Володей прошли через вестибюль, спустились по лестнице и свернули направо. Шагая вдоль стены, сложенной из красивого старинного темно-красного кирпича, Гуров внимательно осматривал окна, закрытые решетками, и утоптанную дорожку, уже усыпанную ранними желтыми и оранжевыми осенними листьями. Однако сыщик не обнаружил никаких следов, даже намеков на то, что в том или ином месте кто-то приближался к зданию со стороны сквера, окружающего его.

Лев Иванович снова свернул направо, за угол. С обратной стороны корпуса он увидел в стене большую железную дверь. К ней подходила асфальтовая дорога, бегущая через сквер на соседнюю улицу. Он подошел к двери и дернул за ручку. Но она была заперта надежно, поэтому даже не шелохнулась.

Гуров оглянулся и спросил у Володи, который с интересом наблюдал за его действиями:

— Это черный ход? Как часто им пользуются?

— Вообще-то почти ежедневно, — пояснил тот. — У нас держат марку. Поэтому продукты и напитки используются только самые свежие. Больше двух-трех дней тут ничего не залеживается. А как еще может быть? Наши ВИП-персоны — народ капризный. Если у нас икра, то напрямую с хорошей базы для элитарных заведений, но никак не для массового потребителя. Вчера днем привозили вина, сигары, сыры и фрукты.

Лев Иванович согласно кивнул в ответ и молча продолжил путь. Он все так же внимательно отыскивал возможные следы злоумышленника, но уже был почти уверен в том, что тот воспользовался именно этим вот служебным входом. Миновав просторную асфальтированную парковку, расчерченную белыми линиями, с будкой охранника и «кобрами» светильников, Гуров снова свернул вправо и направился к крыльцу.

Они с Володей вошли в здание, проследовали по уже знакомому коридору и подошли к двери служебного входа с внутренней стороны. Изучив запоры, Лев пришел к выводу, что изнутри их отомкнуть особых проблем не составляет. А захлопнуть следом за собой — и того проще, поскольку замки были настроены на автоматическое срабатывание. Это наводило Гурова на мысль о том, что убийца, любым возможным путем проникнувший в здание, мог без проблем его покинуть именно через эту дверь и не оставить при этом никаких следов.

Потом Гуров осмотрел складские помещения и подсобки, соседствующие со служебным входом, заглянул в помещения кухонного блока. Невдалеке от двери кухни он увидел еще одну.

— А эта куда ведет? — Гуров ткнул в нее указательным пальцем.

— На второй этаж. Через нее в будуары и гостиную доставляются продукты и напитки, — пожав плечами, сообщил охранник.

Как видно, он терялся в догадках, для чего этому сыщику, о котором в дежурке не слышал только глухой, понадобилось выяснять такую ерунду, как то, куда и какая дверь ведет.

Лев Иванович не проявил никаких намерений ползать с лупой по полу, разыскивая следы убийцы. Он понимающе кивнул, открыл дверь и окинул взглядом просторный коридор с лестницей, застеленной ковровой дорожкой, и стенами, выложенными красивой керамической плиткой. Гуров кивком пригласил Володю следовать за собой, поднялся на второй этаж, открыл еще одну дверь и оказался в уже знакомом коридоре с приватными номерами. Прямо напротив выхода с лестницы полковник увидел дверь с табличкой «Прислуга».

— Открывай! — лаконично распорядился он.

Володя молча достал из кармана ключи и открыл дверь. Гуров вошел в довольно просторную комнату. Часть ее площади занимала типичная бытовка со столом, тумбочкой и диваном. А вот другую ее половину скрывала занавесь из портьерной ткани, свисающая от потолка до пола. Лев Иванович отодвинул ее и увидел перед собой что-то наподобие центра наблюдения с мониторами, закрепленными прямо на стене, толстыми пучками проводов и какой-то аппаратурой, которая размещалась на столе.

— Эти мониторы предназначены для контроля за ситуацией в будуарах? — Гуров указал взглядом на темные прямоугольники плазменных панелей.

— Ну, в общем-то, да, — не очень охотно согласился охранник.

35

— То есть надо понимать так, что за клиентами велось наблюдение и тогда, когда они занимались интимом? — Лев Иванович испытующе посмотрел на Володю.

Тот замялся, пожал плечами и неуверенно проговорил:

— Я точно не знаю. Тут находится только горничная, это ее пост.

— Вот как! — Гуров иронично усмехнулся. — Володя, не надо напрягаться. Меня ваши здешние корпоративные тайны не интересуют. Мне важно другое. Если велась запись, то я хотел бы ее просмотреть. Вдруг в кадре оказался убийца?

— А-а-а, это! — обрадовался парень. — Я сейчас посмотрю.

Он проворно включил аппаратуру, нажимая на нужные кнопки и клавиши вполне уверенно, как если бы занимался этим уже не раз. Засветился один из экранов. Лев Иванович увидел на нем сладкую парочку, которая постепенно освобождалась от одежды.

— Володя, мне это неинтересно, — Гуров чуть поморщился. — Перемотай-ка вперед, чтобы начать просмотр часов с десяти.

— Понял! — Парень кивнул и пробежался пальцами по клавиатуре.

Изображение тут же исчезло.

Глядя на непроницаемо-черный прямоугольник, охранник озадаченно пробормотал:

— Что за хрень? Отключилось, что ли?

— Нет, Володя, просто в десять часов съемка уже не велась, — раздосадованно произнес Лев Иванович, который уже понял, что киллер оказался хитрее, чем ему хотелось бы. — Отмотай-ка минут на пять назад.

Володя уважительно посмотрел на полковника, который явил весьма неординарную смекалку, и установил начало просмотра на двадцать один пятьдесят пять. Экран тут же засветился. Донага раздетый Сивяркин, еще без плаща и треуголки, сидел на постели и затягивал на голове Жанны, тоже совершенно лишенной одежды, черную повязку, закрывающую ей глаза. Руки и ноги женщины были уже связаны полосками черного бархата.

Покончив с повязкой, Сивяркин объявил:

«Так, Жаннулечка, теперь ты — пленная графиня на моем пиратском судне. А я — Джек Воробей, жаждущий тобою овладеть. Сейчас ты начнешь умолять меня...»

В этот момент экран погас, снова обратился в черный прямоугольник.

— Все понятно, — Гуров покачал головой. — Значит, ровно в десять часов вечера киллер выключил видеозапись и пошел в девятый будуар, чтобы там убить Сивяркина. Если здесь в этот момент находилась Наталья, то она не могла не видеть чужака. Поэтому он ее, скорее всего, связал или оглушил. Кстати, а в коридоре камеры не установлены?

— Нет, начальство считает, что там они как бы ни к чему. — Володя изобразил несогласную гримасу. — В коридоре постоянно дежурим мы, периодически проверяем каждый закуток.

— Как видишь, зря их там не поставили, — Лев Иванович сокрушенно вздохнул. — Ладно! На вот тебе флешку, сбрось-ка на нее этот видеоматериал.

Пока охранник возился с аппаратурой, сыщик вышел в коридор и набрал на сотовом номер Крячко. Он вкратце рассказал Стасу о системе видеонаблюдения.

Потом полковник вернулся в бытовку и, наблюдая за манипуляциями охранника, как бы невзначай поинтересовался:

— А ты здесь давно работаешь? На твоей памяти посторонние сюда каким-то образом не пытались пролезть?

Охранник немного помолчал, после чего неуверенно спросил:

— Вас интересуют абсолютно все случаи? Я тут около года. Так-то к нам особо-то никто не лезет. Тут если кто увидит одного только дядю Гришу, так сразу дает задний ход. Хотя совсем стукнутые могут и на него попереть. Вот недели две назад какой-то алкаш пробовал зайти. Видимо, перепутал нас с «Бир Бэром». Ну, дядя Гриша его сразу взял за химок и спустил с лестницы. А тут еще и мы вышли. Он вмиг протрезвел. Как притопил — только пятки засверкали.

— Его лица ты не запомнил? — Гуров вопросительно взглянул на Володю. — При случае мог бы опознать?

Тот виновато развел руками и сообщил:

— Вряд ли. Какой смысл запоминать грязного алкаша? Таких поганцев тут целые косяки мотаются. Постойте! Лев Иванович, вы считаете, что это был не алкаш, а киллер, который приходил разведать обстановку? — Охранник неожиданно для себя самого явил сообразительность и смекалку.

— Вот-вот, — лаконично подтвердил полковник. — Но, может быть, его запомнил этот самый дядя Гриша?

Володя обрадованно подтвердил, что тот вполне мог бы реально помочь, поскольку обладает отменной памятью на лица и имена.

— Он наших клиентов запоминает с первого раза. Глянул — и как будто сфотографировал, — отметил парень. — Его адрес и телефон можно взять у Яны Константиновны.

На вопрос Гурова об убийстве коммерсанта, случившемся минувшим летом, охранник пояснил, что этот тип появлялся в свингер-клубе и до трагедии, случившейся с ним тем вечером. Хотя и всего один раз. Тогда он приехал совершенно один. Внутренние правила клуба не допускали этого для новичков. Однако Антоновский приказал его пропустить и, судя по всему, принял по высшему разряду. Из этого можно было сделать вывод, что они были хорошо знакомы и даже имели какие-то общие дела. Володя не знал, с кем из клубных дамочек уединялся коммерсант, но до его слуха на следующий вечер долетело раздраженное суждение одной из этих особ. Она довольно громко заявила, что этого потного кабана сюда можно было бы и не пускать.

Убили коммерсанта во время его второго визита в «Сады Астарты». Он, по сути, даже не успел выйти из машины. Сам Володя этого момента не видел, но напарник рассказывал ему, как произошло покушение. Застрелил коммерсанта и в самом деле мотоциклист, подготовка которого, судя по всему, была на уровне хорошего гонщика-экстремала. Да и стрелял он виртуозно.

Охранник рассказал, что в связи со случившимся на Полтинную примчалось сразу две опергруппы. В свингер-клуб приходил какой-то амбициозный майор, который, источая апломб, с ходу начал стращать охранников и швейцара уголовной ответственностью за дачу ложных показаний. Те вначале было разоткровенничались, но постепенно ушли в глухую защиту. Мол, ничего не видели, не слышали, не знаем. Донельзя раскипятившийся майор ушел от них ни с чем. Судя по всему, того же результата он добился и в пивбаре.

— Ну а кто будет откровенничать с таким остолопом, пусть он и майор?! — Охранник саркастично усмехнулся и безнадежно махнул рукой: — Если человек больной на всю голову, то, по-моему, на такой работе ему делать нечего.

После того происшествия с коммерсантом Антоновский оборудовал стоянку для автотранспорта клиентов во внутреннем дворе. Теперь члены клуба уже не имели необходимости мыкаться по Полтинной, выбирая место для парковки.

Гуров забрал у Володи флешку и пообещал никому не говорить о том, что им была сделана копия видеозаписи. Потом он спустился на первый этаж и снова зашел к главной бухгалтерше. Яна Константиновна без лишних разговоров нашла адрес и телефон швейцара Щупрова Григория Дмитриевича. При этом она предупредила сыщика, что дядя Гриша — заядлый рыбак, поэтому в свободное время дома застать его очень трудно.

Лев Иванович поблагодарил свою собеседницу, направился к выходу, но неожиданно остановился у двери и спросил:

— Яна Константиновна, а всякие там разные проверяющие вас тут не слишком часто беспокоят?

Женщина недоуменно похлопала густо накрашенными ресницами, задумчиво улыбнулась и как бы про себя негромко произнесла:

— Всякое случается, разное бывает. Вас они все интересуют или кто-то персонально?

Гуров вернулся назад, сел напротив Яны Константиновны и пояснил, что его может интересовать человек, который предположительно работает в налоговой инспекции. Это моложавый мужчина средних лет с короткой стрижкой, стройный, подтянутый, спортивный, легкий в движениях.

Выслушав его, женщина утвердительно кивнула и сказала:

— Был именно такой, каким вы его описали. Примерно месяц назад приходил. — В ее взгляде мелькнуло что-то мечтательное. — Очень интеллигентный, но при этом необычайно мужественный, даже брутальный. Прямо Штирлиц номер два. Таких мужчин, конечно, не слишком много. Кстати, простите за комплимент, но вы из этой же категории. Чем-то даже с ним похожи. Он только ростом чуть пониже.

Как далее рассказала Яна Константиновна, этого самого Штирлица очень интересовали поставщики продуктов, цены, назначаемые ими, и многое другое. Например, вся ли оплата проходит через бухгалтерию. Штирлиц просмотрел текущие отчеты, проявил отменные знания по части бухгалтерского учета и ведения документации. Он даже сделал небольшую подсказку по части разноса платежей по тем или иным счетам в соответствии с современными требованиями Министерства финансов. Никаких бакшишей, в отличие от многих своих коллег, он не потребовал. Закончив дела, Штирлиц просто попрощался и ушел.

— Скажите, а от какого поставщика к вам вчера были завезены продукты? — благодарно кивнув в ответ, спросил Гуров.

— Так, вчера. — Яна Константиновна пробежалась пальцами по клавишам компьютера. — Значит, это ООО «Курьер-Люкс», один из наших постоянных поставщиков, очень добросовестный, надо сказать. Они базируются на улице Вторничной, почти у МКАДа. С этой базы берут продукты многие рестораны высшего класса. Правительственные структуры тоже частенько там отовариваются. Цены, конечно, высокие, иной раз астрономические, зато и качество соответствующее.

— Ясно. — Лев Иванович потер переносицу. — А про то, что случилось вчера вечером на втором этаже вашего заведения, вы уже слышали?

— А-а, вы об убийстве мужчины? Да, в общих чертах мне сегодня об этом рассказали. Ужасная история!.. — В голосе Яны Константиновны зазвучали нотки жалости. — Кто же и за что его убил?

— Вот это мы и пытаемся выяснить. Кстати, а вы не могли бы нам помочь составить фоторобот того самого Штирлица? Мы были бы вам очень признательны. — Гуров выжидающе посмотрел на свою собеседницу.

— А он что, в чем-то подозревается? — На лице женщины отразилось недоумение и разочарование.

— Скорее нет, чем да. — Лев Иванович слегка слукавил и улыбнулся: — Он — ценный свидетель, который по ряду причин не очень настроен делиться информацией, интересующей нас.

Он догадался, что его собеседница без ума от Штирлица. Она никак не может согласиться с тем, что мужчина, запавший в ее душу, — опасный преступник, убийца. Чтобы не случилось осечки с фотороботом, ее чувства следовало пощадить. Так Гуров и сделал.

Яна Константиновна просияла, охотно кивнула в ответ и заявила:

— Хорошо, давайте составим! После обеда я свободна. Мне куда и во сколько подъехать?

Гуров написал на листе бумаги адрес, указал время и контактные телефоны, а потом наконец-то смог распроститься с «Садами Астарты». Выходя на улицу, он достал телефон, набрал номер заместителя начальника информационного отдела капитана Жаворонкова и попросил того найти максимум информации по Антоновскому и Бубниксу.

Затем Лев Иванович позвонил домой швейцару Щупрову, тому самому дяде Грише. Услышав в трубке уже знакомый рыкающий бас, он представился и сказал, что хотел бы встретиться. Швейцар не проявил явного восторга, но держался достаточно вежливо и дал свое согласие.

С Полтинной полковник отправился на улицу Артельную, где и проживал швейцар свингер-клуба. Шофер, истомившийся в ожидании пассажира, лихо стартовал с парковки и прокатил по улицам с ветерком, хотя ехать пришлось всего каких-то десять минут.

Как оказалось, Гуров позвонил вовремя. Щупров уже собирался отбыть на рыбалку, к тому же с ночевкой. Он пригласил нежданного гостя в дом и стал радушно угощать его рыбным пирогом собственного производства. Как оказалось, дядя Гриша был родом с Урала, где это блюдо весьма распространено. Он охотно согласился помочь с составлением фоторобота того настырного выпивохи.

— Я не стал бы спускать его с крыльца, если бы он не нахамил, — наливая себе и гостю чаю, неспешно рассказывал Григорий. — Прет, понимаешь, как баран на новые ворота. Я его спрашиваю, мол, куда?! А он: «Да пошел ты, холуй!» Меня это здорово задело. Да, я швейцар, но холуем никогда не был и не буду. Сгреб его за шкирку и пустил в свободный полет.

Щупрову показалось, что тот тип был не столько пьян, сколько нагонял на себя куража. Ростом он чуть ниже Гурова, да и не слаб, как видно. Не будь у швейцара мощной спортивной подготовки тяжелоатлета, ему вряд ли удалось бы справиться с этим странным скандалистом.

Григорий сказал, что в швейцары он подался, потеряв свое прежнее место работы. Он и в самом деле был штангистом, к тому же мастером спорта. Свою спортивную карьеру дядя Гриша закончил еще в девяностые годы. Последним его достижением было серебро на первенстве России.

Щупров занялся тренерской работой. Он оборудовал спортклуб в заброшенном помещении и очень скоро имел целую команду перспективных тяжелоатлетов, которые успешно выступали на юношеских первенствах столицы. А кое-кто выходил и на Россию.

И все бы ничего, да года три назад кто-то неизвестный положил глаз на некогда бесхозное помещение и земельный участок под ним. Тут же, прямо как по команде, начались всевозможные проверки, придирки, притеснения. В паре продажных газетенок вышли лживые материалы, в которых рассказывалось о том, что Щупров якобы готовит будущих рэкетиров.

Поводом для этих утверждений стала выходка одного бездельника, который в спортклубе и занимался-то всего какой-то месяц. Этот «тяжелоатлет» напился, устроил дебош в кафе да еще и попытался его ограбить. Суд назначил сопляку два года условно, а вся грязь была вылита на команду и ее тренера.

Вскоре налоговиками и коммунальщиками были найдены несуществующие долги. Арбитраж решил вопрос в их пользу. Приехали приставы и вывезли из клуба в неизвестном направлении штанги, гири, гантели, канаты, тренажеры. Все остальное было изломано и уничтожено.

Городское спортивное начальство объявило, что клуб Щупрова подлежит закрытию. Его деятельность, видите ли, не соответствует принципам спортивной этики. Тренер воспитывает в спортсменах культ грубой силы и даже криминальные наклонности.

— Меня и сейчас мои ребята встречают и спрашивают: «Дядя Гриша, а когда мы снова будем заниматься?!» — Щупров горестно вздохнул. — Что им ответишь? Клуба нет, денег и разрешения — тоже.

Потому-то три года назад он и подался в швейцары, тем более что жалованье ему предложили весьма солидное. Григорий знал, что за публика и для чего именно собиралась в этом здании, но осуждать или одобрять этих людей не брался. Сам он был твердым приверженцем старых семейных традиций, в этом же духе воспитал и своих детей. Участников свингер-вечеринок дядя Гриша рассматривал как персон болезных и убогих, достойных лишь сочувствия и сожаления.

Помнил Щупров и про случай с убийством коммерсанта. Это произошло у него на глазах. В поздних вечерних сумерках на парковку подрулил шикарный джип. Прохожих в тот час на этом участке Полтинной было мало. Даже подле пивбара почти никого не оказалось.

Хозяин джипа открыл дверцу и левой ногой ступил на асфальт. В этот самый момент по улице промчался легкий гоночный мотоцикл без номеров, появившийся словно из ниоткуда. Его седок в облегающем спортивном костюме и шлеме, закрывающем всю голову, выписал стремительный вираж и за долю секунды оказался рядом с джипом.

Из чего именно стрелял мотоциклист, Григорий не видел. Но, скорее всего, из пистолета с глушителем. Раздалось несколько приглушенных хлопков. После чего снова взревел мотор, и киллер исчез за ближайшим поворотом.

Все это произошло в течение всего нескольких секунд. Никто из людей, находившихся рядом, сразу и не понял, что же вообще приключилось. Лишь когда раздался женский крик: «Человека убили!», стало ясно, что это не розыгрыш, не инсценировка, а настоящее преступление.

Майора Крайнего Григорий определил как человека недалекого, с избытком самомнения и пренебрежения к окружающим. Щупров взялся рассказать этому оперу о том, что видел. Однако тот явно не доверял свидетелю, начал его обрывать, перебивать, одергивать, угрожающим тоном требовать каких-то особенных подробностей. Швейцар-штангист еле сдержался, чтобы не спустить с крыльца и этого зарвавшегося фанфарона. Он, как и охранники, в конце концов заявил о том, что ничего не видел, рассказал о том, что услышал от других. Майору пришлось с матерной руганью ретироваться восвояси.

Лев Иванович договорился с Щупровым о времени прибытия того в главк и вышел на улицу. Он созвонился с криминалистами и предупредил их о том, что сегодня к ним должны приехать двое свидетелей для составления фотороботов.

Теперь его путь лежал на улицу Вторничную, на базу «Курьер-Люкса». Когда сыщик садился в машину, зазвонил его сотовый телефон. Это был Стас.

— Лева! — В голосе Крячко звучали нотки азарта и даже некоторого ликования. — Наташа раскололась и дала интересные показания. Короче, я так понял, наш невидимка-неуловимка довольно долго окучивал этот поганый клуб, чтобы выйти на Сивяркина. Когда приедешь — расскажу. Ты сейчас куда?

— На Вторничную, там продуктовая база, снабжающая ВИП-персон, — сообщил Гуров. — Кстати, не исключено, что уже сегодня мы будем иметь фоторобот этого самого невидимки-неуловимки.

Некоторое время в трубке царило молчание, после чего погасшим голосом Крячко досадливо резюмировал:

— Да, Лева, с тобой тягаться непросто... Думал тебя удивить, а теперь сам чешу репу — как только тебе это удается? Ладно, увидимся. Я сейчас в Министерство инноваций и технологий.

И снова машина мчалась по московским улицам от одного периферийного микрорайона к другому. «Приора» удачно проскочила через несколько автомобильных пробок и летела по широкому проспекту в сторону МКАДа.

Базу «Курьер-Люкса» найти удалось не сразу. Водителю пришлось минут пятнадцать поколесить по Вторничной, сплошь застроенной складами, терминалами, разгрузочными площадками. Когда Гуров подошел к воротам с табличкой, извещающей, что это и есть искомый «Курьер-Люкс», на часах было уже около четырех. Ему удалось подкрепиться у гостеприимного швейцара-штангиста и слишком уж назойливые мысли о необходимости пообедать у него не возникали.

На проходной базы удостоверение Гурова ввело в некоторый ступор двух усатых, дебелых охранников. Судя по всему, в этой организации, приближенной к весьма высоким персонам, подобные гости появлялись крайне редко. Старший охранник поспешно созвонился со своим начальством, переговорил с ним и сообщил, что гостя уже ждет заместитель генерального директора по безопасности.

Территория, занятая фирмой «Курьер-Люкс», выглядела просто образцово. В отличие от похожих объектов не столь высокого класса, асфальт здесь был чисто выметен, контейнеры, укрытые полиэтиленом, стояли ровными рядами, автопогрузчики, разъезжавшие туда-сюда, сияли новизной.

Лев Иванович вошел в административный корпус. Вахтер указал ему на дверь кабинета прямо и направо от входа. На ней висела табличка, надпись на которой извещала всех, что здесь работает заместитель генерального директора по безопасности Макарян В. К.

Рослый мужчина под пятьдесят, с короткой седоватой шевелюрой, назвавшийся Вольдемаром Кареновичем, тоже был очень удивлен тем обстоятельством, что к нему пожаловал представитель Главного управления уголовного розыска. Маркарян выслушал Гурова, потом с озабоченным, задумчивым видом кому-то позвонил по телефону. Вскоре в кабинет вошла сотрудница бухгалтерии, которая подала Вольдемару Кареновичу бумагу с перечнем поставок за вчерашний день.

Маркарян пробежал глазами по длинному списку заказчиков, потом ткнул пальцем куда-то в его середину и сказал:

— Вот, есть «Ноу-Хау-Вест». Да, вчера продукты им возили, все согласно поданной заявке. Для доставки была выделена пятьсот восемьдесят пятая «Газель», водитель Фоменкин.

Старший грузчиков — Аляев. А они сейчас где? — возвращая бумагу, спросил он бухгалтершу.

— Это надо уточнять у диспетчера, — ответила женщина и развела руками.

— Да-да, сейчас узнаем, — снимая трубку, пробормотал Макарян.

Как оказалось, команда Аляева в этот момент находилась на выезде и вскоре должна была вернуться. Учитывая наличие свободного времени, хозяин кабинета предложил Льву Ивановичу выпить кофе. Заодно он попросил уточнить, что же такое серьезное ведомство, как главк угрозыска, хочет узнать от грузчиков их базы. Как это может быть связано с доставкой продукции в консалтинговую фирму?

Гуров в нескольких словах пояснил, что их сотрудники ему нужны лишь как свидетели. А вот о том, что и где случилось, он подробно говорить не может по вполне понятным причинам.

— Убит клиент некоего заведения, посещаемого важными людьми, — пожав плечами, добавил Гуров. — Это все, что я могу вам сказать.

— Вы не Валентина Сивяркина имеете в виду? — отпивая кофе, уточнил Макарян.

— Вы знаете об убийстве Сивяркина? — Лев Иванович сокрушенно покачал головой.

Ай да секретность, о которой вчера так рассусоливал Петр!..

— Ну да. — Его собеседник невозмутимо пожал плечами. — Утром знакомый позвонил, говорит, дескать, Вольдемар, Валяна Сивяркина пришили. Вчера он был в своем клубе по интересам и там получил нож в сердце. Я очень удивился, даже расстроился. Что за беспредел такой творится?!

— А вы с Сивяркиным были хорошо знакомы? — спросил Гуров, поняв, что сейчас у него есть возможность получить интересную информацию.

— Не сказал бы, что хорошо, но иногда пересекались. Когда еще он был председателем правления банка «Восточный бриз», наша фирма у них кредитовалась, заодно снабжала их первых лиц высококлассными деликатесами. Поэтому иногда мы оказывались пусть и не рядом, за одним и тем же столом, но в одном банкетном зале. Что я о нем помню? Таких людей называют жизнелюбами. Деньгами сорил направо и налево. А их у него было всегда в избытке. Баб охмурял почем зря. О-о-о! Казанова, как сейчас говорят, нервно курит в сторонке. Когда Валентин стал помощником Ступцова, министра инноваций и технологий, он почти весь свой отдел уволил. Всех бабок и теток отправил на пенсию или перевел на периферию, а взамен набрал молодых, красивых и безотказных. Ох как он с ними куролесил! Прямо в своем кабинете... — Макарян рассмеялся с нотками легкой укоризны.

— А о некоем свингер-клубе «Сады Астарты» вы что-нибудь слышали? — уже отбросив всякое секретничанье, поинтересовался Лев.

— А кто о нем не слышал? — Вольдемар развел руками. — Он же прячется за спиной «Ноу-Хау-Веста». Там развлекаются люди очень крупные, весьма известные. Если их имена попадут в СМИ, то скандал будет, я вам скажу, грандиозный.

— А вот как вы, позвольте спросить, относитесь к подобным формам досуга? — Гуров с интересом взглянул на собеседника.

— Нет, это не для меня! — Макарян категорично помахал рукой. — Нет, конечно, я не свят, но всему же есть границы! Кому-то отдать свою жену и при ней же ложиться в постель с другой — это уже что-то от животного, стадного. Сами-то вы как на это смотрите?

— В этом плане я консерватор, — ответил Гуров и сдержанно улыбнулся.

— Вот именно! — поддержал его Вольдемар. — Конечно, всю эту свингерщину кроме как дуростью не назовешь. Но я все равно не понимаю, кто и за что мог его убить. Явных врагов у Валентина не было. Те люди, с которыми он развлекался в одной компании, ревновать не могут в принципе. Для них это норма. Разве что схватился за нож какой-нибудь рогоносец из числа мужей его сотрудниц? Не знаю.

В кабинет заглянула секретарша и сообщила, что команда грузчиков Андрея Аляева уже прибыла и ждет распоряжений.

— Пусть зайдут сюда, — Макарян сделал приглашающий жест. — Здесь с ними побеседуем.

Через минуту, тяжело топая ботинками грубоватого рабочего фасона, в кабинет вошли трое рослых молодых мужчин

47

в синих комбинезонах и кепках с надписью «ООО Курьер-Люкс».

Круглолицый крепыш с белесыми усами поздоровался и поинтересовался:

— Вызывали, Вольдемар Каренович?

— С вами хочет поговорить товарищ полковник из органов внутренних дел. Присаживайтесь!

— Ух ты!.. — с некоторой многозначительностью вполголоса произнес один из грузчиков, обменявшись взглядом со своим бригадиром.

Лев Иванович выяснил у парней, кого из них как зовут, и поинтересовался, в каком составе они вчера работали на разгрузке продуктов на улице Полтинной.

— А, это в «Ноу-Хау-Вест», что ли? — Круглолицый молодой мужчина, который назвался Вадимом, понимающе кивнул. — Вместо Геннадия вчера был Максим Хомутов. Но он сегодня утром почему-то не вышел на работу. Его сотовый не отвечает. Пришлось Генку вызвать с выходного.

Лев Иванович мысленно констатировал, что этого самого Максима — если только это его настоящее имя — на этой базе теперь вряд ли кто-то увидит. Потом полковник попросил грузчиков рассказать все, что они знают о Хомутове.

По словам Вадима, тот устроился к ним меньше месяца назад. Работал добросовестно, не отлынивал, выполнял все, что бы ни поручили. Но была в нем и некоторая странность. Он очень не любил рассказывать о себе, при этом умел мастерски уйти от любого неудобного вопроса, отделавшись шуткой, переведя разговор в другое русло, найдя уместный повод куда-то отлучиться.

По пути парни вчера забросили заказы еще в две точки. К зданию «Ноу-Хау-Веста» они приехали уже в конце своего маршрута. Здесь особо разгружать было нечего. Продуктов оказалось совсем немного. Все происходило точно так же, как и обычно. Старший охранник открыл им дверь служебного входа, они занесли коробки и ящики в складское помещение.

Перед тем как «Газель» прибыла к «Ноу-Хау-Вест», Хомутов по секрету сообщил Вадиму, что хочет задержаться на Полтинной. Там у него якобы то ли проживает, то ли работает некая зазноба. Все равно рабочий день уже закончен, заказов больше нет. Бригадир подумал и дал свое «добро». Максим действительно скрылся сразу после разгрузки. Причем так ловко, что этого никто даже не заметил. Вот он только что был, и уже его нет. Словно растворился в воздухе.

— Так, мужики, опишите-ка мне его, — попросил Гуров.

В какой-то момент сыщик заподозрил, что словесный портрет Хомутова запросто может оказаться полным аналогом описания Штирлица из налоговой и выпивохи, прорывавшегося в свингер-клуб.

А может быть, и мотоциклиста-киллера? Вот это действительно было бы весьма интересным моментом!..

Грузчики описали Максима Хомутова как брюнета, крепыша выше среднего роста. Лет ему, по мнению большинства, было около сорока. Он носил усы и бородку, темные очки, которые почти никогда не снимал. Максим объяснял это тем, что когда-то у него был ожог сетчатки глаз и поэтому он без очков теперь уже не может. Зубы имел ровные, снизу слева блестела золотая фикса, то есть коронка. Но не исключено, что поддельная, для отвода глаз.

На тыльной стороне левой ладони синела типично зэковская татуировка — солнце, восходящее из-за горизонта, и надпись «Север». Цвета глаз не запомнил никто. Один из парней говорил — серые, другой — карие, третий — зеленые. Такую примету, как золотой перстень с печаткой на безымянном пальце левой руки, в расчет можно было не брать. Снять его или надеть — дело минутное.

Гуров договорился с Вадимом о том, что тот завтра утром явится в главк для составления фоторобота, и отправился восвояси. Когда он садился в машину, солнце уже начало уходить за крыши домов.

Глава 3

Стас Крячко отправился на рандеву с горничной Натальей на своем любимом «Мерседесе». Эта машина была не самой первой новизны, но после капитального ремонта смотрелась весьма импозантно. Станислав рулил по столичным улицам и размышлял, как ему лучше обставить встречу с этой женщиной, чтобы с ходу раскрутить ее на полную откровенность.

В какой-то момент у него даже появилась идея использовать уже не единожды испытанный прием, который условно можно было бы назвать «Благородный незнакомец спасает красавицу от чудовищ». В качестве дежурного злодея опять можно было бы задействовать капитана Жаворонкова и пару ребят из группы стажеров. В истории с похищением герцога Урриморского этот фокус сработал без сучка без задоринки. Все прошло как по маслу. Очаровательница из Шереметьева, «спасенная» тогда Стасом, стала настоящим кладезем ценной оперативной информации. А сколько будоражащих душу мгновений она подарила ему самому!

Но, поразмыслив, Крячко решил с этим вариантом повременить. Тут и Валерку Жаворонкова надо отрывать от дела, а Лева, поди, загрузил его как савраску. Неплохо бы еще и разобраться с обстановкой на местности. Кроме того, Наталья вчера могла его запомнить, когда они с Гуровым приезжали на место происшествия. Конечно, не факт, что в условиях шока и общего потрясения она была на такое способна. Но если это так, то есть немалый риск, что горничная в момент раскусит устроенный им спектакль. Тогда из подобной затеи получится полная дуристика.

«Ладно, — подумал Станислав, — попробуем что-нибудь другое. Рассудим логически. Домой она вернулась поздно, значит, и встанет не с самого утра. Час-полтора, как и всякая баба, потратит на себя, горячо любимую: завтрак там, глаза нарисовать. А потом чем может заняться? Скорее всего, по магазинам побежит. А вот там-то ее и можно будет чем-то как-то зацепить».

Он взглянул на часы и прикинул, что если его расчеты верны, то как раз в течение ближайшего часа Наталья и должна бы отправиться по магазинам. Ну а если нет, то ему придется действовать обычным, шаблонно-тупым порядком — созвониться, представиться, договориться о встрече, задать дежурные вопросы. Скукотища! Никакой романтики, ни малейшего намека на креатив, как это сейчас называют.

Стас прибыл на улицу Челюскинцев и нашел дом девятнадцать, который оказался типичной девятиэтажкой, построенной лет тридцать назад. Он вычислил, в каком именно подъезде может находиться квартира сто пятьдесят один. Потом Крячко припарковался напротив дома, включил музыку, откинулся на спинку кресла и заранее запасся терпением. Он краем уха слушал попсу, транслируемую FM-радиостанцией, и не отрываясь следил за дверью подъезда. Кто-то входил в дом, кто-то покидал его. Натальи заметно не было.

Но Станиславу терпения было не занимать. Он поборол зевок — запредельный недосып минувшей ночи давал себя знать, — взглянул на дверь подъезда и неожиданно для себя увидел ту самую женщину, ради встречи с которой и приехал сюда. Она вышла на улицу и в полном соответствии с предположениями Крячко неспешно зашагала к большому сетевому супермаркету, встроенному в первый этаж соседнего дома.

Стас дождался, когда Наталья скроется в магазине, быстренько перегнал машину на парковку для покупателей и тоже вошел внутрь. В этот момент зазвонил его телефон. Это был Гуров, который сообщил о системе видеонаблюдения в свингер-клубе, только что обнаруженной им.

Стас взял корзину для покупок и пошел вдоль длинных стеллажей с продуктами, осмысливая новость, только что услышанную от товарища. Надо же! Кто бы мог подумать, что господа устроители этого, по сути, борделя держали свою клиентуру под наблюдением да еще и снимали их развлечения на видео! Интересно, только себе на память или чтобы потом была возможность кого-то шантажировать?.. Это важный вопрос!

На не слишком людном пространстве торгового зала отыскать Наталью оказалось несложно. Она шла вдоль холодильных витрин с молочными продуктами. Стас для блезира кинул в корзину батон и пакет баранок, после чего прошел в конец молочного отдела и медленно двинулся ей навстречу.

Когда они поравнялись, он взял пакет ряженки и недовольно проворчал:

— И где тут они ставят срок годности? — Сыщик огляделся по сторонам, как бы ища чьей-то поддержки.

Он взглянул на Наталью, прикинулся, что видит ее впервые, показал ей пакет и спросил, пожимая плечами:

— Вы не поможете разобраться с этой абракадаброй? Не знаете, где тут ставится срок годности продукта?

Женщина дружелюбно улыбнулась, взяла пакет и показала пальцем на мелкие цифры, выдавленные на пластике.

— Это еще более-менее различимо, — пояснила она. — А то иной раз вообще ничего не прочтешь. Постойте! А мы с вами, по-моему, виделись! Это же вы вчера со Львом Ивановичем приезжали в «Ноу-Хау-Вест» расследовать убийство? — Наталья наморщила лоб и окинула Стаса испытующим взглядом.

Крячко в долю секунды сумел оценить обстановку и понять, что хитрить тут бесполезно. Слава богу, что еще не додумался использовать вариант со спектаклем. Получилось бы редкостное позорище!

Крячко рассмеялся, махнул рукой и сказал:

— Вы правы. — Он сокрушенно вздохнул: — Я здесь не случайно. Уж простите эту неуклюжую маленькую военную хитрость, но мне во что бы то ни стало нужно с вами поговорить. Понимаете, нам очень надо узнать, что вы видели вчера вечером. Ну, позарез просто! Кстати, нас, как я вижу, уже подслушивают излишне любознательные граждане, — приглушив голос, добавил он и кивнул в сторону какого-то дедка.

Тот, как видно, забыл о том, для чего вообще пришел в магазин, и с интересом вслушивался в их разговор.

Наталья понимающе кивнула, тоже перешла на полушепот и предложила:

— Тогда давайте поговорим на улице. Хорошо? Я сейчас еще кое-что возьму, и мы сможем там пообщаться.

Стас одарил ее признательной улыбкой и направился к выходу. По пути он бросил в корзину еще и кусок сыра — в хозяйстве пригодится. Наталья, как и обещала, вышла минут через пять. Они сели в его машину и продолжили разговор, начатый в магазине.

— Понимаете, вчера я не была настроена на полную откровенность по одной причине, — негромко проговорила женщина, глядя через лобовое стекло на пешеходов, спешащих по своим делам. — Конечно, это был настоящий шок. Я была страшно напугана. Но боялась не за себя. У меня замечательный муж, сын и две дочки-близняшки. Этот человек пригрозил мне, что пострадают мои близкие, если я буду слишком много болтать. Поэтому я предпочла промолчать.

— Но сейчас вы готовы что-то рассказать об этом? — спросил Станислав.

— Слишком много вам сообщить я и не смогу. Все произошло невероятно быстро, а этот человек был в маске, — Наталья развела руками. — Я просто поняла, что с его стороны это была, так сказать, дежурная угроза. Чтобы я какое-то время испытывала паралич от страха и не помешала ему совершить то, что он задумал.

— Хорошо, расскажите то, что видели и запомнили, — согласился Крячко.

Наталья поведала Стасу, что вчерашнее происшествие долго казалось ей какой-то нелепой фантасмагорией или фрагментом голливудского боевика, ставшим реальностью. Мужчина в маске ворвался в ее бытовку около десяти часов вечера. Собственно говоря, даже не ворвался, а просто вбежал — дверь Наталья никогда не запирала. Сама она в это время пила чай и отслеживала на мониторах ситуацию в будуарах.

— Простите, что перебиваю, но не могу не задать такой вопрос. — Стас чуть смущенно закашлялся. — Чем там занимались ваши клиенты, и ежу понятно. Просто вы упомянули, что у вас нормальная, хорошая семья. Вас, замужнюю, здравомыслящую женщину, это не слишком напрягало?

Его собеседница иронично улыбнулась, пожала плечами и ответила:

— Я, знаете ли, по специальности врач-венеролог, причем с изрядным стажем работы. Столько всего повидала, что меня уже трудно чем-то таким удивить или шокировать. Муж сначала, конечно, был категорически против. Но я года четыре назад потеряла работу. Мою должность сократили. Когда я вынуждена была уйти, ее восстановили специально для племянницы главврача. Больше ничего хорошего найти не удалось, а у нас ипотека, пропади она пропадом. Мужу одному не потянуть. Вот и пришлось идти туда. Все-таки сорок тысяч —

это заметно больше, чем пятнадцать, которые предлагали мне за работу санитаркой в роддоме.

Наталья вернулась к повествованию о вчерашнем происшествии и отметила, что тот мужчина был крепкого телосложения, очень легок в движениях. Он перемещался почти бесшумно, ростом несколько выше, чем Станислав.

Этот тип захлопнул за собой дверь и скомандовал:

— Не двигаться! Ни звука! Иначе шею сверну, как цыпленку!

Затем он просмотрел изображение на мониторах и сам, ничего не спрашивая, отключил видеонаблюдение за будуаром, в котором находился Сивяркин. Человек в маске бесцеремонно обыскал карманы корпоративной униформы горничной и достал электронную кодовую карточку для экстренного открытия дверей будуаров.

Потом он положил Наталье на колени что-то прямоугольное и увесистое, с мигающим красным индикатором, и жестко предупредил:

— Шелохнешься — кусков не останется!

После этого человек в маске бесшумной тенью скрылся за дверью.

Ждать его пришлось недолго. Менее чем через минуту он вернулся, забрал свою мину, если только это и в самом деле была она, швырнул на стол кодовую карточку. Этот фрукт заявил Наталье, что нарушение молчания чревато серьезными последствиями, особенно для ее близких, и исчез, словно его никогда и не было.

— Знаете, когда мужчина появился второй раз — а я понимала, что он за это время успел кого-то убить, — мне показалось, что в бытовке прямо как будто могильным холодом повеяло. Жутковатое ощущение! Когда он уже ушел окончательно, мне все равно казалось, что там повисла какая-то мрачная тень. Я сидела, боясь шелохнуться, и понимала, что меня теперь могут выкинуть на улицу. Поэтому я изобразила глубокий обморок, когда в бытовку вбежали охранники. Боссу сказала, что человек в маске парализовал меня электрошокером. Надеюсь, это останется между нами. Хотя нельзя исключать и того, что нашу контору теперь прихлопнут и я в любом случае буду уволена.

Уже собираясь уходить, Наталья добавила, что тот субъект ее вообще ни о чем не спрашивал. Немного позже ей стало ясно, что он приходил для того, чтобы убить именно Сивяркина. Невзирая на то что киллер был в камуфляже и маске, по складу его фигуры она все же смогла определить, что это человек не из их завсегдатаев. Скорее всего, он вообще появился там впервые. Тем не менее Наталью никак не оставляло ощущение того, что в стенах их заведения он ориентировался вполне свободно.

— Возможно, кто-то из наших постоянных клиентов рассказал ему в деталях, что, где и как у нас расположено.

Женщина попрощалась со Стасом, вышла из машины и как-то безрадостно зашагала к своему дому. Крячко проводил ее взглядом и тягостно вздохнул. Эх, не дано ему поухаживать за такой обаяшкой!

Он запустил двигатель, вырулил на дорогу и покатил в сторону центра, чтобы там, на тихой улочке Мечтателей, пообщаться с господами из Министерства инноваций и технологий. К своей крайней досаде, Стас почти сразу же попал в обеденный затор. Его бедный «мерин», вместо того чтобы показать свою прыть, вынужден был ползти по-черепашьи. Почуяв напоминание желудка о том, что давно пора бы уже и подкрепиться, Крячко на ходу достал из пластикового пакета ряженку и батон.

Ощущение голода сразу же куда-то ушло, настроение повысилось. Стаса даже потянуло на лирику. Он включил приемник и услышал Кубанский казачий хор, призывавший хлопцев распрягать коней и ложиться спочивать. Это очень сильно подействовало на Стаса. Его тут же снова потянуло в сон, он не удержался и зевнул до хруста в челюстях.

Стас кое-как пересилил себя. Он свернул с Садового кольца, оказался на узковатой старой улочке. Вскоре Крячко остановил машину у отгламуренного трехэтажного старинного здания, отделенного от тротуара высокой кованой изгородью с воротами и калиткой. Если верить вывеске, которая была прикреплена к ограде рядом с проходной и наверняка обошлась казне не в один десяток тысяч бюджетных рублей, Станислав прибыл точно по адресу.

На министерской парковке, оборудованной вдоль ограждения, выстроилась длиннющая шеренга импортных авто. Как видно, они принадлежали инноваторам, продвигающим в российскую экономику передовые технологии. При этом было совершенно непонятно, почему через проходную не снуют всевозможные визитеры наподобие инвесторов, изобретателей и рационализаторов. Стас мог гарантировать, что за последний час он оказался единственным гостем министерства.

Стас долго объяснял вахтеру с придирчивым, въедливым взглядом, кто он и зачем сюда приехал, а потом сунул этому зануде прямо под нос свое служебное удостоверение. Тот долго, чуть не под микроскопом, изучал его, после чего начал кому-то звонить.

«Чего это они тут развели такую волокиту? — недовольно хмурясь, подумал Крячко. — Буквоедство, прямо как на каком-нибудь атомном объекте. Хотя все понятно! Это, наверное, из-за убийства Сивяркина. Точно! Теперь они все тут переполошены, как куры после набега хорька».

Кончив выяснять и уточнять, вахтер сообщил полковнику полиции, что сейчас подойдет начальник охраны и уже с ним уважаемый гость сможет пройти на территорию.

— А у вас тут люди хоть когда-нибудь бывают? — не удержавшись, спросил Стас с нескрываемой иронией.

Судя по гримасе вахтера, это едковатое замечание ему не понравилось.

— У нас тут не булочная, чтобы все кому не лень шлындали взад-вперед, — сварливым тоном объявил страж министерского покоя.

— Тогда за российские инновации можно быть спокойным. Врагу до них никак не добраться! — все с той же убийственной язвительностью констатировал Крячко.

В этот момент к проходной подошел явный отставник, плотный крепыш лет сорока пяти, с военной выправкой и лицом свекольного колера, в темном деловом костюме, с черным бантом, приколотым к пиджаку. Этот мужчина поздоровался со Стасом и сказал, что он — Леонид Витальевич Брунцов, начальник охраны. Главы ведомства в данный момент на месте нет, а вот его первый заместитель охотно примет представителя правоохранительных структур.

Войдя следом за главным секьюрити в просторный холл, Стас увидел большой портрет Сивяркина в траурной раме, установленный у стены и окруженный венками с лентами.

Крячко кивнул в сторону лика усопшего и как бы невзначай поинтересовался:

— А какая причина смерти господина Сивяркина была озвучена в вашем ведомстве?

Брунцов взглянул на Стаса так, как если бы тот спросил его, за сколько долларов он готов продать Родину, и суховато ответил:

— Как это какая? Она одна — убийство. Какой-то отморозок подкараулил Валентина Романовича у его дома и нанес удар ножом прямо в сердце. Вы хотите сказать, что это не соответствует действительности? — насторожился он.

Крячко многозначительно развел руками и пространно пояснил, что, в общем-то, ничего не имеет против озвученной картины убийства в плане ее объективности. Поэтому полученным ответом он вполне удовлетворен и весьма за него признателен.

Шагая по лестницам и коридорам, Станислав не мог надивиться обилию ковров и хрустальных люстр, отделке стен дорогими материалами и косякам длинноногих секретарш, разносящих кофе. Причем все как одна в мини-юбках по самое не балуй. Зато с черными траурными бантами на левой руке.

Стас проследовал через просторную приемную, где за компьютером сидела стандартная длинноногая секретарша в мини-юбке. Это помещение больше напоминало гостиную ВИП-номера пятизвездочного отеля. Потом полковник полиции вошел в не менее роскошный кабинет, в котором трудился на благо родной страны заместитель министра инноваций и технологий Марьин Николай Евгеньевич.

Гражданин в очках, с тонюсенькими усами и бородкой-щеточкой, больше напоминающий какого-нибудь художника-авангардиста, восседал за большущим канцелярским столом.

В глаза с порога бросался большой черный бант, приколотый к лацкану его пиджака, — знак траура, объявленного в министерстве.

Брунцов по-военному четко, даже с некоторым перебором, доложил заместителю министра о прибытии представителя главка угрозыска. Тот, благосклонно кивнул, ответил Стасу на приветствие, предложил ему присесть и тут же распорядился принести кофе.

— Слушаю вас, Станислав Васильевич. — Хозяин кабинета закурил и откинулся в кресле.

Крячко, не углубляясь в философствования и долгие преамбулы, попросил своего собеседника рассказать о Сивяркине как о человеке, специалисте, обозначить круг вопросов, входивших в его компетенцию. Николай Евгеньевич после некоторого молчания пыхнул сигаретой, чуть пожал плечами и заговорил с несколько нарочитой, дежурной скорбью в голосе. По словам Марьина, Сивяркин был чрезвычайно порядочным человеком и замечательным управленцем.

— Валентин Романович имел огромный опыт банковской работы, и поэтому именно ему был поручен финансовый сектор нашего министерства, — со значением в голосе подчеркнул чиновник. — Он изучал данную составляющую инновационных проектов, давал заключение по их потенциальной прибыльности и убыточности. Надо сказать, что покойный твердо стоял на страже интересов государства и общества, не на словах, а на деле берег государственную копейку. В личной жизни он также был человеком чрезвычайно позитивным и скромным.

Как далее явствовало из спича Марьина, Сивяркин сделал очень многое, чтобы техническое перевооружение целых секторов промышленного производства стало реальностью. Его очень уважали за рубежом, он был непременным участником различных международных научно-технических инновационных форумов.

— Вот вы упомянули о том, что господин Сивяркин давал заключение по финансовой успешности тех или иных проектов. — Крячко уловил паузу в помпезных речениях заместителя министра и немедленно перехватил инициативу. — Но его

58

выводы, надо полагать, не всегда и не всех устраивали. Как вы думаете, не мог заказать его убийство какой-то человек, который остался им недоволен?

На сей раз собеседник Стаса думал гораздо дольше.

Потом он неопределенно пошевелил в воздухе пальцами и согласился:

— Да, этого исключать никак нельзя. Ведь каждое решение, принятое Валентином Романовичем, означало перемещение громадных средств, порой выражаемых в миллиардах долларов. Тут, знаете ли, вероятность организации убийства теми негодяями, которым он не позволил украсть или пустить на ветер государственные деньги, можно считать вполне реальной.

Крячко утвердительно кивнул и задал следующий вопрос:

— А нельзя ли составить список организаций и конкретных людей, которые могли, скажем так, иметь на него зуб по этой самой причине? Можно ли получить такие данные, ну, хотя бы за последние два месяца?

Марьин после очередного раздумья с сожалением развел руками и заявил:

— Очень жаль, но лично я подобной информацией в достаточной мере не располагаю. Ее проще запросить у Ирины, секретарши Валентина Романовича. Я сейчас позвоню ей, и она подготовит все, что вас интересует.

Он поднял трубку телефона внутренней связи и вполголоса попросил кого-то оказать господину оперуполномоченному содействие в подборе интересующих его данных.

— Ну вот и все. — Заместитель министра положил трубку и указал на Брунцова, за все время их разговора не проронившего ни слова: — Леонид Витальевич вас проводит. Желаю успехов!..

В приемной Сивяркина Станислава прямо с порога встретил все тот же траурный портрет. Новопреставленный взирал на него из ближнего угла. Секретарша Ирина, как и все прочие сотрудницы, с черным бантом, повязанным на левой руке, казалась классическим вариантом блондинки из приемной. Но только внешне. Как понял Стас с первых же минут их общения, умом она обладала далеко не «блондиночным».

Ирина выслушала своего гостя, окинула его каким-то уж очень изучающим взглядом, открыла стеклянный конторский шкаф и достала один из файлонакопителей, заполняющих его полки. Отщелкнув фиксаторы, секретарша сняла с дужек пачку файлов и стала по одному собирать их в стопку, а некоторые откладывала в сторону.

Всего таких отобранных файлов набралось около пяти.

Ирина еще раз перетасовала их, вопросительно посмотрела на Станислава и суховато уведомила его:

— Но дать их вам на руки я не могу — только копии.

— Да не вопрос. Копируйте! — Крячко согласно махнул рукой и отметил, что эта хранительница секретов своего усопшего босса внутренне отчего-то напряжена.

Это было заметно по ее лицу, жестикуляции, походке. И вообще она была не в восторге от его визита. Стас это чувствовал почти физически. С чего бы? Еще интересно, по какому принципу секретарша отбирала файлы? Почему не предоставила такую возможность ему самому?

Словно прочитав мысли гостя, Ирина включила копир и пояснила:

— К сожалению, предоставить вам я могу только то, что не относится к секретной информации. Здесь есть материалы, которые вполне подпадают под понятие государственной тайны. Их могу дать только с согласия своего непосредственного начальника, но его, к сожалению, нет в живых. Или с разрешения главы нашего ведомства. Однако он в отъезде.

Чтобы получше прозондировать ситуацию, которая показалась ему очень уж зыбкой и неубедительной, Стас, разыгрывая из себя туповатого солдафона, уточнил:

— Николай Евгеньевич такими полномочиями не обладает?

— Нет. — Ирина вежливо улыбнулась, но ее взгляд оставался холодным и даже несколько колючим.

«Уж не знаю, было что-то между нею и Сивяркиным, но я бы с такой дамочкой точно в одну постель не лег бы», — подумал Стас и ответил ей точно такой же улыбкой.

Секретарша снова явила проницательность, не очень-то свойственную типичным блондинкам.

Все тем же суховато-холодноватым тоном она обронила с нотками сарказма:

— Если у вас пробудились подозрения по поводу того, что наши отношения с Валентином Романовичем выходили за рамки чисто служебных, то это в корне неверно.

Вполне вероятно, что эта отповедь была стимулирована внутренним зудом, желанием слегка натянуть нос настырному оперу, который раздражал Ирину с самого начала. Чем именно? Наверное, тем, что он создавал риск утечки такой информации, каковой за пределы министерства выходить вообще не следовало бы. Однако этот ее шаг оказался несколько опрометчивым, поскольку он тут же перевел их общение в куда более личную плоскость.

Если бы подобную тему затронул сам Крячко, то у секретарши имелись бы все основания изобразить оскорбленные чувства, как бы уйти в себя и занять глухую оборону. Но выпад сделала она, и Стас за это тут же ухватился.

— Вы прямо как будто читаете мысли! — с утрированным восхищением сказал он, слегка воздев руки.

— Насчет мыслей так не скажу, но это можно было понять по вашему взгляду. — Ирина закончила работу и протянула полковнику полиции копии заявок на финансирование проведения испытаний и внедрения новых разработок.

Станислав неспешно просмотрел эти бумаги, взглянул на Брунцова, высящегося столбом у входа, и предельно вежливо попросил:

— Леонид Витальевич, как говорится, ничего личного, но вы не могли бы нас оставить с госпожой Ириной? У нас в угрозыске ведь тоже есть немало вопросов, не подлежащих огласке.

Тот изобразил недовольную мину, сердито засопел и вышел из приемной. Этот демарш опера несколько озадачил секретаршу. Она села на свое место, глядя на Стаса с демонстративной выжидательностью.

Крячко взглянул на входную дверь и поинтересовался, чуть приглушив голос:

— Скажите, а вам известно, где именно и при каких обстоятельствах был убит господин Сивяркин? Я вот знаю. Героически-эпическая версия его смерти на пороге родного дома, как говорят в молодежной среде, не катит. Итак?

Ирина поняла, что «точка невозврата» в этой плоскости разговора уже пройдена и отмазаться не получится.

Она откинулась на спинку стула, многозначительно усмехнулась и произнесла с нескрываемым вызовом:

— Допустим, знаю. И что из этого?

— Прекрасно! — Крячко ответил ей открытой, дружелюбной улыбкой. — Тогда следующий вопрос: а вам самой в «Садах Астарты» бывать доводилось? Я не спрашиваю о целях и формах вашего тамошнего времяпровождения. Меня интересует сам факт.

Его собеседница заметно напряглась, задумалась и чуть нервно ответила:

— Да, я там бывала. Но всего лишь пару раз...

— Верю! — Стас великодушно воздел руки, давая понять, что ничего худого о ней и думать не смеет. — Вы посещали их лекторий и дискуссионную площадку. Верно? Но вы не могли не заметить всей тонкости взаимоотношений между членами клуба. Женщина с таким острым взглядом, наблюдательностью и аналитическим складом ума гарантированно должна была почувствовать, кто и что друг к другу питает. Слушаю!

Ирина вздохнула, провела ладонью по лицу, подперла подбородок женственным, миниатюрным, но весьма крепким кулачком и заговорила:

— Я вообще не могла понять, какого черта он туда надумал ездить. Ему и тут баб хватало. Целый отдел тупых телок его обслуживал. Кстати, он и меня надумал было задействовать, но я ему сразу сказала, мол, забудь и думать. Не нравится — увольняй. Он тут же отвязался. Потому что на этом месте этот фрукт был ноль без палочки. Всю работу на себе я тянула. Он и свою Юльку додумался подбить на это дело — ложиться под других мужиков. Она, дура, согласилась.

По словам Ирины выходило, что практически всем членам свингер-клуба требовался психиатр. В том числе и ее боссу. Фобии, мании, комплексы имелись у каждого, кто посещал это заведение. Клубные секс-развлекухи с «перекрестным опылением» от всего этого никак не избавляли. Скорее наоборот.

Первый раз Ирина поехала туда, поддавшись на уговоры Валентина и Юлии. Госпожа Сивяркина так втянулась в свингер-интим, что о «Садах Астарты» говорила только с придыханием и восхищением.

Увиденное Ирину разочаровало. Угодив в толпу селадонов и нимфоманок, она, натура сильная и своевольная, сразу же прониклась внутренним отторжением к этим персонам. Когда один из свингеров слишком уж настойчиво попытался увести ее с собой в будуар, ей пришлось предупредить излишне настырного ухажера, что у нее черный пояс по карате и она может остудить его пыл достаточно быстро. Тот сразу же слинял, а Ирина окончательно разочаровалась в тамошней компании.

Второй раз она приехала туда по необходимости. Поздним вечером в министерство поступил звонок о том, что завтра утром туда прибудет зарубежная делегация. Ирина в тот вечер задержалась из-за обилия работы. Поэтому ей пришлось самой и принимать этот звонок, и как-то на него реагировать.

Нужно было отдать распоряжения по подготовке встречи. Как назло, никого из замов и помов в пределах Москвы не оказалось. Министр в это время отдыхал где-то за границей.

Телефон Сивяркина не отвечал. Ирина догадывалась, где он может быть, и отправилась на Полтинную. Валентин и в самом деле оказался там. С кем он развлекался в этот момент, Ирина не знала, но Сивяркин был очень раздражен ее появлением. Узнав, в чем дело, он ей же и поручил провести всю необходимую подготовку.

— Вот, собственно говоря, и все мои контакты с этими «Садами Астарты». — Ирина снова откинулась на спинку стула и пренебрежительно поморщилась. — Место для меня, конечно, малоприятное. Тем не менее я почти уверена в том, что тамошние завсегдатаи не имеют отношения к убийству Валентина Романовича. Знаете, раза три отбывая по служебным делам на машине босса, я замечала слежку. Один раз за нами довольно долго гнался мотоциклист. Примет особых назвать не могу. Они все одинаковые: гоночный мотоцикл, каска, закрывающая лицо, джинсы, косуха наподобие вашей, — она взглядом указала на кожанку Станислава.

— Понятно... — Крячко задумчиво кивнул. — А машины какие были?

— Номеров я не разглядела. — Ирина пожала плечами. — Они держались от нас достаточно далеко. Насколько я смогла понять, сначала это был синий «Форд», а потом — белая «Мазда». Думаю, это происходило неспроста. Кто-то имел большущий зуб на босса и основательно готовился свести с ним счеты.

— А Сивяркину вы говорили о замеченной слежке? — Крячко вопросительно прищурился.

— Разумеется! Леонид Витальевич после этого несколько дней подряд ездил за ним хвостом, чтобы засечь соглядатаев. Но ничего не заметил, и мои подозрения сочли пустыми бабскими бреднями. — Собеседница Стаса горько рассмеялась, качая головой.

Услышав вопрос сыщика о том, почему его появление она восприняла крайне настороженно, Ирина сокрушенно вздохнула. По ее словам, министерство с недавних пор попало в черную полосу. Его работой заинтересовалась Счетная палата. На заседании правительства главе ведомства поставили на вид за ряд крупных провалов. Тот, понятное дело, спустил кобелей на подчиненных.

Да и у самой Ирины в жизни было не все ладно. Приболела дочь, а тут бывший муж со свекровью затеяли судебный процесс об изъятии у нее и передаче им ребенка.

— Ничего, я сильная, сдюжу!.. — Ирина устало вздохнула, озабоченно нахмурив лоб. — Просто, когда был босс, мне отбиваться было легче. У него имелись обширнейшие связи. Иной раз одного его звонка было достаточно, чтобы моя любимая свекровка не вспоминала обо мне по меньшей мере полгода. Теперь у них руки развязаны. Чему радоваться?! А тут вы прибыли. Случись какие-нибудь осложнения для министерства, всех собак гарантированно повесят на меня.

Крячко попрощался со своей собеседницей и вышел в коридор. Брунцов стоял невдалеке с величественным, отрешенным взглядом, устремленным куда-то в пространство.

— Счастливо оставаться, — на ходу обронил Стас и направился к выходу, уже не обращая на него никакого внимания.

Глава 4

Гуров вернулся в главк часам к шести. За день солнце по-летнему прогрело город, и поэтому казалось, что на дворе не середина сентября, а все те же знойные августовские дни. Пройдя к себе, Лев созвонился с экспертами. Те сообщили, что бородатый дядька у них уже был, фоторобот с его помощью составлен. Сейчас завершается работа с главной бухгалтершей компании «Ноу-Хау-Вест». Уже ясно, что лицо мужчины, запомнившегося ей, очень даже напоминает синтезированный портрет выпивохи, составленный с участием Щупрова.

Взглянув на часы, Лев снял трубку телефона внутренней связи. Почти сразу же в ней раздался голос Петра, как будто тот только и ждал этого момента.

— Лева, слушаю! Что там у тебя новенького? — с затаенной надеждой на некие сногсшибательные подвижки в расследовании с ходу поинтересовался он.

— Как будто вырисовывается конкретный подозреваемый, — будничным тоном сообщил Гуров.

— Вот и славно! — обрадованно отреагировал Орлов. — Ну-ка, давай ко мне! Жду подробностей!

Лев Иванович направился к генералу. По пути он забрал у экспертов фоторобот того выпивохи. Когда он уже входил в приемную, сзади, подобно урагану, его догнал Стас, сияющий улыбкой.

— Это что у тебя? — спросил он бодряческим тоном, забирая из рук Гурова фоторобот и окидывая его изучающим взглядом.

— Некий клиент пивбара «Бир Бэр», который не так давно пытался прорваться в «Сады Астарты», — пояснил Лев Иванович, открывая дверь кабинета и одаривая утрированно восхищенной улыбкой секретаршу Верочку, самозабвенно рисующую себе лицо.

Орлов, как видно снедаемый жгучим нетерпением, в этот момент расхаживал по кабинету взад-вперед. Он круто развернулся, увидел приятелей и выжидающе глянул на них. Крячко снисходительно ухмыльнулся и величественным жестом протянул ему фоторобот.

Петр повертел в руках лист бумаги с контурами лица и чертами эдакого Жана Марэ, а потом деловито уточнил:

— Так это вот и есть он самый?..

— Предположительно, — невозмутимо ответствовал Гуров и тут же спросил: — А мы что, вот так столбами стоять и будем? Может, пригласишь присесть, твое превосходительство?

Станислав с многозначительным видом тут же добавил:

— Да, действительно! А то со стороны глянешь и невольно заподозришь: неужели сразу у всех троих острый приступ геморроя?!

— Ой, Стас, ты, как и всегда, хоть как-нибудь да отличишься!.. — Орлов досадливо поморщился. — Садитесь уж, господа сыщики. А ты, Лева, как будто зашел сюда впервые! Тоже мне, застенчивый выискался. — Он прошел на свое место, еще раз взглянул на фоторобот и проворчал: — Расскажи-ка, что это за человек. Насколько велика вероятность того, что он именно тот, кто нам нужен?

Гуров как ни в чем не бывало кивнул и доложил об итогах своих визитов в «Сады Астарты», к швейцару Щупрову и в «Курьер-Люкс».

Петр внимательно выслушал его, задумался и поинтересовался:

— Значит, ты считаешь, что и тот пропойца, и киллер-мотоциклист, и Штирлиц из налоговой, и грузчик Хомутов — это одно и то же лицо?

— Процентов на восемьдесят уверен, — Лев Иванович утвердительно кивнул.

— Ну и как ты себе в таком случае представляешь сценарий того, что произошло? — Орлов крепко сцепил пальцы и выжидающе воззрился на Гурова.

— Нет ничего проще. — Сыщик безмятежно улыбнулся и пожал плечами: — Если исходить из того, что это явная месть и что человек, взявшийся воздавать своим обидчикам, имеет подготовку спецназовца, то все укладывается в элементарную схему. Предположим, некто в не столь отдаленные времена понес какой-то крупный моральный или материальный ущерб по вине нескольких человек, которых наказать в судебном порядке ему не удалось. Он вышел на тропу войны. Коммерсанта, причастного к его бедам, наш мститель убил без особых затей. А вот Сивяркина, который, скорее всего, нанес ему самую болезненную рану, он прикончил не просто так. Было задумано лишить его жизни в тот момент, когда тот будет предвкушать плотские удовольствия.

— Ага! Другими словами, надо думать, Сивяркин мог как-то не по-людски поступить с его женой или дочерью? — Петр вскинул указательный палец.

— Вот именно! — Лев Иванович стукнул себя кулаком по коленке. — Я еще вчера ночью задумался, а на хрена нужно было убивать именно в будуаре свингер-клуба? Не проще ли пристрелить прямо на улице и смыться? Нет! Он хотел, чтобы Сивяркин знал, кто и за что его убивает, и достиг этого. Лицо покойника было перекошено немыслимым ужасом. Этот Штирлиц за ним охотился очень умело, с выдумкой и фантазией. Для начала он узнал, где тот проводит свой досуг, организовав слежку за его служебным авто. Потом под видом алкаша проверил систему охраны клуба и сделал вывод, что просто так туда ему не попасть. Следующий шаг — визит в бухгалтерию под видом налоговика.

— Постой! — Орлов упреждающе постучал пальцем по столу. — Но он же какие-то документы в бухгалтерии показывал? Откуда они у него могут быть?

Услышав этот вопрос, Крячко саркастически рассмеялся, отмахнулся и укоризненно резюмировал:

— Наивный албанский парень! Да сейчас за любым углом можно купить корочки даже генсека ООН!..

— Все верно. — Гуров снисходительно усмехнулся и сдержанно кивнул. — Ты не учитываешь и личный фактор, отношение главной бухгалтерши к этому проверяющему. Она в него влюбилась с первого взгляда и сейчас живет одной лишь мечтой снова увидеть своего ненаглядного. Кто и что там мог проверять?! Он узнал адреса поставщиков и выбрал самого авторитетного. Не буду судить, как уж ему удалось туда устроиться, но со своей задачей он справился блестяще. Наш мститель несколько раз побывал в хозяйственном блоке «Садов Астарты», все там досконально изучил, выбрал подходящий момент, нашел способ, чтобы спрятаться и остаться там. Вечером он прошел наверх, в дежурку горничной, увидел на одном из мониторов, где именно развлекается Сивяркин, и отключил видеозапись. При помощи электронного ключа, изъятого у горничной, преступник зашел в будуар, снял маску и явил себя обалдевшему «пирату». Тут же, не давая Сивяркину опомниться, он вогнал ему в сердце свой нож. Все! Маска снова на лице, он бежит к служебному входу, открывает дверь, захлопывает ее и исчезает. Финита ля комедия!

— Лева, поздравляю! Версия блестящая, — однозначно оценил Станислав. — Кстати, то, что выведал я, только подтверждает все это. Горничная Наташа призналась, что наш неуловимый мститель был у нее в дежурке-бытовке. А в министерстве мне и вовсе удалось услышать про Сивяркина немало занимательного. — Крячко передал товарищам свой разговор с Натальей и секретаршей Ириной и заявил: — Уверен, что свою последнюю должность Сивяркин получил не за какие-то великие дарования, а купил, может быть, даже и ценой жены. — Стас презрительно поморщился и закончил свое повествование.

Выслушав оперов, Петр откинулся в кресле и многозначительно вздохнул.

— Хорошо, — согласился он, глядя куда-то перед собой. — Сегодня поработали, можно сказать, замечательно. Только то, что у нас есть фоторобот подозреваемого, дает очень большие шансы на успешное завершение работы. Мне думается, в ближайшее время этот неуловимый мститель будет изобличен и задержан.

— Ой, не уверен, — Гуров с сомнением покачал головой. — У меня такое ощущение, что он служил в одной из тех контор, сотрудники которых за границей чувствуют себя как дома. А это означает, что наш мститель запросто может смыться за бугор и оттуда наблюдать, как мы в общеизвестной темной комнате ищем черную кошку. Обрати внимание! Как явствует из его контактов, перед тем как убить Сивяркина, он особо-то и не маскировался. Его вживую запомнили сразу несколько человек, но это его ничуть не обеспокоило. Вывод?

Орлов стукнул кулаком по столу, досадливо крякнул и заявил:

— Вот умеешь ты, Лева, так не вовремя испортить настроение! То есть ты считаешь, что он может запросто покинуть Россию?

— Это одно. А второе то, что нужно выйти на ГРУ и СВР и попросить их сотрудников опознать человека, изображенного на этом фотороботе. Это уже задача для тебя. С твоей колокольни такие вопросы вполне решаемы.

— Ага... — уже другим тоном протянул Петр. — Это неплохая мысль, я займусь. Но ты говоришь, что фоторобот Штирлица будет готов сегодня вечером, а Хомутова — завтра утром. Тогда, наверное, все три портрета сначала сопоставим, прикинем, один ли это человек, а потом уже сделаем окончательные выводы. Да, досадно будет, если наш клиент уже успел смыться за границу.

— А мне почему-то не будет, — Гуров безмятежно улыбнулся. — Чую, за всем этим стоит какая-то безобразная, мерзкая история. Этих усопших мне почему-то ни капельки не жаль. Я не думаю, что человек, имеющий такую подготовку, стал бы мстить только за то, что кто-то в трамвае наступил ему на ногу. Скорее всего, ему так плюнули в душу, что он был вынужден пойти на подобные крайние меры.

— Лева, напоминаю тебе тысячу первый раз: мы служим закону и не имеем права переносить на расследование свое отношение к подозреваемым!

Услышав это замечание, Стас саркастически хмыкнул.

— «Мы служим закону»! — с подначкой в голосе передразнил он. — А он кому? Вот, читаю в Интернете. Неделю назад серийному педофилу, пойманному на месте преступления, судья, учитывая его положительные характеристики, дала условный срок. Прокуратура опротестовала, но он уже бесследно смылся. Другой пример. Уголовник со стажем зверски избил парня. Друг пострадавшего кинулся на выручку и получил ножевое ранение. Он в горячке вырвал у бандита нож и ранил его самого. Итог? Пять лет строгого режима. Кому? Не бандиту, нет. Для суда мерзавец, трижды сидевший за тяжкие телесные повреждения и изнасилование, оказался потерпевшим. Дали пятерик парню, который спасал жизнь друга и оборонялся сам. Ни за что сломали человеку жизнь и убили у многих людей малейшее уважение к этому самому закону.

Орлов насупился, безнадежно махнул рукой и заявил:

— Ну, давайте, валяйте дальше! Начнем воздавать не по закону, пусть и несовершенному, а по понятиям. Организуем команду каких-нибудь робингудов, начнем сами и выносить приговоры, и исполнять их. Ну и что тогда начнется? Хаос, беспредел!..

— Не кипятись, начальник, — Лев Иванович иронично усмехнулся. — Мы уже сто раз спорили на эту тему. Но в любом случае, как видишь, и я, и Стас продолжаем работать в рамках существующих законов. Речь-то не о том, чтобы злостно нарушать их. Да, мы обязаны считаться с законом, но вовсе не раболепствовать перед ним. Идеальных законов пока еще никто не написал, а наша судебная практика слишком богата двойными стандартами. Так что хаос, как видишь, начинается вовсе не с нас. И тебе это прекрасно известно. Ладно, нам пора. Я завтра с утра попробую разыскать Антоновского и еще раз хорошенечко его допросить. Правда, и насчет него есть серьезные опасения. Он уже вполне мог удариться в бега. Что еще? Надо будет увидеться с авторами проектов, которых отфутболил Сивяркин.

— А я попробую разыскать дамочек из «Садов Астарты» и выяснить, кто из них встречался с нашим киллером и дал ему исчерпывающую информацию об этом клубе. Параллельно с этим надо бы напрячь городских гаишников на предмет поиска синего «Форда» и белой «Мазды». Думаю, на уличных камерах видеонаблюдения они могли засветиться в момент преследования машины Сивяркина, — проговорил Стас, встал с кресла и зевнул.

— А у него какая тачка? — осведомился Петр.

— Тебе до него далеко. — Крячко многозначительно взглянул в потолок: — «Бентли Континенталь» комплектации экстра-класса, миллионов этак за двенадцать. Не хило, да? Пока, мон женераль!

Гуров вернулся домой уже в сумерках, поднялся на свой этаж, вошел в темную прихожую. Мария сегодня играла и появиться должна была позже, часам к девяти. Лев Иванович прошел на кухню и перекусил там на скорую руку.

Потом он немного подумал, вышел во двор и сел в свой «Пежо». Дома ему отчего-то не сиделось, в душе корявой занозой саднили какие-то неприятные предчувствия. Лев Иванович запустил двигатель и покатил по вечерней улице.

Как назло, этот вечер опять выдался богатым на пробки. Полковнику пришлось объезжать заторы по боковым улочкам и даже проходным дворам. Лишь в девятом часу он подъехал к театру, нашел свободное место, припарковался и направился к входу.

Гуров прошел в фойе и остановился у окна, глядя на город, уже окутанный мраком. Через двери, ведущие в зрительный зал, до него доносились голоса актеров. Иногда там звучали аплодисменты, причем довольно бурные, перерастающие в овацию.

Лев Иванович несколько раз прошелся взад-вперед, постоял у стенда с расписанием постановок текущего сезона, посмотрел на большие цветные фотоснимки плакатного типа, на которых были отображены самые интересные моменты тех или иных спектаклей.

На многих из них объективом так или иначе была схвачена Мария Строева. Вот она в роли чудаковатой, эксцентричной графини из веселой, оптимистичной постановки. А тут — суровая монахиня, которая должна сделать непростой выбор: соблюсти заповедь «не убий», но позволить гнусному злодею погубить девочку, почти ребенка, или совершить смертный грех, своей рукой вонзить в грудь мерзавца острый кинжал.

«Да, непростой выбор, — отметил Лев Иванович, продолжая осматривать эту театральную диораму. — Теперь понятно, почему Мария, когда у них шла эта постановка, была постоянно на нервах. Слишком уж входит в образ и не может выйти из него даже дома. Нет, ну их, все эти драматические роли. Пусть лучше будет больше комедийных. Когда графиню играла, веселой была, жизнерадостной».

Еще полчаса спустя в зале раздались громкие заключительные аплодисменты. Через некоторое время двери распахнулись, и в фойе хлынул поток зрителей. Гуров стоял в сторонке и наблюдал, как люди, направляясь к выходу, оживленно делятся впечатлениями по поводу постановки.

Мария появилась, когда толпа уже сошла на нет. Она вышла из боковой двери, отчего-то хмурая и озабоченная. Следом за ней выбежали двое каких-то парней туповатого вида, типичных «быков» какого-нибудь крупного бандитского главаря. Они загородили ей дорогу, что-то настырно втолковывали. Мария отмахнулась и попыталась их обойти, однако «быки» не унимались, не пропускали ее.

Лев Иванович вдруг понял, почему его так терзали неприятные предчувствия. Интуиция сыщика не дала сбоя и на этот раз.

Он быстрым шагом приблизился к парням и негромко, но жестко приказал:

— А ну-ка, убрались отсюда!

Парни окинули его пренебрежительными взглядами.

— Чего за баклан? Охранник, что ли? — с типично блатными интонациями, скривив рот, проговорил кудлатый мордоворот в крутом прикиде, стоявший справа.

— Это мой муж! Полковник полиции! — с радостью во взгляде объявила Мария.

— Ой, напугался! — Кудлатый тип пренебрежительно хмыкнул: — Да у нашего босса генералы на побегушках. Полковник? Дворником, может, и возьмет...

— Как его фамилия? Кто такой? — осведомился Гуров и насмешливо прищурился.

— Скажу — обделаешься. Понял? — глумливо изрек второй мордоворот со шрамом на щеке.

— Ты, я смотрю, на язычок слишком бойкий. Может, тебе его укоротить? — Лев Иванович говорил совершенно невозмутимо, но, встретившись с ним взглядом, меченый негодяй даже чуть отшатнулся.

Второй отморозок, как видно, вовремя сообразил, что они затеяли опасную игру с огнем, и поспешил внести ясность:

— Тут такое дело. Короче, наш босс сейчас в «Золотом Эдеме» справляет именины. С корешами, то есть с гостями, поспорил, что Мария Строева туда приедет и выдаст чего-нибудь. Типа, выступит перед уважаемыми людьми. Гонорар — лимон. Чего, мало, что ли?

Гуров снисходительно усмехнулся и жестко отчеканил:

— Передайте своему боссу, что он проспорил. Знаете, есть фильм «Миссия невыполнима»? Считайте, что это тот самый случай. Молчать, когда я говорю! — без малейшего намека на какие-либо церемонии оборвал он меченого типа, который попытался возразить. — И последнее: я здесь не с пустыми руками, хотя могу и без оружия вас обоих порвать и скомкать. Еще вопросы есть? — Он демонстративно коснулся правой рукой того места, где под пиджаком угадывалась подмышечная кобура.

Парни угрюмо промолчали.

— Тогда счастливо оставаться!

Они с Марией направились к выходу, сопровождаемые хмурыми взглядами холуев некоего крутого босса.

Сев в машину, Строева с загадочной улыбкой окинула Гурова признательным взглядом и с оттенком восхищения в голосе удовлетворенно резюмировала:

— Все-таки здорово иметь такого мужа! Недаром мне многие наши дамочки завидуют. Вроде того, и за что ей такое везение? Роли дают самые лучшие, да и мужик достался настоящий, каких немного.

Выруливая на дорогу, Лев Иванович изобразил утрированную мину, которую можно было понять без особого труда: мол, знай наших!

Но он тут же совершенно серьезным тоном негромко отметил:

— Как же хорошо, что я догадался приехать за тобой! Домой с работы вернулся, и прямо что-то аж давить начало внутри. У меня уже какое-то звериное чутье на неприятности выработалось. Кстати, если помнишь, что-то похожее года три назад уже было. Как же ее много развелось, этой зажравшейся нечисти!..

Гуров свернул на проспект, где уже рассосались последние пробки. Теперь по его полосам бежали потоки машин, вполне себе жиденькие для Москвы. Сыщик прибавил газу, и в этот момент зазвонил его телефон. Он опять-таки интуитивно почувствовал, что этот звонок несет в себе какой-то черный негатив, и нажал кнопку включения связи. Относительно негатива сыщик догадался безошибочно.

Какой-то малоприятный субъект, не поздоровавшись и не представившись, хрипло, неприязненно спросил:

— Гуров, ты чего, блин, ставишь из себя охеренного крутяка? Тебе же ребята объяснили, что у человека личный праздник. Чего выеживаться надумал? Какого хрена всю малину перебил? Чего молчишь-то? Язык отнялся?

— Да вот думаю. — В голосе Льва Ивановича сквозили легкая скука и нескрываемое пренебрежение. — Как далеко послать хрен знает кого, который несет хрен знает что, а вести себя, я так понял, не умеет вообще? Ты кто такой?

— Константин Журувако. Слышал? — явно любуясь собой, изрек этот субъект.

— А, Журувако, — насмешливо протянул Гуров. — Миллиардер. Седьмой по списку «Форбса». Да-да, в курсе. Так, Журувако, давай-ка уточним кое-какие детали. Значит, ты послал своих отморозков, чтобы они принудительно доставили мою жену в ресторан «Золотой Эдем», где проходит сейчас твой день рождения. Верно?

— Не отморозков, а охранников. И не доставили, а пригласили! — недовольно поправил тот.

— Ну, кого и как называть — это мое личное дело. Да и давать оценки я тоже буду сам. Ты плевать хотел на человека, который сам вправе решать, куда ему ехать, что и где делать, заранее решил, что Мария никуда не денется, будет насильно доставлена к месту вашей пьянки и вынуждена развлекать всю перепившуюся кодлу. Так?

— Гуров, не зарывайся! — В голосе Журувако зазвучали угрожающие нотки. — Не бери на себя слишком много. Я ведь могу и отреагировать на этот твой тон!

— Да что ты говоришь! — Лев Иванович саркастично рассмеялся. — И как же ты отреагируешь?

— Как? — Судя по всему, перебравший олигарх совсем потерял чувство меры и весьма неосторожно развязал свой язык. — Отреагирую так, что ты об этом очень пожалеешь. Понял?

— Ты угрожаешь мне убийством? — не скрывая иронии, уточнил Гуров.

Как видно, в пьяных мозгах толстосума отключились последние предохранители, и он заорал во весь голос:

— Да! Я сам, своими руками зарою тебя заживо. Ну, ты меня достал! Теперь держись, легавый!

— Держись ты. Смотри не упади, — произнес Лев Иванович совершенно буднично, без каких-либо эмоций. — Твои угрозы записаны на диктофон и сейчас будут отправлены генерал-лейтенанту Орлову. Думаю, в ближайшие полчаса тебя заберут, и ночевать ты будешь в Лефортово. Там и протрезвеешь. Что, считаешь себя самым крутым? Зря. Один тоже так считал. Сейчас на зоне парится. Кстати, по «Форбсу» был богаче тебя, причем намного.

— Э, Гуров, Гуров! — встревоженно зачастил Журувако, который мгновенно начал трезветь. — Ты чего? Серьезно, что ли?

Вместо ответа Лев нажал на кнопку отбоя и тут же перевел номер олигарха в черный список, чтобы избавить себя от его звонков. Еще немного повозившись с кнопками, он отправил аудиозаписи своего разговора с «быками» в фойе театра и диалог с Журувако на адрес Петра Орлова.

— Что творится с этим миром?! — Мария огорченно вздохнула. — Куда он катится? Интеллигентность сегодня стала каким-то анахронизмом. Я это и по нашей публике вижу. По ее языку, реакции на те или иные повороты сюжета. Вот и этот Журувако — что он из себя изображает? Почему считает, что вправе помыкать другими людьми?

— Ничего особенного. — Гуров сунул телефон в карман. — Криминальная психология. Наши олигархи, если объективно разобраться, не так уж и редко являются настоящими ворами, только не пойманными и не посаженными. Отсюда и уголовные замашки, и претензии на самость. Это мы уже проходили в девятнадцатом веке и начале двадцатого. Что тогда было? Вызывающая помпезная роскошь, хамские попойки в ресторанах, и обязательно с актерками!.. Сегодня то же самое. Ты в курсе, что начинающих балерин одного из наших крупнейших театров прямо-таки по разнарядке принуждают участвовать в попойках толстосумов? Причем не просто так, а обязательно с продолжением в постели. Да! Театральное начальство использует бедных девчонок как... ты поняла, кого именно.

— Это и в самом деле так?! — Судя по ее реакции, Мария была ошеломлена услышанным. — Какая низость! И что же эти девочки? Соглашаются?

— Наверное, не все. Но многие вынуждены. В противном случае их ожидает увольнение с формулировкой «профнепригодность». Обнародовала это в западной прессе одна француженка. Она оформилась в тот театр в надежде перенять мастерство наших балерин и была ошеломлена, узнав о том, что за выход на сцену обязана платить. Даже не самая главная партия в балетной постановке стоит около десяти тысяч долларов. А участие в оргиях толстосумов — это плата только лишь за право состоять в труппе.

— Да, дожили... — Строева горько усмехнулась. — Вот и настало это самое светлое капиталистическое сегодня, обещанное нам трубадурами либерализма. Но какое же оно мерзкое и гнусное!..

Лев Иванович уже свернул к дому, и в этот момент снова зазвонил его телефон. Это был Петр:

— Лева! Я прослушал записи и охренел! Это ничтожество совсем уже зарвалось и потеряло чувство меры. Короче, сейчас я буду ставить вопрос о его задержании. Это немыслимая наглость! Ты там как? Как Мария?

— Да мы-то нормально. Только вот что тут надо бы учесть. Этот Журувако — очень близкий приятель твоего лучшего друга. Ну да, того самого типа из наших верхов. Они почти всегда кутят в одной компании. Не исключено, он с ним и сейчас. Допускаю даже, что выходка Журувако произошла с подачи этой коррумпированной крысы. Это был сознательный демарш, чтобы проверить тебя на излом. Других версий у меня нет. Как видишь, под тебя копать не устают. В принципе, аудиозапись тебе я послал для чего? Так, на всякий случай. Скажем, если бы со мной и Марией в дороге что-то произошло, то была бы хоть какая-то да зацепка. Сам я сейчас, по прибытии домой, сброшу эти разговоры на компакт-диск и оставлю его в столе у себя в кабинете.

— Лева, я все понял. — Орлов тяжело вздохнул. — Но все же попробую рискнуть.

Гуров припарковался, первым вышел из машины и огляделся по сторонам. Рядом с подъездом и в отдалении ничего подозрительного заметно не было. Он открыл дверцу, протянул руку Марии и поставил машину на сигнализацию. Они поднялись на свой этаж, и, едва вошли в квартиру, запиликал их городской телефон. Уже догадываясь, кто это может быть, сыщик поднял трубку.

Журувако с оттенком укора поинтересовался:

— Гуров, ты чего, всерьез понял наш базар? Это была шутка. А ты сразу бросился звонить по инстанциям, понимаешь!

— А ты чего так переполошился? — Лев Иванович говорил абсолютно невозмутимым тоном. — Я тоже пошутил. Только по-своему. Тебе насчет инстанций Курдачев шепнул?

Журувако, как видно, ошарашенный осведомленностью Гурова, издал какое-то маловразумительное междометие, после чего закашлялся и недоуменно спросил:

— Ты в курсах? Ну а раз так, то чего тогда спрашивать? Блин! А ты, оказывается, ухарь еще тот.

— Я так понял, идейку насчет Марии тоже он подкинул? — столь же невозмутимо, без малейшего намека на эмоции, продолжил Гуров. — И пари затеял, подловив тебя на «слабо». Знаешь, я не подстрекатель, но сдается мне, это была не хилая подстава. Ну да не о том речь. Раздувать кадило я не собираюсь и крови ничьей не жажду. А уж если бы кто-нибудь подкинул мне информашку насчет того, кто и за что грохнул Валентина Сивяркина, то вообще мог бы забыть про этот инцидент.

Журувако некоторое время молчал, потом напряженно вздохнул и проговорил:

— Слышал я про это дело, но как-то спецом в него не вникал. Я в другой сфере, наши интересы не пересекались. Пока что могу сказать только то, что его приговорили, скорее всего, за былые заслуги. За ним много чего тянется. Давай так. Я по своим каналам это дело прозондирую, и тебе мои пацаны информашку организуют.

— Нормальный вариант, — сдержанно согласился Гуров. — Тему будем считать закрытой.

Мария, стоя в дверях залы, с интересом прислушивалась к их разговору.

Когда Лев Иванович положил трубку, она негромко поинтересовалась:

— Лев, а Курдачев это кто?

— Есть такой скунс, который пролез на генеральский пост в нашем ведомстве благодаря своему тестюшке. Тот большая шишка в верхах, он и пристроил своего зятька, тупицу и бездаря, на хлебное место. Единственное, что Курдачев умеет, — это кого-то подсиживать да протаскивать наверх своих протеже. Уже говорили, что он и самого нашего министра пробовал спихнуть. Правда, ничего не вышло — у того прихваты и крепче, и выше. Но Петра он гложет постоянно. Одного такого дельца в нашей системе мы уже перемололи. Теперь вот этот фрукт нарисовался. Вся эта затея с приглашением на банкет была им придумана, что Журувако сейчас и подтвердил, пусть и косвенно. Курдачев бил по нам с тобой, но целил он в Орлова.

— Слушай, а что же этот Журувако так быстро пошел на попятную? Я так поняла, он в какой-то мере даже испугался.

— Он коммерсант, владеет двумя крупнейшими торговыми сетями, которые охватывают всю европейскую территорию России и даже часть Сибири. Любая антиреклама для него — колоссальные убытки. Пойди в СМИ и Интернет информация о том, что он поступил очень недостойно, его конкуренты этим воспользуются в момент. Он многих потеснил. Они наверняка хотели бы вернуть утраченное.

Мария улыбнулась, кивнула в ответ и понимающе проговорила:

— Ну а ты явил завидную сыщицкую хватку и даже из такой ситуации сумел извлечь выгоду для своей профессиональной деятельности. Так что, давай по чаям?

Глава 5

Ближе к девяти утра Гуров на своем «Пежо» прибыл на Полтинную. Перед самым выездом он просмотрел на компьютере материалы по Антоновскому и Бубниксу, присланные ему Жаворонковым. К досаде Льва Ивановича, их оказалось не так уж и много.

Антоновский, как явствовало из справки, родился в шестьдесят пятом году в Днепропетровской области. В восемьдесят пятом он окончил автодорожный техникум, отслужил в армии и до девяносто второго года работал в Черниговской области мастером дорожно-строительной организации.

Потом Антоновский внезапно уехал в Россию, обосновался в Подмосковье и устроился в художественно-оформительскую мастерскую. Году в девяносто седьмом он создал банно-прачечный кооператив, который просуществовал до начала двухтысячных. Антоновский продал это предприятие своему соучредителю и открыл несколько массажных салонов и фотостудий уже в самой Москве. Последний его проект — консалтинговая фирма «Ноу-Хау-Вест». Она была создана четыре года назад.

По Бубниксу информации было еще меньше. Родился в семидесятом в Люберцах, в девяностых подался в профессиональный бокс, в конце этого десятилетия организовал фитнес-центр. Четыре года назад устроился работать в консалтинговую фирму. Все.

И тот и другой в браке в настоящее время не состоят. Антоновский ушел из семьи, оставил ее на Черниговщине. Бубникс вообще не был женат.

Какие-то мутные биографии, рассудил Гуров, поднимаясь по ступенькам к входу в здание под номером тринадцать. Охранник, уже знакомый полковнику, открыл дверь и огорченно сообщил, что никого из начальства нет. На месте была лишь все та же Яна Константиновна.

Увидев Льва Ивановича, главная бухгалтерша улыбнулась ему как старому знакомому и сообщила, что вчера при ее участии был успешно составлен фоторобот Штирлица. Заодно женщина пожаловалась на то, что руководство фирмы куда-то испарилось. Она даже не знает, будет ли «Ноу-Хау-Вест» существовать и дальше. Если фирма закроется, то где искать хорошую работу?

— Мало тех неприятностей, что были позавчера, так на нас еще одна свалилась, — горемычно посетовала Яна Константиновна. — Надо оплачивать коммунальные счета, на днях уже придется выдавать зарплату персоналу, а подписать распоряжение некому. Нет ни Евгения Эрастовича, ни Георгия Павловича. Что делать — ума не приложу. Но это еще что!

Вчера вечером я проверила счета компании и клуба, и что бы вы думали? Ни копейки! Ни на одном из счетов! Кто-то снял все деньги и перевел неведомо куда.

— А вы звонили по месту жительства Антоновского и Бубникса? — спросил Гуров, заранее предчувствуя, что она может ответить.

— Да, вчера я весь день обзванивала все мыслимые телефоны — и сотовые, и городские. — Женщина недоуменно развела руками: — Ни гугу! Ни по одному номеру. Как будто они растворились в воздухе.

Лев Иванович глубоко задумался, глядя перед собой, куда-то в пространство.

«Это точно — растворились, — с досадой отметил он. — Зря я сказал Антоновскому, что мы с ним когда-то виделись. Как говорят на Востоке: «Язык мой — враг мой». Но теперь уже ничего не поделаешь. Все, надо объявлять его в розыск. Да и Бубникса тоже».

— У вас их фотографии есть? — осведомился Гуров, увидел утвердительный кивок и попросил Яну Константиновну найти снимки босса и его заместителя. — Да, и домашние адреса заодно, — добавил он.

Порывшись в столе и шкафах, главная бухгалтерша нашла корпоративный альбом с дежурными снимками, как одиночными, так и групповыми. Фото Антоновского Лев Иванович выбрал сам, а вот Бубникса из альбома извлекла Яна Константиновна. Гурову так и не довелось встретиться с ним.

Рассматривая физиономию лысеющего ломовика с ехидным взглядом завзятого выжиги и интригана, Лев Иванович вдруг подумал, что этот человек способен на многое. В том числе и на предательство, убийство, на любую низость ради денег и личных амбиций.

— Они были друзьями? — указав взглядом на фотографии, как бы невзначай, между делом поинтересовался Гуров.

Его собеседница отрицательно покрутила головой.

— Деловыми партнерами они были, а вот какой-то дружбы между ними я не замечала, — задумчиво пояснила Яна Константиновна. — Скажу даже так. Мне кажется, Евгений Эрастович несколько побаивался Георгия Павловича. Иногда у меня возникало впечатление, что главный у нас не Антоновский, а Бубникс.

«О-го-го! Да тут, ешкин кот, очень даже интересный винегрет получается, — подумал Гуров. — А посему нам обязательно нужны отпечатки пальцев обоих этих господ».

— А где у них здесь рабочие кабинеты? Как бы туда пройти? — Сыщик выжидающе посмотрел на главную бухгалтершу.

Та отчего-то сразу же примолкла и даже сникла.

— Прошу меня простить, но посторонним туда входить строго запрещено! — наконец-то решилась она ответить.

Лев Иванович ободряюще улыбнулся и осведомился:

— А чего вы боитесь-то? Неужели вам непонятно, что здесь этих господ вы больше не увидите?! Все, спеклись хлопцы! Дай бог, чтобы их удалось найти хотя бы с собаками.

Как видно, о подобном исходе этой ситуации Яна Константиновна уже задумывалась, но даже себе боялась признаться в том, что это не досужие фантазии, а жестокая, объективная реальность. На ее лице появилось выражение обреченности.

— Господи! А что же теперь делать-то?! — почти прошептала главная бухгалтерша. — Как дать людям зарплату, сохранить рабочие места?.. Тут же половине обслуги и охраны попросту деваться некуда.

— Какие-то деньги у вас есть?

— Да, полтора миллиона наличными. — В голосе женщины звучали горечь и даже отчаяние.

Гуров понимал, что это, разумеется, вовсе не его проблемы, чужая головная боль. К тому же профиль деятельности «Садов Астарты» ни одобрения, ни сочувствия у него не вызывал. Да и вообще, обязан ли он где-то что-то разруливать, регулировать, поправлять, налаживать? Правда, он видел и другое. Если не разрулить ситуацию, то, к примеру, той же горничной Наташе теперь нечем будет расплачиваться за ипотеку.

«Блин, вечно мне приходится заниматься не своими делами! — с досадой подумал Лев Иванович. — Все! Не хрен в эти дебри залазить, пусть сами крутятся, как уж хотят».

Однако вслух он сказал другое:

— В случае отсутствия обоих руководителей кто у вас остается в качестве исполняющего обязанности?

— Я, — чуть слышно выдавила Яна Константиновна. — Есть приказ по фирме.

— Ну и чего вы тогда переживаете? — Гуров пожал плечами. — Издайте свой приказ: «В связи с отсутствием первых лиц фирмы и каких-либо контактов с ними временно принимаю на себя руководство ее работой для недопущения сбоев в финансовой и иной деятельности». На всякий случай проконсультируйтесь со своим юристом. Он ведь у вас имеется?

— Да, по договору. — Главная бухгалтерша робко улыбнулась.

На ее лице отразилась мина, каковая могла бы появиться у безнадежно тонувшего человека, которому кто-то сунул в руки спасательный круг.

— Ой, Лев Иванович! Вы правы на все сто! Надо срочно вызвать юриста, оформить необходимые распоряжения и провести положенные выплаты. Так! Вам нужно открыть кабинеты Антоновского и Бубникса? Идемте! — уже совсем другим тоном проговорила Яна Константиновна, поднимаясь из-за стола.

Лев Иванович упреждающе поднял руку, достал телефон, подивился молниеносной перемене в своей собеседнице и проговорил:

— Секунду! Я сейчас вызову из ближайшего райотдела криминалиста, чтобы он, как оно и положено, снял отпечатки пальцев.

Они вышли из бухгалтерии и уже шагали через фойе, когда к ним подбежал несколько взъерошенный охранник.

— Яна Константиновна! — с нотками недоумения заговорил он. — Там вон два каких-то охламона приехали. Говорят, их фирма давала нам мебель в аренду всего на три месяца, а теперь — назад гоните! Что им сказать-то?

Оглянувшись в сторону стеклянной коробки вестибюля, Гуров увидел двоих долговязых, угловатых парней в дорогих костюмах, топчущихся на крыльце.

— Позови их сюда! — распорядилась главная бухгалтерша решительным, строгим тоном, явно несвойственным ей.

Охранник удивленно посмотрел на Яну Константиновну и поспешил назад. Через пару мгновений визитеры, ворвавшиеся в холл, уже стояли перед бухгалтершей и Гуровым. Они были настроены решительно и категорично.

— Мы намерены забрать пятьдесят единиц мебели, аренда которой просрочена сверх оговоренных сроков, — даже не поздоровавшись, объявил фрукт с рыжими усами и ярким, попугайским галстуком. Он решительно протянул Яне Константиновне лист бумаги с длинным перечнем предметов мебели.

Этот тип наверняка рассчитывал на то, что эта дамочка растеряется, испугается, начнет заикаться и спотыкаться, но крупно ошибся.

Яна Константиновна внимательно изучила всученную ей бумагу и уверенным, спокойным голосом объявила:

— Согласно договору от пятнадцатого мая текущего года мебель, о которой идет речь, считалась взятой у вас в аренду до момента полного погашения ее продажной стоимости. Десятого сентября текущего года было сделано последнее перечисление на ваш счет. Теперь мебель является нашей собственностью. Мы вам ничего не должны. Претензии предъявляйте банку.

— Но мы этих денег не получили! — заорал второй субъект с кое-как загримированным синяком под левым глазом.

— Мы проводили платежи через банк, который был предложен вашей фирмой. Свои обязательства мы выполнили от сих до сих. Если что-то не нравится — подавайте в суд!

Видимо, визитеры поняли, что их тут ждет полный облом, и нервно переглянулись.

Рыжеусый субъект недовольно хлопнул себя руками по бокам и заявил:

— Мы ничего не знаем! Нам начальство дало такое распоряжение, мы вон уже наняли фуру, грузчиков. Так что мебель мы сейчас увезем. Если суд признает вашу правоту, то вы сможете забрать ее обратно. Вот так!

Яна Константиновна невозмутимо улыбнулась и отрицательно качнула головой.

— И не мечтайте! — лаконично уведомила она. — Лохов тут нет. И наглеть не советую. Вам, господин экспроприатор, я вижу, люди, не пожелавшие расстаться со своей мебелью, уже поставили фингал. Смотрите, наш Володя — перворазрядник по боксу. Сейчас оба уйдете с подарками.

Охранник расплылся в улыбке и воодушевленно подтвердил:

— Это я мигом, Яна Константиновна!

Парни в момент скисли. Соотношение сил явно складывалось не в их пользу. Гурова, пока еще не сказавшего ни слова, они тоже восприняли как безусловную угрозу.

Но рыжеусый тип попытался провернуть свою аферу в несколько ином варианте.

Он огляделся и заговорщицки предложил приглушенным голосом:

— А давайте договоримся? Мы же с вами деловые люди, прекрасно понимаем, что здешней фирме пришел полный кирдык. Антоновский — тю-тю. Люди даже говорят, что он уже остывает в морге. Завтра-послезавтра обязательно все растащат. Мы берем вас в долю. Получите свое прямо сейчас. Хоть при бабках будете. Аренду оплачивать вам нечем, хозяина нет. Что уж брыкаться-то?

— Нет, никто ничего тут растаскивать не будет, и наша фирма пока еще жива, — все так же улыбаясь, строго возразила Яна Константиновна. — Не смею вас задерживать.

Обескураженные визитеры дернулись было уходить, но их остановил жесткий возглас Льва Ивановича:

— Куда? Главное управление уголовного розыска! Вам придется задержаться на пару минут.

Парни испуганно оглянулись. Их глаза забегали, как у насмерть перепуганных зайцев. Они никак не ожидали, что здесь окажется представитель столь серьезного, даже сурового ведомства.

— Ч-что вы хотели, г-гражданин начальник? — начав заикаться, неуверенно и скомканно спросил рыжеусый тип.

— Откуда у вас информация о том, что Антоновский в морге? — Гуров смерил их взглядом и выжидающе прищурился.

— Нет-нет! Ни от кого!

— Это мы для хохмы придумали, — наперебой загалдели визитеры.

— Значит, едем в КПЗ, — объявил Лев Иванович, многозначительно покачав головой. — У меня есть все основания вас туда определить. Вы в моем присутствии пытались облапошить частную организацию. А это уже статья о мошенничестве, причем в крупных размерах. Срок, видится мне, вам отмотают самый серьезный — мама не горюй!

Окончательно деморализованные жулики переглянулись и понуро сообщили, что о происшествии в «Садах Астарты» им сообщил хозяин транспортной конторы «Транзит-Гепард», у которого они работают уже два года. У него имеется свой информатор в одном из городских отделов УВД.

Гуров выяснил адрес конторы, телефон хозяина и отпустил вымогателей. Потом они с главной бухгалтершей поднялись на второй этаж.

Кабинеты Антоновского и Бубникса находились в крайнем левом коридоре, тянущемся от гостиной до тыльной стены здания. В это время Льва Ивановича и его спутницу снова догнал охранник, который сообщил, что прибыл криминалист.

Молодой парень с кейсом в руках, как видно, недавний выпускник института МВД, был сдержан и малоразговорчив. Он сноровисто отработал все предметы и поверхности, на которых могли иметься отпечатки пальцев.

Первым помещением, куда они вошли, был кабинет Антоновского. В приемной, изобилующей дорогим антиквариатом, никого не было. Яна Константиновна пояснила, что Сонечка, секретарша босса и, соответственно, его штатная любовница, ни вчера, ни сегодня на работе не появлялась. Точно так же, как и Римма — секретарша и любовница Бубникса.

Осматривая кабинеты, Лев Иванович сразу же отметил, что, в отличие от босса, его заместитель предпочитал современный авангард. Разве что кожаные диваны в обоих кабинетах были совершенно одинаковыми.

Направляясь к машине, Гуров созвонился с дежурным главка и через него поручил стажерам доехать до Линейной, семьдесят, а также Иваницкой, десять, выяснить, дома ли хозяева. Если таковых не обнаружится, узнать, как давно они не появлялись. Сразу же после этого он созвонился с хозяином «Транзит-Гепарда», неким Кириллом Мукконтом.

Прозвучало пять или шесть гудков, лишь после этого раздался недовольный голос:

— Кто там? Слушаю...

Узнав, что ему звонит сотрудник главка угрозыска, Мукконт долго кряхтел и сопел, после чего столь же недовольно уведомил, что у него нет времени на то, чтобы ездить по встречам и отвечать на всякие пустые вопросы. Однако предложение прибыть в главк по повестке быстро переменило его настроение. Он тут же сам предложил Льву Ивановичу съехаться на нейтральной территории и там обговорить все, что необходимо. В качестве таковой было выбрано кафе «Капель» на Стародворской.

Вскоре полковник подъехал к типичной стекляшке, стилизованной под современные веяния моды. На парковке рядом с большой липой он увидел черный «Опель» с тремя двойками в номере. Это было авто Кирилла Мукконта. Грузный небритый мужик лет пятидесяти пяти уже сидел за столиком и со скучающим видом отхлебывал минералку.

Гуров поздоровался, сел напротив, заказал у подошедшей официантки кофе и нейтральным тоном отметил:

— Я постараюсь не отнимать у вас много времени. Его и у меня не хватает. Поэтому вопрос такой: откуда к вам поступила информация о том, что Евгений Антоновский мертв? Насколько она достоверна?

Кирилл Мукконт тягостно вздохнул, почесал нос, пожал плечами и ответил:

— Как говорится, сорока на хвосте принесла. Скажем так, я стал случайным свидетелем разговора двух клиентов. У меня небольшой парк грузовых «Газелей» и пара крупных фур. Мужики арендовали три «газельки» для перевозки овощей и между делом трепались насчет какого-то ДТП, случившегося где-то под Клином. Вроде того, покатилась «бэха» под откос и полностью сгорела. Они подъехали посмотреть, что к чему. Гаишники в это время запрашивали базу данных по владельцам. Вот один другому и крикнул, что это тачка Антоновского, хозяина «Ноу-Хау-Вест». Вот и все, что я могу сказать.

Выслушав его, Лев Иванович иронично улыбнулся. Ему было яснее ясного, что этот рассказ — чистейшей воды выдумка, за исключением того, что касалось факта ДТП. Вот уж это, скорее всего, было правдой.

Ну, ничего, пока и так сойдет, рассудил Гуров.

— Хорошо. Будем считать, что ваша версия принята, — заявил он. — Ну и на десерт еще небольшой такой вопросик. А зачем это ребята из «Транзит-Гепарда» приезжали в этот самый «Ноу-Хау-Вест» и требовали отдать им мебель?

— А вам кто об этом сказал? — Мукконт впервые за все время разговора в упор посмотрел на своего собеседника.

Лев Иванович взял доставленную ему чашку кофе, отхлебнул и неспешно ответил:

— Я сам присутствовал при этом разговоре.

— Вот уроды! — Кирилл свирепо засопел. — Выгоню обоих к чертовой матери! Короче, получилось так. Мне из торгового дома «Мебель-Хоум» заказали фуру для вывоза мебели из помещения «Ноу-Хау-Вест». Как они сказали, те им обязаны ее вернуть. В общем, туда должен подъехать их представитель с договором, а я обеспечиваю транспорт, экспедиторов и грузчиков. Машина с моими людьми уже уехала, а через минут двадцать звонок: извините, ошибочка вышла. Деньги к ним пришли, они претензии сняли. За холостой пробег машины и прочее пообещали нам оплатить. Я этим двоим дебилам позвонил. Мол, заказ отменен, возвращайтесь на базу. Ну а они, я вижу, решили схитрожопить, сделать вид, что неправильно поняли, и заграбастать мебель уже самим себе. Вот козлы! Сегодня же уволю!..

Гуров сделал вид, что поверил, и неспешно кивнул.

— И последний вопрос, — отхлебывая кофе, сказал он, рассеянно поглядывая на Мукконта. — Вам знаком такой человек — Валентин Сивяркин?

— Слышал, что его грохнули, — не очень охотно заявил Кирилл. — Лично с ним я знаком не был, но мужики рассказывали, что его в большие шишки тесть пропихнул, Пустожаров. Есть в верхах такой авторитет. Этот Сивяркин на его дочке для того и женился, чтобы в люди выбиться. Он и до этого был несколько раз женат. И всегда с хорошей выгодой. Вот как человек на этом может подняться! А ведь из простых таксистов вылез!..

— Даже так?! — Для Льва Ивановича этот факт был новостью.

— Да! — Кирилл как-то сразу расслабился, откинулся на спинку стула. — Он еще сопливым был, таксовал по Москве сразу после армии. Как-то подвез с банкета до дома бабенку одну подпитую, лет этак сорока, помог ей подняться на этаж. Попутно узнал, что ее папаша какой-то начальник из Мосгорисполкома. Остался с нею, приласкал ее. Бабенке понравилось. Она сошлась с ним, бросила мужа и детей. Ее папаша куда-то его пристроил, наподобие банно-прачечного треста. Лет пять он там покрутился, дорос до заместителя генерального директора. Потом нашел бабу покруче. Ушел к той, стал директором крупной продуктовой базы. Лет через восемь-десять еще раз женился и возглавил отделение коммерческого банка. Ну а как стал зятьком Пустожарова — сразу в министерство пролез. Так вот верхи наши новыми кадрами и пополняются. Кругом блат. Все у нас так, через одно место!..

Выйдя из кафе, Гуров набрал номер капитана Жаворонкова и попросил его взять информацию обо всех ДТП по Москве и области за минувшие сутки, в первую очередь таких, где погибали люди, сгорали в момент аварии. Кроме того, он сообщил капитану телефонный номер эксперта, бравшего отпечатки пальцев в кабинетах «Ноу-Хау-Вест», и поручил ему через базу данных определить их подлинную принадлежность.

Теперь полковник ехал на улицу Некрасова, чтобы там встретиться с инженером Токаревым, который получил отказ во внедрении сберегающей системы подачи тепловой энергии от котельных к жилым и производственным объектам. Как явствовало из заявки на внедрение этого новшества, система Токарева Виталия Алексеевича позволяла на семьдесят процентов предотвратить потери тепла при транзите теплоносителя. Тем не менее в левом верхнем углу было выведено женственным округлым почерком: «Отказать ввиду явной неэффективности и неработоспособности данной системы». Ниже стояли дата и подпись.

Лев Иванович позвонил в дверь и увидел перед собой худощавого, но вполне крепкого мужчину лет шестидесяти, который недоуменно взирал на нежданного гостя. Гуров объяснил суть своего визита, прошел следом за хозяином и оказался в квартире, увешанной свидетельствами об изобретениях и уставленной моделями каких-то устройств. Они сели в кресла у небольшого столика, заваленного технической периодикой, и за чаем обсудили особенности внедрения всяческих новшеств в условиях современной России.

Как оказалось, творческий путь современных Кулибиных не менее, а порой и более тернист, нежели у великого русского изобретателя прошлых веков.

— Я уже как-то подсчитал, что если была бы внедрена хотя бы половина моих разработок, то наша казна имела бы триллионные прибыли, — грустно констатировал хозяин квартиры.

— Да и вы были бы пусть и не миллионером, то — уж точно — состоятельным человеком, — продолжил его мысль Гуров.

Токарев вздохнул и безнадежно махнул рукой.

— Знаете, я еще старой, советской закваски, когда главный девиз был «жила бы страна родная». Я был бы доволен, если бы мои разработки послужили России. В этом я полностью солидарен с Михаилом Тимофеевичем Калашниковым. Но немалая часть наших чиновников — как бы не большинство! — категорически настроена против любого технического прогресса. Им выгоден избыток ручного труда. Почему? Только на этом они способны паразитировать. Вот недавно я предложил универсальный автокомбайн по уходу за улицами. Он один заменяет сотню дворников как летом, так и зимой. После его работы наши улицы стали бы как вымытые. Разве это плохо? Нет! Не пропустили! Дескать, нужны заключения каких-то особых технических экспертов. А они, вроде того, есть только за границей. Мне, оказывается, за свой счет надо сделать действующий образец, вызвать тех экспертов, оплатить им испытания и получить заключение. Уж тогда бы они подумали, а стоит ли внедрять.

— Да-а, интересные запросы, — согласился Гуров.

— Но ведь за этим кроется элементарный шкурный интерес нашей коммунальной мафии! — Виталий Токарев развел руками. — Наняв несколько десятков гастарбайтеров, коммунальная верхушка за год наварит на них сотни тысяч рублей. По стране — миллиарды. Хотя эти же деньги могли бы пойти на восстановление коммунальных сетей, которые мы используем еще с советских времен. Вот они, деньги на коммунальную реформу! Но черта с два это докажешь!

— То есть торможение очень мощное, — задумчиво констатировал Лев Иванович.

Он сделал вывод о том, что этот человек — по-настоящему интеллигентный, увлеченный, настроенный на позитив, на творчество — убийцей быть никак не может. Даже с учетом того, сколь непорядочно и скверно поступили с ним министерские инноваторы и технологи.

— Знаете, Лев Иванович, в сложившейся ситуации и это не самое подлое. Вот недавно читаю в Интернете заметку на одном из англоязычных сайтов — язык я знаю отлично. И что я там вижу? Новое изобретение западных специалистов — автокомбайн для уборки улиц. Причем один в один моя разработка. Как она могла туда попасть? Только из этого гребаного Министерства инноваций и технологий. Я им предоставил всю документацию, расчеты, а они это скопировали и продали за рубеж. Мне дали отписку: «Отказать ввиду неэффективности и дороговизны производства». Какая чушь! Заводская стоимость моего комбайна была невелика. Окупается за год! Нет. У нас — нельзя. Там — можно. И где найти управу на этих тварей?!

— А вот эта энергосберегающая система — она-то чем не устроила господ чиновников? — поинтересовался Гуров, достал уведомление об отказе и показал его своему собеседнику.

— Дешевизной, — с оттенком сарказма в голосе пояснил тот. — Это вообще копеечная элементарщина. Кто знает законы термодинамики и свойства различных материалов, сразу, с первого взгляда сможет понять суть замысла. Это материал для теплоизоляции трубопроводов, несущих горячую воду. Он пятислойный, но общая его толщина не превышает пяти миллиметров. Наружный слой — защитный пластик. Потом специально обработанная алюминиевая фольга, опять пористый пластик — это моя личная разработка! — фольга и еще один защитный слой. Суть вот в чем. Если такой оболочкой обмотать трубу, то она, даже нагретая внутри до ста градусов, снаружи будет чуть теплой. Сам сделал образец, показал, объяснил. Сказали — результат сообщим через две недели. Было это весной. Не сообщили до сих пор. Теперь надо искать в Интернете информацию о новом прорывном изобретении западных ученых.

— А что вы можете сказать об этих вот изобретениях и их авторах? Мне они интересны как люди. — Лев Иванович достал из папки отказные уведомления.

Токарев неспешно перебирал листы бумаги с министерскими печатями и чьими-то росписями, хмурил лоб, потирал кончик носа и говорил:

— Так, новая система впрыска горючего в инжекторный двигатель. Да, знаю этого парня — очень талантливый инженер, и идея чрезвычайно продуктивная. Почему отвергли — не могу сказать. Но, скорее всего, не дремлет иноземное лобби. Если наши легковушки станут на треть экономичнее и экологичнее, то они запросто потеснят иностранок и на внутреннем рынке, и за границей. Отказали. Так, а это что? Установка для очистки бытовых и промышленных стоков. Автор Псакин. Балабол и бездарь. Его установка — ухудшенная копия японской, существующей уже лет десять. Отказано закономерно, хотя это-то и удивительно.

— А почему удивительно?

— Не так давно дали стомиллионный грант некоему Аверию Тубу. Он, видите ли, изобрел фильтры из кокосовой копры для питьевой воды. Я проверял расчеты и все прочее. Бред сивой кобылы. Так я и написал в Академию наук. Там мое мнение поддержали, вышли на правительство. А гения уже волной смыло — исчез вместе с миллионами. Но, думаю, кое с кем он поделился.

— Скорее всего, с помощником министра Сивяркиным? — Гуров вопросительно взглянул на Токарева.

— Вот именно! Самое страшное, когда человек — полный тупица, а ему доверили решать судьбы чьих-то изобретений.

Не буду говорить про всех прочих. В том министерстве встречаются и порядочные люди. Но эта тварь причинит еще немало вреда стране и людям, живущим в ней.

— Уже не причинит, — обронил Лев Иванович без каких-либо эмоций. — Позавчера вечером его убили.

Недоуменно посмотрев в его сторону, Токарев понимающе улыбнулся.

— Ах вон оно что! Все понятно. Вас интересует, не убил ли его кто-то из нашего брата? — спросил он. — Нет, Лев Иванович, те личности, которые могли бы убить, наподобие Туба, они у него в фаворе. А люди, зацикленные на работе, на это пойдут едва ли.

— Да это я уже и так понял. — Гуров убрал в папку листы с отказами и поднялся, считая этот вопрос закрытым.

Выйдя на улицу и направляясь к машине, он размышлял о том, что в России по некоему, весьма распространенному недомыслию символом богатства и экономической мощи государства считаются газ, нефть, золото и алмазы. Никто до сих пор так и не научился ценить подлинные сокровища, рождающиеся в умах российских талантов.

Недалекость, продажность и беспредел, определил Лев отношение отдельных госструктур к изобретателям в России.

Глава 6

Станислав Крячко в главк прибыл спозаранок. Он взял позавчерашние материалы допросов и выбрал из персонала клуба и его членов, а также сотрудников «Ноу-Хау-Вест» одни лишь женские фамилии. Стас переписал десятка два телефонных номеров, исключил из них одну лишь Наташу, уселся за телефон и начал методично обзванивать своих респонденток. Из более чем двадцати номеров около десятка не ответили. Или же прозвучал голос робота, извещавший полковника о том, что «данный абонент находится вне зоны действия сети». Причем практически все такие вот «отказчицы» оказались членами клуба. Из тех дам, которые ответили Стасу, встретиться с ним согласились всего пятеро. Все до единой — из персонала «Садов Астарты» и консалтинговой фирмы. Прочие вроде бы и не отказались поговорить с полковником полиции, но и не согласились, мотивировав это проблемами со здоровьем.

Стас решил, что и это пляшет. В конце концов, если выяснить ничего дельного не удастся, то всех «отказчиц» можно будет вызвать повесткой.

Крячко взял в информационном отделе фотороботы Штирлица и пропойцы. Сверив оба изображения, он пришел к выводу, что на них, несмотря на некоторые мелкие отличия, — один и тот же человек. Сегодня технари должны были составить еще один фоторобот при участии бригадира грузчиков из «Курьер-Люкса». Но Крячко уже был полностью уверен в том, что и третья картинка будет очень похожа на две предыдущие.

В завершение своих утренних дел Крячко созвонился с городским управлением ГИБДД и попросил посмотреть записи камер видеонаблюдения, установленных на Садовом кольце, улице Мечтателей и в кварталах, прилегающих к ней, за последние две недели. Полковник особо подчеркнул, что весьма важными для следствия были бы кадры преследования черного «Бентли Континенталь» синим «Фордом» и белой «Маздой».

Испытывая несказанное удовольствие от того, что сегодняшнее утро началось не с планерки у Петра, он в расчудесном настроении вышел из кабинета. Крячко уже защелкнул дверь на замок, когда неожиданно услышал настойчивый звонок телефона внутренней связи. Он сделал вид, что вообще абсолютно ничего не слышал, и поспешил покинуть здание.

И вот теперь полковник полиции Крячко мчался на улицу Белую, где проживала женщина, работавшая шеф-поваром в пищеблоке «Садов Астарты». Правда, он сильно сомневался в том, что за такой теткой, скорее всего весьма объемной, стал бы приударять этот неуловимый Штирлиц-Хомутов. Но Стас увидел перед собой молодую женщину, пусть и крупненькую, но вполне привлекательную, и быстро переменил свое мнение.

Шеф-повар Елизавета вначале очень удивилась визиту сотрудника главка угрозыска, но все-таки рассказала ему нечто довольно-таки занятное. По ее словам, сотрудница клуба, горничная Ольга, не так давно похвасталась, что познакомилась с очень обаятельным, интересным во всех отношениях мужчиной. Под большим секретом она поведала Елизавете о том, что ее новый знакомый — мужик суперкласса. Когда они несколько дней назад вечером шли к ее дому, к ним привязались какие-то гопники, он раскидал их как щенков. Отморозки, еще минуту назад грозные и всемогущие, расползались в разные стороны, испуганно моля о пощаде.

Ольга уже давно привыкла к тому, что большинство ее нынешних ухажеров в случае реальной опасности норовят откупиться от подонков или дать деру, бросив ее на произвол судьбы. Женщина никак не ожидала, что ее новый знакомый, назвавшийся Алексеем, не струсит и не запаникует.

Когда дорогу им загородили четверо удальцов, с понтом дымящих сигаретами, Алексей ничуть не переменился в лице. Он даже с каким-то сочувствием предложил им дуть домой, к маме, во избежание получения хороших люлей.

Как видно, именно это и разозлило отморозков больше всего. Они ринулись на него тупым бараньим стадом, жаждая смять и уничтожить человека, дерзнувшего не прогнуться перед их самостью.

Но не тут-то было. Алексей оказался еще тем перцем! Он выполнил высокий подскок и одновременным ударом обеих ног, нанесенным точно в переносицу, обрушил тех негодяев, которые держались в центре кодлы. Двое, что были по бокам, испуганно отпрыгнули в разные стороны.

Алексей, выписав сальто, приземлился на ноги и уже сам ринулся в атаку. Еще одному, надумавшему напасть слева, он хлестко влепил по линии диафрагмы ребром левой ладони. Тот сразу задохнулся и скрючился в три погибели.

Другой наскакивал справа. Алексей резко наклонился, взмахнул ногой, прямо как крылом ветряной мельницы, и нанес сокрушительный удар в нижнюю челюсть. Эта жестокая схватка закончилась менее чем за минуту.

Стас заглянул в свой список и увидел, что эта самая Ольга в нем числится последней. Он решил всех прочих сместить назад и прямо сейчас отправиться именно к ней. Внутреннее чутье ему подсказывало, что это и есть та женщина, которую ему требовалось найти.

Его «мерин» снова мчался по Москве. Полковник Крячко направлялся на улицу Пржевальского. Он вышел из машины у дома современной постройки и набрал номер Ольги, которой только недавно звонил из главка. Узнав, кто ее беспокоит, женщина пообещала спуститься. Через пару минут Стас действительно увидел молодую особу, появившуюся в дверях. На вид она была довольно хрупкой, но по уверенной походке и жестикуляции чувствовалось, что сил ей не занимать.

Они присели на лавочку, уже нагретую утренним солнцем, рядом с детской площадкой. Ольга, сокрушенно вздыхая, хотя и не особо жалуясь на судьбу, поведала о своем скоротечном знакомстве, оборвавшемся так несвоевременно.

— Когда я его увидела, мне даже стало как-то не по себе, — грустно улыбаясь, рассказывала она. — Алексей в тот момент показался мне чуть ли не принцем заморским. Нет, в самом деле! Высокий, статный, красивый, интеллигентный, очень сильный и волевой. Какая женщина устояла бы перед таким? Тем более когда постоянно видишь перед собой одних лишь безголовых остолопов, пожизненно озабоченных, которые как вещами меняются своими женами и занимаются всякой хренью, иной раз совершенно немыслимой. На мониторе частенько такое видишь!.. Хотя вообще-то что с них взять? Эти люди просто больные на всю голову. И вот — он!.. Нет, Алексей не давал мне никаких обещаний, да между нами, собственно говоря, ничего и не было. Но ухаживал он очень красиво. Рядом с ним мне и самой хотелось быть выше, чище, аристократичнее, что ли.

— Он вас расспрашивал о клубе, о том, как устроено здание, где и что там находится? — поинтересовался Крячко, выслушав ее с сочувственным, понимающим видом.

По словам Ольги, только сейчас, общаясь с сотрудником угрозыска, она вдруг сообразила, что Алексей и в самом деле очень интересовался внутренним устройством «Садов Астарты». При этом он выспрашивал о тех или иных деталях очень ненавязчиво, как бы в русле обычного, малозначащего разговора. У женщины не возникло и тени подозрения на этот счет. Только теперь ей стало ясно, что Алексея, может быть, даже в гораздо большей степени, чем она сама, волновал свингер-клуб и его члены.

— Да, он как-то упомянул про Сивяркина, — припомнила Ольга. — Они с этим типом вроде бы как-то раз пересекались. Но если и знакомы, то чисто шапочно. Ну а я как-то так, сама того не заметив, рассказала ему про этого обалдуя все, что знала. Что он предпочитает развлекаться с Жанкой Гойдо и при этом всегда занимает тринадцатый будуар, который находится в том коридоре, где обслугу ведет Наталья. Мне этот министерский сморчок и самой-то был очень неприятен. Наталья вам не рассказывала, как однажды он чуть ее не изнасиловал прямо в дежурке? Нет? Было такое. Жанка со своим раздолбаем — ох и кобелина этот Роман! — в тот вечер не появилась, а другие ему почему-то были не по вкусу. Ну, а Жанка и Наталья чем-то очень схожи. И вот он Наталью в коридоре как увидел — она зачем-то вышла из своей дежурки, — тут же обратно ее затолкал и стал рвать на ней платье. Она вырвалась и нажала на кнопку вызова охраны.

— В полицию она заявление не писала? — поинтересовался Крячко, мысленно отметив, что усопший был еще той скотиной.

— Да что вы! — Ольга отрицательно качнула головой. — С одной стороны, она тут же гарантированно осталась бы без работы. А с другой — ее муж и так постоянно ревновал. Очень даже! А уж тут и вовсе неизвестно, как он отреагировал бы на такое безобразие.

— Простите за нескромный вопрос. А вам самой не доводилось сталкиваться с подобными галантными ухажерами? — Станислав сочувственно покачал головой.

Его собеседница иронично улыбнулась и проговорила:

— Как-то было что-то похожее. Правда, липнуть пробовал не Сивяркин, а еще один тамошний дегенерат. Но я его сразу предупредила, что у меня разряд по боевому самбо и пояс по карате. У него тут же напрочь отпала всякая охота приставать. Кстати, наш босс на меня тогда распыхтелся. Дескать, зачем так грубо? Вроде того, к клиентам надо относиться с любовью и нежностью. Вот я ему и сказала, что устраивалась работать горничной, а не проституткой. Больше ко мне с претензиями он не подходил. Вообще-то босс меня даже побаивался.

— Значит, Антоновскому было безразлично хамство со стороны его клиентуры, — задумчиво резюмировал Стас. — Получается так, что подобные случаи там были не так уж и редки. А у вас откуда столь мощная подготовка?

— Отец был офицером погранвойск, от него я и переняла самбо. — Тут голос Ольги заметно потеплел. — Потом, когда его не стало — отказало сердце, — записалась в секцию карате. Я и свою Валюшку, дочку, с детсадовского возраста тренирую. Сейчас без этого не обойтись. Вон, видите, идут два лоботряса? Придурки из нашего подъезда. Один учится в восьмом, другой в девятом классе, оба с мозгами навыворот. — Она указала взглядом на двух нескладных юнцов, не идущих, а прямо-таки шествующих к дому.

Они писклявого гоготали по какому-то поводу и явно были в полном восхищении от самих себя.

— Да и у их родителей с головой тоже не все в порядке, — язвительно констатировала Ольга. — Представляете, чтобы эти сопляки не подсели на наркоту, их предки уже сейчас стали давать им деньги на всяких шалашовок. Да! Они объясняют это тем, что из двух зол надо якобы выбирать меньшее. Что тут можно сказать? У них хоть какое-то соображение есть или нет? Почему бы пацанов не отдать в спорт? На это ума не хватает. Думаю, плохо они кончат, эти два тупицы. Уже был случай. Они приставали в лифте к девочке из нашего же подъезда. Ее отец заявлял в полицию, но адвокаты их отмазали. Не дай бог, мою Валюшку хоть пальцем тронут! Я из них отбивные сделаю!..

На замечание Крячко, что стоило бы обратиться к участковому, Ольга лишь саркастично рассмеялась. По ее словам, участкового она видела всего лишь раз, в прошлом году. Больше он не появлялся. Его контактный телефон, номер которого для блезира висит на углу дома, постоянно занят.

Стас отметил, что здешнему участковому стоит хорошенько накрутить хвоста, и спросил:

— А вот исчезновение Алексея вы как расценили? Считаете, что он вас обманул? Использовал как источник информации и бросил?

— Нет! — В голосе Ольги не было и тени сомнения. — Такой человек, как Алексей, обмануть не мог. У него, как я могу понять, очень сложные жизненные обстоятельства. Он не говорил, что у него за профессия, где он служил, но я и без того обо всем догадывалась. От него ушла жена в ту пору, когда он был в долгой командировке, без вести пропала дочь. Знаете, он был близок к тому, чтобы остаться со мной, но что-то очень серьезное и значимое вынуждало его куда-то спешить, постоянно что-то или кого-то искать.

— А вы допускаете, что это именно он убил Сивяркина? — Крячко выжидающе прищурился. — Вы не задумывались, что это именно его рук дело?

— Да, в какой-то степени я такое допускаю. — Собеседница Стаса пожала плечами. — Были у меня такие мысли. Но я знаю, что именно собой представлял Сивяркин, поэтому осуждать Алексея не буду. Вероятнее всего, покойничек учинил ему какую-то немыслимую подлость, и он с ним за это расквитался. Поделом вору мука, как говорят в народе. Кстати, а не этот ли гусь лапчатый был виновником исчезновения дочери Алексея? Точно-точно! Если это так и есть, то... да я сама бы такую мразь собственными руками придушила бы.

Услышав вопрос Стаса о контактном телефоне Алексея, Ольга снисходительно улыбнулась. Она пояснила, что не раз звонила по номеру, имеющемуся у нее. Последние двое суток ей тупо и однообразно отвечал механический женский голос, который уверял ее в том, что «такого номера не существует». Впрочем, женщина отказалась сообщить Станиславу даже этот номер. По ее словам, он записан на листке блокнота, который, как назло, именно сегодня утром где-то затерялся. Не захотела она и опознать Алексея по фотороботам.

Ольга лишь мельком взглянула синтезированные портреты и категорично мотнула головой.

— Нет, это не он! — с демонстративной уверенностью заявила она, хотя по ее дрогнувшим ресницам Стас тут же понял, что это он и есть.

Полковник Крячко в дежурном порядке уведомил свою собеседницу о том, что она немедленно обязана сообщить в полицию о появлении Алексея, и отправился к гаишникам.

Когда он выезжал с улицы Пржевальского на большой оживленный проспект, неожиданно ожил его телефон. На мониторе высветилась фамилия генерала.

Голос Орлова звучал хрипловато и изобиловал сердитыми нотками:

— Стас, где ты там? Чем занимаешься?

«Похоже, опять клюют Петруху», — сочувственно подумал Станислав.

— Да вот нашел даму, которая, как выяснилось, и просветила нашего неуловимку по части внутренней географии свиноклуба, — с невозмутимостью в голосе, явно перенятой у Гурова, сообщил он. — Сейчас еду к гаишникам. Я им утром звонил. Надеюсь, они уже сумели найти что-нибудь интересное. А у тебя чего? Как успехи?

— Одним словом сказать — херово. — Орлов шумно вздохнул. — Наши спецслужбы — как ГРУ, так и СВР — информацию дать пообещали, но только тогда, когда ими будут получены все необходимые разрешения и согласования. Ты и сам прекрасно знаешь, сколько времени на это уйдет! Конечно, я их понимаю. Любой человек, работавший в этих конторах, уже сам по себе является носителем секретных сведений. Даже про бывшего спецагента информацию давать ой как рискованно. Тут даже подтверждение того факта, что он служил в разведке, может стать серьезной утечкой. Такие вот дела, Станислав. А эта дамочка опознала нашего клиента?

— Нет, подтвердить, что это он и есть, она не захотела. — Стас рассмеялся. — Но по ее глазам было видно, что это он. Ну а так-то кое-что рассказала.

Крячко вкратце передал генералу содержание своего разговора с Ольгой.

Петр выслушал его спокойно, не перебивая, и после некоторого молчания задумчиво согласился:

— Думается мне, что версия с исчезновением дочери этого Алексея по вине Сивяркина очень даже реалистична. Я так понял, поганец при высоком чине много чего накуролесил.

И вот теперь кто-то с ним свел счеты. Хорошо! Занимайся. Если что-то удастся накопать по машинам, из которых велась слежка, сразу же мне сообщишь.

— Добро, — бодро откликнулся Станислав, не удержался и спросил: — Петро, а что это голос у тебя такой убитый? Что, сверху опять наехали?

— Наехали, Стас, да еще как! Как я понял, наш лучший друг после Гитлера додумался слить информацию в желтую прессу. В «Неоновом мираже» вышло интервью некоего сотрудника компетентных органов, не пожелавшего назвать себя, который рассказал о происшествии в «Садах Астарты». При этом был сделан намек на то, что информацию дал кто-то из нашей конторы. Вот теперь мне приходится отбиваться сразу по нескольким фронтам. Доказывать, что мы не верблюды. А тут уже телевизионщики звонят, требуют подробности. Думаю, сегодня вечером заштормит не на шутку.

Припарковавшись на служебной стоянке гаишников, Крячко прошел к зданию управления. Там он разыскал сотрудников, с которыми утром говорил по телефону, и с некоторым даже удивлением услышал, что «Форд» и «Мазда» на видеозаписи обнаружены, их номера считаны, пусть и не без затруднений.

Станислав уважительно посмотрел на двух молодых старших лейтенантов и записал номера машин, продиктованные ему, а также имена и телефоны их владельцев. Хозяином «Форда» оказался некий Ломтев, проживающий в Сергиевом Посаде. «Мазда» принадлежала жителю Измайлова по фамилии Касиашвили.

Крячко вернулся на стоянку и созвонился с владельцами машин. Оба откликнулись сразу же и одинаково удивились звонку представителя главка угрозыска. Но если Ломтев готов был встретиться в любое удобное для Стаса время, то Касиашвили попросил отложить предполагаемый разговор часов до пяти-шести, мотивируя это сильной занятостью. Крячко пригласил обоих собеседников в свое ведомство и отправился в ближайшее кафе, чтобы там восполнить силы телесные, так ощутимо влияющие на духовные.

100

Когда Станислав прибыл в главк, Лев Иванович уже сидел в кабинете и с кем-то деловито разговаривал по телефону. Крячко поздоровался с ним и вопросительно мотнул головой, указывая взглядом на трубку.

Гуров прикрыл ладонью микрофон и вполголоса бросил:

— Амбар!..

Лев Иванович вернулся в главк минут на двадцать раньше Стаса. Интернет выручал его уже не раз. Поэтому он и решил, пока есть время на передышку, поработать с этим источником информации. Гуров задал поисковой системе вопрос о Сивяркине и тут же увидел на экране монитора не менее десятка самых разных материалов о помощнике министра инноваций и технологий.

«Черт! Что ж я сразу-то не заглянул сюда?» — укорил он себя, открыл первый файл и обнаружил публикацию одной из центральных газет, где ставился вопрос обоснованности финансирования некоего прожекта, раскритикованного как практиками, так и учеными ряда НИИ, а также Академии наук.

По словам автора публикации, некая группа изобретателей — скорее всего, они придумывали не технические новинки, а способы мошеннического надувательства своего государства — полгода назад обратилась в Министерство инноваций и технологий с предложением о внедрении некоего супердвигателя, способного работать на любом виде топлива, при этом невероятно экономичного, экологически чистого и обладающего совершенно фантастическим КПД.

К заявке на промышленное внедрение прилагалось экспертное заключение целого ряда ученых, которые дали чуду технического прогресса двадцать первого века самые блестящие оценки. Министерство даже не потрудилось созвониться с экспертами, подписавшими заключение. Оно поспешило протолкнуть нужные бумаги через все иные ведомства, которые, обладая и контрольными, и экспертными функциями, тоже почему-то не сочли нужным вникать в суть предложения и подлинность оценок.

В скором времени эта самая группа изобретателей сумела непостижимым образом обналичить несколько десятков миллионов рублей. Ее участники скрылись и объявились в Лондоне. Тогда-то и разразился тихий скандал.

Некий академик случайно узнал о своем заключении, которого он никогда не делал, и поднял шум. Эта история получила огласку. Прочие подписанты также заявили о том, что их рецензии и автографы фальшивые.

Правовые структуры, ответственные за задержание мошенников и поиск украденного, лишь виновато развели руками. Мол, приносим свои самые искренние извинения, но ничего поделать не можем. До бога высоко, до Лондона далеко.

Высокопоставленные сотрудники Министерства инноваций и технологий развели руками в несколько ином ключе. Дескать, мы — жертвы добросовестного заблуждения, нас обманули подписи известных ученых. В самом деле! Как можно беспокоить уважаемых людей, уточняя подлинность их суждений?! Нельзя!.. Легче пустить на ветер десятки миллионов рублей.

Вдобавок ко всему все те персоны во властной цепочке, которые принимают решения о выделении денег и обязаны десятикратно проверять целесообразность финансирования любого проекта, тоже развели руками. По их мнению, авторитет Министерства инноваций и технологий давил на их способность объективно оценивать достоинства и недостатки проекта, предложенного к рассмотрению.

Впрочем, все эти оправдания автор статьи расценил лишь как не самую умную уловку, нацеленную на уход от ответственности. Он искренне считал, что налицо серьезное финансовое преступление, совершенное большой группой людей, занимающих ответственные должности.

Однако главной персоной во всей этой афере он видел помощника министра Валентина Сивяркина. Именно этот чиновник приложил максимум усилий, нацеленных на то, чтобы выделение денег изобретателям стало возможным. Однако самым интересным Гурову показалось вскользь брошенное едкое замечание автора статьи о том, что господин Сивяркин вынужден разрываться между работой в министерстве и своим серым бизнесом не вполне благопристойного свойства. О сути данного бизнеса ничего сказано не было. Но все это наводило сыщика на вполне определенные догадки.

Еще раз перечитав этот абзац, Лев Иванович задумался, а не отсюда ли торчат уши трагедии, случившейся с Сивяркиным? Он пробежал глазами еще несколько материалов, где в основном перечислялись большие или малые проколы в работе этого самого министерства, а также указывалось на весьма приметную роль во всех этих неудачах именно господина Сивяркина.

Тут-то сыщик и услышал звонок городского телефона. Это и был Бородкин-Амбар:

— Лев Иванович, поговорили мы с мужиками насчет этого самого... как его там? Ну да, Сивяркина. Вот. Так его это, замочили позавчера на одной хазе. Он теперь в жмуриках числится. А кончили его вроде бы на Полтинной. Там малина такая есть, где мужики меж собой своими бабами меняются. А Костя Малахит вроде бы слышал, что Сивяркина прикончил один мужик из тамошних. Вроде того, тот ему свою бабу ссудил, а он ему — шиш. Обдурил, в общем. Ну, тот зло затаил и, как только момент подвернулся, влупил пиковину прямо ему в сердце. Вот и все, что я знаю.

Рассказ Бородкина содержал много выдумки чистейшей воды. Но вообще-то, помимо всевозможных домыслов и досужих фантазий, в этом повествовании были и достаточно любопытные моменты. Особенно занятным выглядел тот неоспоримый факт, что в криминальной среде, как оказалось, очень хорошо знали о том, что случилось в «Садах Астарты». Откуда такая осведомленность? Да уж!.. Получается так, что убийство Сивяркина — настоящий секрет Полишинеля.

Уже заканчивая разговор, Гуров спросил своего информатора, знает ли тот, кто такие Антоновский и Бубникс. Бородкин повздыхал и уведомил сыщика, что о таких личностях отродясь не слыхивал, однако при необходимости попробует выяснить, что уж сможет.

Когда Лев Иванович положил трубку, Крячко довольным голосом сообщил:

— Есть контакт! Нашел я одну интересную мадам, за которой этот наш неуловимка и ухаживал. — Он сообщил товарищу об итогах своих встреч с сотрудницами клуба и гаишниками. — Вот сейчас, с минуты на минуту, должен подойти хозяин «Форда», — со значением в голосе добавил Стас.

Гуров тоже рассказал о результатах своих сегодняшних разъездов.

Услышав некоторые нюансы весьма неправедного житья-бытья господина Сивяркина, энергично стукнул кулаком по ладони и заявил:

— Вот ведь правильно люди говорят, что вершин достигают или орлы, или ужи, — озвучил он сентенцию, уже не единожды упоминавшуюся им. — Этот Сивяркин из всех ужей — уж!..

В этот момент раздался стук в дверь, и в кабинет вошел капитан Жаворонков.

— Здравия желаю! — Он протянул Гурову распечатку, с которой на приятелей смотрело лицо, уже знакомое им обоим. — Вот, сегодня утром ребята-фототехники составили с мужиком из какого-то «Курьер-Люкса».

— Ха! — Крячко взял у Льва Ивановича фоторобот и хлопнул себя по боку свободной рукой. — Значит, и Штирлиц из налоговой, и Максим Хомутов, и некий Алексей, и пропойца — одно и то же лицо! Прикольно!.. Валера, а по человеку, сгоревшему в машине под Клином, что-нибудь накопать удалось?

— Ничего! — деловито откликнулся Жаворонков. — Он сгорел так, что никакая экспертиза не поможет. Даже генетическая. А вот благодаря отпечаткам, взятым в кабинете Антоновского, удалось выяснить такое... — Капитан сделал многозначительную паузу, давая понять, что сейчас сообщит нечто невероятное. — Так вот, Лев Иванович, они принадлежат вашему старому знакомому. Я по компьютеру пробил их через все архивы, и оказалось, что это беглый уголовник Шпыряк Степан Адамович. — Жаворонков достал из пластикового файла принтерную распечатку фотографий человека лет тридцати с лишним, снятого в фас и профиль.

— Тьфу ты! Японский городовой! — Гуров стукнул кулаком по столу. — Точно! Это он, зараза. Я же позавчера вечером понял, что физия Антоновского очень даже знакомая. Хотя надо сказать, что на себя тогдашнего сегодняшний Шпыряк мало чем похож.

— Пластическая операция, — уверенно резюмировал Стас. — Что тут еще может быть? Кстати, а что там за история была с этим Шпыряком-Антоновским?

Лев Иванович провел ладонью по лицу и рассказал, что лет двадцать назад ему удалось изобличить матерого главаря группы сутенеров. Этот тип имел обширнейшие связи среди тогдашних высоких чинов. Наверняка не в последнюю очередь потому, что слуги народа более чем охотно пользовались услугами целой сети подпольных борделей. Многие «сотрудницы» подобных учреждений занимались проституцией по принуждению. Почти половина этих девиц была из числа несовершеннолетних. В ходе расследования выявилось немало фактов того, что для принуждения секс-рабынь к безропотному повиновению использовались пытки и даже убийства самых непокорных. Это делал и сам Шпыряк.

По совокупности совершенных преступлений главарю светила высшая мера, которая тогда не только была прописана в УК, но и приводилась в исполнение. Но, как видно, покровители из тогдашних верхов не забыли своего благодетеля, который обеспечивал им, причем совершенно бесплатно, подневольные ласки юных рабынь.

Гуров тогда так и не смог понять, как могло случиться, что у обвиняемого Шпыряка, транспортировавшегося в автозаке из СИЗО в суд, оказался заряженный пистолет. Несмотря на все усилия, не удалось выяснить и того, почему в дороге автозак остановился. Преступник в упор расстрелял всех, кто его сопровождал, и бесследно скрылся.

Прочие бандиты, задержанные операми, не ушли от суда и возмездия. Правую руку главаря, некоего Яцеслава Сечука, убили в ходе перестрелки, вспыхнувшей во время задержания. Еще двенадцать человек из этой банды сели на длительные сроки. Но сам Шпыряк словно растаял в воздухе.

— Как удалось выяснить, Шпыряк был уроженцем Львовской области, — вспоминая о былых событиях, неспешно рассказывал Лев Иванович. — Его отец, Адам Шпыряк, в годы

105

войны был активным украинским националистом, боготворившим Бандеру. Он еще пацаном вступил в так называемую сотню храбрых юношей. Это бандеровский спецназ, который наряду с эсэсовцами занимался уничтожением поляков, евреев и русских. По ночам они ходили по селам и вырезали целые семьи, не щадили даже грудных детей. Над женщинами эти храбрецы издевались просто чудовищно.

— Вот ведь бандера гребаная! — Крячко сердито плюнул. — Мне об этих упырях тоже много чего рассказывали.

— Да, действительно настоящие упыри, — Гуров хмуро кивнул. — В программе подготовки этой самой сотни имелся особый пункт — выживание в тылу врага. Так вот каждый такой щенок должен был собственноручно убить ножом пленного красноармейца, разделать его тело на мясо, сварить из человеческой плоти похлебку и в присутствии «экзаменационной комиссии» ее съесть.

На лице Жаворонкова отразилась гримаса крайнего отвращения.

— Это серьезно, Лев Иванович? — ошеломленно спросил он.

— Серьезнее некуда, Валера, — Гуров грустно усмехнулся. — Мне об этом рассказывал один старый чекист, который после войны несколько лет воевал с бандеровцами, зачищал от их банд западные районы Украины. Обычно с этой мразью не чикались. Когда находили схрон, забрасывали его противотанковыми гранатами. Брали в плен только тех, кто шел сдаваться сам. И то, надо думать, это была хитрая уловка бандеровцев, чтобы хотя бы кого-то сохранить на будущее. Что тут скажешь? Члены ОУН — самые прилежные ученики австрийских иезуитов. Вот так. А Адам Шпыряк за свои подвиги получил пятнадцать лет строгача, отсидел, вернулся домой в шестьдесят пятом и женился. Сына назвал Степаном, судя по всему, в честь Бандеры, своего кумира. Ну а Шпыряк-младший с юных лет подался в откровенную уголовщину. Уже в шестнадцать лет он получил свой первый срок за ограбление и изнасилование. На зоне его опустили. Он отсидел двенадцать лет и на Львовщину уже не вернулся. Перебрался в Подмосковье, где и организовал банду, которая года три подряд терроризировала несколько городков, похищала девчонок для своих борделей.

Видимо, после убийства конвойных и побега он обратился за помощью к своим чиновным клиентам. Думаю, именно они помогли ему сделать пластическую операцию и получить новые документы.

На некоторое время в кабинете установилось молчание.

Стас прошелся взад-вперед и задумчиво произнес:

— Интересно, а вот этот человек, сгоревший в машине Шпыряка во время ДТП, был один?

— Ты имеешь в виду, не Бубникс ли угодил в покойнички? — уточнил Гуров.

— Да. — Крячко еще разок прошелся по кабинету. — Предположим, что деньги со счетов фирмы и клуба они сняли вместе, но в пути не поделили.

— Интересное соображение, — согласился Лев Иванович, взглянул на Жаворонкова и добавил: — Валера, надо бы проверить контингент травматологических клиник из числа жертв аварий. Но следует иметь в виду, что интересующий нас тип мог назваться чужой фамилией. На этот случай вот тебе фото Бубникса. Если по телефону разыскать его не удастся, пусть кто-то из практикантов проедет по всем клиникам и лично осмотрит больных. И еще вот что. Надо разыскать всех бывших жен Сивяркина. Контакты Юлии имеются, но ее телефон заблокирован. Тут как быть? Есть смысл разыскать дом моды, где она работает. Может, удастся ее поймать там?

— Хочешь проверить деловые контакты Шпыряка и Сивяркина? — Станислав понимающе кивнул.

— Задачу понял, приступаю! — Капитан развернулся через левое плечо и скрылся за дверью.

Зазвонил телефон внутренней связи.

— Петро, что ли? — Крячко недовольно поморщился.

Но это был не Орлов, а дежурный на проходной, который сообщил о прибытии Ломтева, жителя Сергиева Посада.

Визитер оказался высоким, но худым, как вобла, мужчиной лет пятидесяти пяти, с мосластыми руками, оплетенными сеткой толстых вен. Присев на стул, Ломтев глуховатым тенором рассказал, где и при каких обстоятельствах он познакомился с человеком, опознанным им по всем трем фотороботам. Сам он называл его Владимиром Старогородским.

Месяца два назад Ломтев ехал из Москвы домой, в Сергиев Посад, и подвез по пути моложавого мужчину, очень дружелюбного и хорошо воспитанного. В ходе завязавшегося разговора Ломтев посетовал на то, что никак не может найти для своей жены остродефицитное лекарство. Он объехал все крупные аптеки Москвы, но где-то это средство, как водится, только что закончилось, а где-то его никогда не бывало вообще.

Старогородский обещал помочь ему. На следующий же день он привез упаковку дефицита и наотрез отказался от денег. Правда, Владимир попросил у Ломтева его «Форд» для, как он пояснил, не самых дальних поездок. Они вместе доехали до офиса страховой компании, где Ломтев и вписал Старогородского в полис автогражданки.

— Раз пять он машину брал, но претензий к нему у меня никаких нет, — поспешил заверить Ломтев. — Возвращал чистенькой, не поцарапанной, не убитой. А куда уж он ездил, я не интересовался. Кстати, вот моя автогражданка, можете сами взглянуть — Старогородский Владимир Юрьевич.

Лев Иванович спросил Ломтева, рассказывал ли Старогородский что-нибудь о себе. Тот только и смог припомнить, что Владимир якобы постоянно проживает в Перми, а в Москву приехал погостить у брата. У того машина в ремонте, поэтому он воспользовался подвернувшимся случаем и попросил «Форд» у своего нового знакомого. Владимир назвался программистом. Он и в самом деле изумительно разбирался в компьютерной технике. О своей семье Старогородский даже не упоминал. Больше ничего определенного Ломтев сказать не смог. К тому же Владимир исчез из его жизни так же внезапно, как и появился.

Когда за визитером закрылась дверь, Стас взглянул на Гурова.

— Как думаешь, что из сказанного им — правда, а что он, мягко говоря, нафантазировал? — спросил он, наморщив лоб и пожимая плечами.

— Мне показалось, что этот Ломтев говорил вполне искренне. — Гуров тоже пожал плечами. — Во всяком случае, я не уловил фальши в его голосе.

Его последние слова заглушил звонок телефона внутренней связи.

— Это что, уже и Касиашвили подъехал? — обрадованно спросил Крячко.

Но на сей раз позвонил Орлов.

— Вы уже на месте? — прозвучал в трубке невеселый голос генерала. — Давайте ко мне!

Лев Иванович обронил в микрофон короткое «Угу!», положил трубку, подмигнул Стасу и заявил:

— Пошли. Ждут-с!

— Тю! — Крячко неохотно поднялся из-за стола. — Опять раздача ценных руководящих указаний?! Ладно, пошли уж.

Глава 7

Петр, восседавший за столом, выглядел невыспавшимся и вообще замученным жизнью, о чем ему сразу же, едва войдя в кабинет, сообщили старинные друзья. Услышав это сочувственное замечание, генерал и вовсе уподобился грозовой туче, Зевсу-громовержцу, разве что не разбрасывался пучками молний.

— А вы думаете, у меня тут райские кущи? Не жизнь, а малина? Нет, уважаемые! Всего минут десять назад один большой начальник выговаривал мне по поводу того, что из-за нашей невероятно медленной работы энное число весьма уважаемых людей свалило за границу. Тут и без переводчика понятно, что эти самые уважаемые — из числа свингеров и боятся они якобы этого самого таинственного убийцу. Хотя в реальности пошла огласка. Сегодня на ТВ ожидается передача на эту тему. Они просто сдрейфили, испугались, что их физиономии замелькают на телеэкранах в не совсем приятном ракурсе и контексте. Ладно, у вас что там новенького за сегодня?

Выслушав приятелей, генерал озабоченно заявил:

— Стало быть, надо понимать так, что Сиваркин помимо основной работы имел и какой-то нелегальный бизнес очень даже непристойного свойства, далеко выходящий за рамки закона. Да, действительно, предпосылки к убийству кроются где-то там. Тут может быть и дележка прибыли, и действия конкурентов. Вот только кое-кто, сидящий повыше меня, может не согласиться с подобной версией. Видите ли, помощник министра не может быть плохим хотя бы потому, что таким он быть не может. Мне уже сейчас на этот счет поступают ценные указания. Хотя вообще-то да, вы правы. На этом направлении нужно приложить максимум усилий.

— В принципе, нам и так понятно, чем он конкретно промышлял, — положив ногу на ногу, сдержанно отметил Гуров. — Это поставки наркотиков или проституция. Надо бы выяснить, кто его подельники, каковы были взаимоотношения господина Сиияркина с Антоновским-Шпыряком. Кроме того, на повестке стоит широкомасштабный поиск Штирлица — он же Максим Хомутов, Алексей, Владимир Старогородский. Жаворонков уже разослал фоторобот везде и всюду — от Калининграда до Чукотки и Курил. Ну а насчет того, чтобы выйти на Интерпол — решать тебе. Хотя этот вопрос в любом случае придется согласовывать и с ГРУ, и с СВР. Дураку понятно, что мы никак не можем фактически собственными руками передать стратегическому противнику носителя государственных секретов, пусть и нарушившего закон. Глупее не придумаешь!

При его последних словах Орлов со значительной миной на лице вскинул указательный палец. Дескать, вот именно!

— Я тоже уже думал об этом, — сказал он, сдвинув брови. — Так что, мужики, тут мы можем надеяться только на самих себя, на свой опыт и чутье. Помощи от кого-либо ждать трудно. Зато палок в колеса ставить будут гораздо больше. Вот такой получается парадокс. Всем вроде и хочется, чтобы это убийство было раскрыто, в то же время нам мешают вести расследование. Ладно, работаем дальше!

Выходя из кабинета, Крячко неожиданно хлопнул себя по лбу, обернулся к Петру и хмуро произнес:

— Слушай, озаботься, пожалуйста, по своим каналам. Надо бы устроить хорошую встряску одному бездельнику при погонах или вообще отправить его мусор подметать. — Он рассказал об участковом с улицы Пржевальского, излишне ласковом к подрастающим отморозкам и без пяти минут насильникам.

Когда опера вернулись в свой кабинет, сработал телефон внутренней связи и дежурный сообщил о прибытии Касиашвили.

Стас распорядился его пропустить, положил трубку и, потирая руки, удовлетворенно объявил:

— Так, свидетель приехал. Вот и хорошо! Интересно, что он нам расскажет?

Такое вот предвкушение разговора со свидетелем со стороны смотрелось несколько комично, поэтому Лев Иванович не смог не поинтересоваться:

— Ты ждешь чего-то необычайного? — Он говорил вроде бы совершенно серьезно, но в его глазах была заметна смешинка, и Крячко это тут же уловил.

— А почему бы нет? — В голосе Стаса звучал некоторый вызов. — Думаешь, порожняк? А может, поспорим?

— На что? — Гуров уже откровенно рассмеялся.

Стас с выражением азарта на лице едва успел открыть рот, как раздался осторожный стук в дверь и послышался приглушенный голос с легким кавказским акцентом:

— Войти можно?

— Входите, не заперто! — хитро взглянув на Станислава, громко ответил Лев Иванович.

Крячко успел со свирепым выражением лица погрозить ему кулаком и тут же принял деловитый вид образцово-показательного службиста. В кабинет вошел крупный мужчина с заметной «трудовой мозолью», распирающей пиджак. Он сразу несколько растерянно огляделся. Видимо, посетитель никак не мог понять, кто из этих двоих оперов весьма строгого вида хотел с ним встретиться.

— Проходите, садитесь. — Продолжая удерживать инициативу в своих руках, Гуров указал на свободный стул.

— Шалва Давидович, это я просил вас приехать в главк, — немедленно включился в разговор Стас.

«А вот фигушки я отдам тебе своего свидетеля!» — одним лишь взглядом сказал он приятелю.

— Во-первых, я прошу вас опознать на этом портрете человека, которого вы, возможно, видели, — продолжил Крячко и показал фоторобот Штирлица Касиашвили.

Тот взглянул на лицо человека, изображенного на бумаге, и слишком уж поспешно пожал плечами. По его словам, он что-то знакомое в нем находил, но до конца не уверен.

Станислав, явно не ожидавший подобного ответа, чуть обескураженно проговорил:

— Шалва Давидович, но не будете же вы отказываться от того, что предоставляли этому человеку свой личный автомобиль, о чем мы с вами сегодня говорили по телефону.

— Я и не отказываюсь! — Гость развел руками. — Просто я не уверен в том, что это и есть тот самый человек.

Хорошо понимая истинные причины того, отчего Касиашвили не узнал человека на фотороботе, Гуров снова взял быка за рога и заявил:

— Шалва Давидович, я так понимаю, вы опасаетесь подставить своего хорошего знакомого, опознав его на этом портрете. Уверяю вас, ничего плохого в отношении него мы не затеваем. Прежде всего давайте возьмем во внимание то обстоятельство, что в данный момент он пропал без вести. А нам он сейчас очень нужен как весьма важный свидетель.

Касиашвили еще раз повертел в руках фоторобот и наконец-то согласился, что знает человека, похожего на этого. Его зовут Михаил Бородин. С ним он познакомился чисто случайно. Полгода назад на МКАДе машину Шалвы подрезали какие-то подставщики. Упирая на то, что соударения автомобилей избежать не удалось якобы по его вине, они стали вымогать крупную сумму денег, угрожая ножами и битами.

Вот тут-то и появился Бородин, который в этот момент проезжал мимо на такси. Он за одну минуту разогнал агрессивных отморозков.

Касиашвили, безмерно благодарный за эту выручку, отпустил такси Михаила и объявил, что сам довезет своего спасителя в любую точку земного шара. Между ними очень быстро установились приятельские отношения, и они несколько раз даже встречались в доме Шалвы за бутылкой грузинского вина.

Да, Михаил однажды намекнул, что ему требуется авто. Касиашвили тут же, не раздумывая, протянул ему ключи — пользуйся. Как и Ломтев, Шалва считал своего нового приятеля водителем от бога. Машину тот всегда возвращал исправной,

112

чистой и даже отменно отрегулированной. Куда именно ездил Бородин, Касиашвили не интересовался.

Из того, что Михаил рассказывал о себе, Шалва запомнил лишь то, что тот разыскивал людей, виновных в пропаже его дочери, еще совсем молоденькой, всего-то лет шестнадцати, которая исчезла год назад. Она не вернулась с занятия на каких-то курсах, то ли моделей, то ли актерского мастерства. Что самое гнусное, очень даже приметную роль в случившемся сыграла ее классная руководительница. Как оказалось, именно она сделала посещение этих курсов, причем платных, обязательным для всех своих учениц. По словам Касиашвили, Бородин как-то раз признался ему, что хотел бы расквитаться с негодяями, похитившими его дочь, и готов достать их хоть со дна морского.

Когда визитер отбыл восвояси, в кабинете некоторое время царила тишина. Сыщики напряженно размышляли над услышанным.

— Вообще-то что-то подобное я и подозревал, — наконец-то обронил Гуров. — Смотри, как все складывается: Сивяркин, будучи по своей натуре изрядным подонком, наверняка причастен к этим самым курсам, о которых говорил Касиашвили. Не исключено, что он приложил руку и к исчезновению этой девушки. Ее отец в это время отсутствовал. Вернулся — дочери нет. Предположим, ему каким-то образом удалось узнать, кто виновник ее пропажи. Обратился в полицию, суд, но там негодяя оправдали. Тогда он сам начал воздавать по заслугам всем виновникам трагедии. Кстати, ты помнишь про того торгаша, которого наш Бородин убил у свингер-клуба? Наверное, следует думать, что он тоже был причастен к исчезновению девушки.

— Можно предполагать, — философично сказал Крячко. — В общем, версия случившегося у нас уже есть. Фоторобот предполагаемого мстителя составлен. Но как его задержать — вопрос пока открытый. Мы даже не знаем, где он сейчас находится, все еще здесь или уже за бугром.

— Вот об этом я и говорил. Судя по тому, что он не слишком маскировался после сведения счетов с Сивяркиным, наш неуловимка, скорее всего, скрылся за границей.

Скосив глаза куда-то вверх и влево, Стас почесал кончик уха и сказал:

— Логично. Но тогда возникает вопрос: он туда свалил навсегда или временно? И вообще что там сейчас может делать этот самый Бородин?

Постукивая по столу кончиком авторучки, Гуров, как бы размышляя вслух, негромко проговорил:

— Да, задача-то у него, скорее всего, наиважнейшая. Думаю, сейчас он ищет там свою дочь. Ты не допускаешь?

Станислав изобразил гримасу недоумения, почесал затылок и с некоторым сомнением в голосе уточнил:

— Считаешь, ее вывезли туда?

— Не исключаю. — Меж бровей Льва Ивановича залегла жесткая складка. — Во всяком случае, если учесть, что очень даже немалая часть наших модельных и тому подобных агентств работает в режиме перевалочных пунктов по поставке живого товара в заграничные бордели, а то и в подпольные клиники трансплантологии, то почему бы не допустить и этого? Уже не раз озвучивалась цифра — в среднем пятьдесят тысяч женщин ежегодно вывозятся за рубеж с не самыми добрыми целями. А вот оттуда вернуться удается только лишь каждой десятой. Куда деваются прочие — можно только догадываться.

— Кстати, а что там с поисками Бубникса? Дело-то уже к вечеру!.. — Крячко указал взглядом на окно.

— Сейчас узнаем. — Лев Иванович поднял трубку телефона внутренней связи.

Жаворонков, немного помедлив, сообщил полковнику, что в одной из травматологических клиник стажеры нашли-таки человека, которого доставили туда с трассы, ведущей на Клин. Но парни прибыли совсем недавно, сейчас пишут отчет.

— Валера, они сделают это потом. Пусть зайдут и расскажут, что им удалось выяснить. Кто нашел-то? — спросил Гуров.

— Лейтенант Прохоров, — бодро доложил Жаворонков.

Минут через пять в кабинет оперов постучался стажер с лейтенантскими погонами. Месяц назад он прибыл в главк из Томска для повышения квалификации. Здоровенный парень с толстенной шеей присел на стул, предложенный ему, и рассказал о том, что лишь в пятой или шестой по счету клинике он нашел человека, похожего на того, что был изображен на фотоснимке.

Как и предполагал Гуров, Бубникс в клинике назвался другой фамилией. Поэтому, уже будучи опознанным, он продолжал отпираться, именовал себя Ильичевым. Но Прохоров оказался не только наблюдательным, но и упертым. Игнорируя тот факт, что обе ноги и левая рука этого самого Ильичева были закованы в гипс, его болезненные стоны и охи, он предупредил, что сейчас же привезет к нему криминалистов, которые снимут отпечатки пальцев, а также возьмут материал для генетической экспертизы. И уж тогда вывести его на чистую воду труда не составит. Бубникс дрогнул и счел за благо признаться в том, что это он и есть.

Кроме того, Прохоров явил замечательную сообразительность. Следуя мудрому правилу, согласно которому железо надо ковать, пока оно горячо, он раскрутил Бубникса на ряд так называемых чистух. Прежде всего Бубникс признался в том, что он и Антоновский-Шпыряк обналичили деньги со счетов компании «Ноу-Хау-Вест», а также клуба «Сады Астарты», после чего решили махнуть в Финляндию.

Но в дороге между ними произошла ссора, переросшая в драку, из-за чего машина потеряла управление и полетела под откос. Бубникса судьба пощадила, а вот Шпыряку в этом категорически отказала. Он сгорел заживо. Босс фирмы и клуба подрался со своим заместителем по самой банальной причине — из-за денег. Бубникс, которым овладел бес корыстолюбия, возжелал получить ровно половину наличности, тогда как Антоновский-Шпыряк не желал давать больше трети. Но заместитель начал шантажировать босса тем, что обязательно расскажет всем и всюду, что Шпыряк — опущенник и петух. Тот вышел из себя, бросил руль и вцепился Бубниксу в горло.

Деньги, понятное дело, сгорели тоже.

Но самое интересное, что удалось выяснить Прохорову, касалось клуба «Сады Астарты». В ходе разговора Бубникс сообщил, что совладельцами этого заведения помимо Антоновского-Шпыряка были помощник министра Сивяркин и кто-то еще, кого он не знал. Но Бубникс предполагал, что этот третий и был тем самым коммерсантом, которого минувшим летом застрелил мотоциклист.

Гуров выслушал блицотчет Прохорова и решительно заявил:

— Отличная работа! Буду ходатайствовать о досрочном присвоении вам звания «старший лейтенант»!

Когда стажер вышел из кабинета, Станислав кивнул ему вслед и удовлетворенно отметил:

— Растут кадры! Думаю, парень далеко пойдет. Так-так-так... Выходит, Сиверкин был совладельцем «Садов Астарты». Но единственный ли это объект, которым они совместно владели? Хотим мы того или нет, но тут еще и какой-то коммерсант в этой схеме нарисовался. Он-то с какого бока припека?

— Нам позарез надо бы найти хоть какую-то объективную информацию по нашему мстителю и его дочери, — устало вздохнув, констатировал Лев Иванович. — Хотя кое-какие варианты в этом смысле уже имеются. Если считать, что год назад интересующий нас человек подавал заявление на розыск дочери, может быть, обращался и в суд с иском на каких-либо отморозков, то все это должно быть в каких-то архивах. Верно? Есть смысл поискать. Вот. Теперь по убитому коммерсанту. Сейчас надо бы сюда пригласить Крайнего, пусть расскажет о том, что он там накопал по этому делу.

— Если только он на месте, — иронично отметил Станислав. — Этот Крайний сроду, как ни ищи его, где-то в отъезде по неким делам государственной важности. И на кой хрен его Петруха держит?

— Так он же племянничек Курдачева, — заявил Гуров. — Я этому бездельнику и сержанта не дал бы, а он неведомым образом уже дорос до майора.

Крайний оказался на месте. В кабинет Гурова и Крячко он вошел с многозначительным и неприступным видом. На его лице было прямо-таки написано: «И чего это они надумали отрывать от дела крайне занятого человека?!»

Но Лев Иванович, игнорируя все эти гримасы, с ходу поставил вопрос о результатах расследования убийства на Полтинной.

116

Майор изобразил величественную скорбь и неохотно ответил:

— Мною проводится определенная работа, но пока что круг подозреваемых установить не удалось.

— Ну а хотя бы выяснить, кто он такой, этот потерпевший, ты смог? Или и это осталось великой тайной? — не выдержав его словесной жвачки, недовольно спросил Крячко.

— А, это? Да, выяснил. Значит, его зовут Касапин Захар. Или Касанин?..

Гуров измерил майора уничтожающим взглядом.

— Как так можно работать?! — Полковник сердито хлопнул ладонью по столу. — Да ты должен наизусть знать все, что касается этого дела! Поэтому-то оно и не раскрыто.

— Ну а когда мне им заниматься? — Крайний картинно развел руками. — У меня и так три дела...

— И ни одно не движется с места! — язвительно констатировал Станислав.

— Движутся! Я провожу определенную работу. Да, я действую. И я не виноват, что мне и этого жмурика навялили. Им должен был заниматься подполковник Лоскутов, но он, видите ли, заболел. Я, как и всегда, оказался крайним.

Гуров и Крячко в ответ громко рассмеялись.

— Да, действительно, Крайним ты будешь всегда, — покрутив головой, рассудил Крячко. — Дело это давай, неси его сюда! И поживее!

Из наспех, неряшливо оформленных бумаг, которые принес-таки майор, приятели наконец-то смогли узнать, что на самом деле фамилия убитого — Касавин, что ему было сорок четыре года, проживал он на той же улице, Полтинной. Правда, почти в самом ее конце. Официально Касавин был совладельцем фитнес-центра «Грациозная лань», а также модельного агентства «Русская лилия».

— Вот она где, эта самая собака зарыта! — ткнув пальцем в бумаги, с оттенком сарказма объявил Гуров. — В общем, наши предположения подтверждаются. Значит, завтра надо будет наведаться в оба эти заведения, посмотреть, чем они на самом деле промышляют.

117

— А ты в какую шарашку?.. — начал было Станислав, но его перебил звонок городского телефона.

Лев Иванович взял трубку, и чей-то сипловатый баритон поинтересовался:

— Полковник Гуров? Господин, которого вы знаете, поручил мне сообщить вам информацию об интересующем вас человеке. Так вот, этот ныне усопший тип был одним из спонсоров, а по некоторым данным, и совладельцем модельного агентства «Русская лилия» и фитнес-центра «Грациозная лань». Кроме того, Сивяркин владел полулегальной транзит-гостиницей в Одессе. Название, к сожалению, выяснить не удалось.

— Транзит-гостиница? Ее функции можно уточнить? — спросил Гуров, отчасти уже догадываясь, о чем идет речь. — Это каким-то образом связано с переброской живого товара за рубеж?

— Да, речь именно об этом. Транзит-гостиница — накопитель для дур, как русских, так и хохлушек, которые купились на сказочки о красивой жизни. Куда их вывозят — информации нет, но из Одессы барышень грузовыми судами перебрасывают в Стамбул и Варну. Убийство данного человека процентов на девяносто связано именно с этим его бизнесом. И последнее. Есть сведения, что он был довольно-таки тесно связан с гламурным тусовщиком Павлом Лепроманом, в определенных кругах известным как Паша Проказник. У меня все. Всего доброго! — В трубке раздались короткие гудки.

Лев Иванович положил трубку, потер подбородок и вкратце пересказал товарищу содержание своего разговора.

— А это что за доброхот такой выискался? — Стас недоверчиво прищурился, указав взглядом на телефон.

— Какой доброхот? — Гуров коротко отмахнулся. — Помнишь, я рассказывал про наш конфликт с неким Журувако? Да-да, это тот самый миллиардер. Вот, дабы сгладить возникшие шероховатости, он и явил, так сказать, любезность — по каким-то своим каналам провентилировал вопрос о Сивяркине. Так что наши предположения подтверждаются. Теперь мы имеем два конкретных адреса, а также реального человека. Их надо бы протрясти прямо сегодня.

— Это не вопрос! — ощутив под ногами твердую почву наработанной информации, с некоторым даже энтузиазмом откликнулся Стас.

— Это одно, — Гуров кивнул и продолжил: — Теперь вот о чем я подумал. Нам хорошо известна изворотливость Антоновского-Шпыряка, и поэтому стоило бы найти дополнительные доказательства того, что в машине сгорел именно он. Сейчас дам задание Жаворонкову, чтобы он выяснил, в какой именно клинике лечил зубы Шпыряк, и взял там данные. Пусть Дроздов сравнит две зубные формулы — усопшего и ту, которая будет указана в амбулаторной карточке. Что-то этот хитрозадый Бубникс особого доверия у меня не вызывает. — Полковник созвонился с Дроздовым и Жаворонковым, дал им поручения и предложил: — Как смотришь, может, я поеду в «Русскую лилию», а ты — в «Грациозную лань»?

— Ладно, давай. Я беру на себя фитнес-клуб и этого... как его? Листомана, что ли? А! Лепромана.

— Добро! Занимайся. Кстати, про этого Лепромана, он же — Паша Проказник. Между прочим, знаешь, почему Проказник? Лепра — это медицинское название проказы, весьма опасной болезни. Так вот, я слышал об этом субъекте уже не раз. Но встречаться не доводилось. Знаю только, что Лепроман подыскивает нашим толстосумам каких-то престижных невест. Бизнес, надо сказать, не самый почтенный. В определенных кругах его воспринимают на уровне представителя секс-меньшинств.

Стас пару секунд подумал, пожал плечами и сказал:

— Честно говоря, воспринимать такого хмыря я могу только в таком ракурсе, хотя и не принадлежу к этим самым определенным кругам. Ладно, по коням!

Гуров с трудом припарковался на корпоративной стоянке, забитой престижными авто. Оттуда он прошел к зданию бывшего Центра детского творчества, закрывшегося еще в годы первой волны демократизации. Теперь здесь окопалось модельное агентство «Русская лилия». Сыщик шагнул в просторный вестибюль. Обстановка здесь была самая что ни на есть гламурная. Даже охранник у входа был одет в униформу от-кутюр.

Увидев удостоверение представителя очень даже серьезного ведомства, этот нехилый парняга лет двадцати пяти озадаченно наморщил лоб и сообщил, что директор в данный момент у себя, но очень занят. Однако Лев Иванович деликатно пояснил, что ему чья бы то ни было занятость до фонаря, уточнил, где именно находится кабинет здешнего босса, и двинулся в глубину холла.

Неожиданно он оглянулся, увидел, что охранник поднял трубку, и жестко скомандовал:

— Отставить! Не делай этой глупости. Если замечу, что ты предупредил кого не следовало, то ночевать будешь в КПЗ — обещаю!

Охранник торопливо закивал и осторожно положил трубку на место.

Гуров поднялся на второй этаж по лестнице, покрытой мягким синтетическим ковром, поглощающим звук шагов. По пути он ловил любопытные взгляды неких юных див, куда-то спешащих особой, модельной походкой. Полковник свернул направо и зашагал по длинному коридору, в который выходили два ряда дверей с табличками: «Стилист», «Тайский массаж», «Солярий».

Этот коридор упирался в стену с дверью, на которой даже издалека была видна табличка «Приемная». Лев Иванович шагнул в помещение, заполненное роскошной мебелью и оргтехникой. Секретарша, сидящая за столом, вполне соответствовала всему этому. При появлении визитера она удивленно приоткрыла рот и округлила глаза. Скорее всего, ее очень удивило то обстоятельство, что охранник не предупредил ее об этом человеке.

Предвидя ее вопросы, Лев Иванович поднес к глазам оторопевшей красотки свое удостоверение и тихо, чуть слышно, проговорил:

— Тише! Босс у себя? Он не один? А кто у него?

Секретарша беспомощно кивала в такт его словам и не сразу смогла ответить:

— Он с... в общем, они обсуждают...

— Понял! Тсс! — Гуров упреждающе поднял палец, подошел к двери с табличкой «Директор агентства Гаджиханов А. Х.», осторожно приоткрыл ее и заглянул внутрь.

В просторном кабинете, обставленном с претензией на не самый дешевый шик, крупный смуглолицый мужчина что-то раздраженно внушал хорошенькой светловолосой девушке. Лев Иванович быстро достал свой телефон и включил видеосъемку. Судя по всему, ситуация в кабинете накалялась ежесекундно. Директор агентства, поминутно срываясь на повышенные тона, напоминал своей собеседнице о деньгах, вложенных в ее подготовку.

— Если ты такая умная, то выкладывай бабло на стол и вали на все четыре стороны! — тыча в нее пальцем, почти кричал он. — Тебе это понятно?

— И сколько же я должна денег? — подрагивающим голосом спросила та, не поднимая головы.

— Восемьсот тысяч! — с торжествующим видом объявил директор. — И отдать их ты должна уже завтра!

— Но в договоре об этом не было ни слова! — уже со слезами воскликнула девушка.

— Надо было читать внимательнее, дура! — Гаджиханов язвительно рассмеялся. — Там мелким шрифтом добавлен ряд пунктов, в которых и значатся все эти условия. Так что, все еще будешь брыкаться?

— Что же я должна сделать? — Теперь голос девушки был едва слышен.

— Вот это другой разговор, — удовлетворенно отметил директор. — Сейчас на моей машине тебя отвезут к одному очень доброму господину. У него большой загородный дом и очень много денег. Не бойся, он всего лишь заберет твою невинность, и ты никому и ничего не будешь должна.

— Вы лжете! Это неправда! — вскрикнула его собеседница. — Если меня один раз обманули, где гарантия, что этого больше не случится?! То, что вы предлагаете, это проституция. А я проституткой быть не желаю. У меня есть парень. Мы хотим пожениться. И обманывать его я не буду. Ни за что!

Похоже, босса здорово разозлили эти слова.

Он схватил девушку за горло и зло процедил сквозь зубы:

— Поздно, сучка, отпихиваться! Поздно! На тебя был персональный заказ. Если ты сегодня не поедешь, я сам тебя пристрелю, потому что в противном случае завтра пристрелят меня. Ты что, ничего не понимаешь?! У тебя нет выбора. Нет! И у меня нет. И ни у кого нет! Есть люди, одного слова которых достаточно, чтобы любого из нас превратили в навоз. Это-то хоть до тебя дошло?! Поэтому ты сейчас же выбросишь все эти глупости из своей головы, сядешь в машину и...

— Хоть убейте! — Не дав ему договорить, девушка попыталась освободиться от его рук. — Ни за что!

— Ах ты, тварь! — заорал Гаджиханов и замахнулся, но его остановил строгий окрик:

— Не сметь! Отпусти ее!

Директор ослабил хватку, растерянно оглянулся и увидел высокого крепкого незнакомца, который внезапно вошел в кабинет.

— Ты кто такой?! Ты что тут делаешь? Кто тебя впустил? Марина! Почему здесь посторонний?! — раздраженно заорал он.

— Глотку драть не надо! — жестко оборвал его Гуров и показал удостоверение. — Не стоит надеяться на адвокатов. Я зафиксировал момент вымогательства крупной суммы денег и принуждения несовершеннолетней к занятиям проституцией под угрозой убийства. Девушка, вам восемнадцати нет? Нет! Значит, дело пахнет серьезным сроком. Лет до восьми, а то и десяти, это как минимум. К тому же строгого режима, да еще по грязной статье. Вы догадываетесь, гражданин задержанный, что вас там ждет?

Руки директора разжались и обессиленно упали. Гаджиханов вмиг утратил властность и кураж, стоял потерянный, можно даже сказать, деморализованный. Лев Иванович достал из кармана наручники, защелкнул браслеты у него на запястьях и молча указал сму на стул. Еле волоча ноги, тот кое-как добрался до него, плюхнулся и обхватил голову руками. Как видно, до него только сейчас начала доходить вся незавидность сложившегося положения.

— Вас как зовут? — Гуров обернулся к девушке, недоуменно взирающей на происходящее. — Варвара? Так вот, Варвара-краса, берем вон ту авторучку, лист бумаги и пишем заявление. Теперь уже вам бояться нечего. Гражданин Гаджиханов уже смело может сушить сухари. Срок ему отмеряют, как говорится, на всю катушку, мотать — не перемотать.

Девушка робко улыбнулась, шмыгнула носом, утерла платочком мокрые глаза, послушно села за стол и неуверенно спросила:

— А что и как мне писать?

Лев Иванович понимающе кивнул и, как учитель, проводящий контрольную работу, начал внятно и четко диктовать «шапку» и основные реквизиты заявления.

— Ну а теперь излагайте своими словами, что и как тут произошло. Гражданин Гаджиханов вас вызвал и предложил то-то и то-то. Угрожал тем-то и тем-то. Внизу — дата и подпись.

Директор агентства неожиданно ударил себя по коленям скованными руками и выпалил, заглушая его последние слова:

— А!.. Дьявол! Гражданин начальник, вы хотите повесить на меня всех собак?! Да?! А я что? Я всего лишь исполнитель! Я работаю-то на этом месте всего каких-то три месяца. Я до этого был начальником охраны. Вот и все! Просто, когда мой предшественник пропал без вести, Леонид Викторович настоял, чтобы я занял это место. И вот сейчас я! А что мне оставалось делать? Указание дали — надо его выполнять.

— А кто дал столь ценное указание?

Гаджиханов отчего-то сразу же замолчал и низко опустил голову.

— В связи со смертью Леонида Викторовича, Валентина Романовича и отсутствием Евгения Эрастовича у нас теперь новый хозяин, — пояснила Марина, заглянувшая в кабинет. — Но кто персонально — мы не знаем. Нам позавчера позвонил Евгений Эрастович и сказал, что мы переходим в подчинение новому владельцу. Сразу же, следом за ним, позвонил незнакомый мужчина. Он сказал, что теперь является бенефициаром и его распоряжения должны исполняться неукоснительно. Поэтому Алиахмед Хусаинович просто выполнял распоряжение, отданное ему по телефону.

Гуров внимательно посмотрел на секретаршу и осведомился:

— Марина, а если бы вам по телефону кто-то отдал приказ под страхом увольнения убить кого-то из, допустим, здешних моделей, вы выполнили бы его?

— Конечно же нет! — испуганно проговорила секретарша.

— Вот видите! — Лев Иванович развел руками. — Обстоятельства, в той или иной мере толкнувшие вашего начальника на преступление, суд обязательно учтет. Но за само нарушение закона человек должен отвечать независимо от обстоятельств.

В этот момент запиликал сотовый Гаджиханова. Лев Иванович быстро подошел к нему, достал мобильник из его кармана и взглянул на монитор. Там высветились только цифры номера.

Гуров показал его задержанному и почти беззвучно спросил:
— Он?

В ответ тот лишь угрюмо мотнул головой.

Гуров нашел на телефоне кнопки включения аудиозаписи и громкого звука, протянул его Гаджиханову и жестикуляцией дал понять: «Обо мне ни слова!»

Задержанный молча кивнул, поднес телефон к уху и произнес дежурную фразу:
— Да, слушаю вас.

Из телефона на весь кабинет тут же разнеслось:
— Мне долго еще ждать?! Я тебе когда сказал, чтобы ты привез мне телку? Час назад? И какого хрена ты там телишься? Что за косяки?

— Так она уперлась. Хоть убей, говорит, не поеду, — хмуро пояснил Гаджиханов.

— А ты что, только сопли жевать умеешь? — хамовато заорал его собеседник. — Заставь! Пистолет в рот сунь — тут же по-другому запоет! Смотри, дитя гор, приеду, самого раком поставлю! Ты меня понял?

При последних словах неизвестного наглеца Марина прикрыла уши руками и поспешила выйти из кабинета. Варвара, уже почти исписавшая лист аккуратным, ровным почерком, густо покраснела и отвернулась.

— Да, понял, — побагровев от ярости, тяжело выдохнул Гаджиханов.

Он нажал кнопку отбоя, положил телефон на стол и вопросительно посмотрел на Гурова: мол, что дальше-то?

А Лев Иванович в этот момент напряженно пытался вспомнить, где же он слышал этот голос. Эх, был бы музыкальный слух, как у Марии, обязательно догадался бы. Но Гуров мог поклясться, что этот голос он уже слышал, причем несколько раз. Только вот где и при каких обстоятельствах?

— Кто и на чем должен отвезти Варю к этому типу? — Лев Иванович выжидающе взглянул на задержанного.

— На моей машине до МКАДа. Там подъедут его люди и увезут ее с собой.

— Ладно. Я ему устрою веселое свидание! — Гуров усмехнулся, достал свой телефон и набрал номер Орлова.

Петр выслушал его рассказ о последних новостях. Потом полковник попросил генерала выслать к модельному агентству спецназовскую группу захвата, а также оперативников для документального оформления задержанного и его транспортировки в СИЗО. Орлов пообещал прислать и тех и других как можно быстрее.

Выйдя во двор, где уже сгустились сумерки, Гуров увидел «Соболь» без каких-либо опознавательных знаков. Он только что передал Гаджиханова местным, районным операм и теперь мог ехать на задержание неведомого любителя утех с юными девушками. Лев Иванович заглянул в фургон спецназовцев и предложил пару человек из группы захвата посадить в машину Гаджиханова. По его замыслу первой должна идти именно она, чтобы на нее клюнули охранники толстосума. А «Соболю» следовало двигаться вторым эшелоном, чтобы основной состав мог завершить захват подручных главаря. Сам же полковник намеревался ехать последним и руководить проведением операции.

— Ильяшенко, Свиридов — в джип! — выслушав Гурова, распорядился командир спецназовцев, крепкий, коренастый капитан.

Двое мощных парней в камуфляже, масках и шлемах, с автоматами в руках, проворно перебрались в новенький черный джип, и машины помчались в сгущающуюся вечернюю темень. Связка из трех авто летела по московским улицам в сторону МКАДа. Полчаса спустя, когда за спиной остались жилые массивы, впереди показалось неумолчно шумящее Третье транспортное кольцо. Здесь «Соболь» и «Пежо» сбавили скорость, чтобы не демаскировать джип, сопровождаемый ими.

Операция прошла точно так, как Гуров и задумал, — без сучка без задоринки. Когда к джипу от громоздкого «Майбаха» подошли двое рослых парней в дорогущих куртках из натуральной кожи, шофер выглянул из кабины и сообщил им, что девка цепляется и выходить никак не хочет. Парни, непечатно комментируя ситуацию, подошли к задней дверце и распахнули ее настежь. Вместо девчонки, хнычущей и трясущейся от страха, они увидели два автоматных ствола, нацеленные им в лицо.

— Не двигаться! — негромко, но очень внушительно прозвучала команда из темноты автомобильного салона. — Стреляем без предупреждения!

Почти одновременно подлетел «Соболь». Из него выскочили ребята в камуфляже и выволокли из кабины «Майбаха» еще двоих парней, которые ничего не понимали и даже не пытались оказать сопротивления.

Гуров подошел к арестантам, уже обысканным, с наручниками на запястьях, и суровым тоном объявил:

— Граждане, вы задержаны по подозрению в соучастии по совершению тяжких и особо тяжких преступлений. Кто водитель «Майбаха»?

Один из парней неохотно признался:

— Ну, я. А что?

— За руль! — коротко скомандовал Лев Иванович, а прочим указал на джип: — Один вперед, двое назад, автоматчик для охраны тоже сзади.

— Гражданин начальник! — вглядевшись в него, подал голос один из парней. — Вы — полковник Гуров?

— Да, я Гуров. А мы что, знакомы?

— Лично — нет, но вас я видел. Дело тут вот в чем. Мы тоже из МВД. Работаем в специальном хозяйственном управлении, возглавляемом полковником Дубновым.

— Это интересно! — Гуров подошел к нему поближе. — И как вы тогда объясните тот факт, что прибыли сюда для того, чтобы забрать из этого джипа несовершеннолетнюю, затребованную неким гражданином для интимных утех? Отказываться, уверять меня в том, что все это не так или «нас неправильно поняли», бесполезно. Все, что здесь происходило, записано на электронные носители.

— Видите ли... — парень замялся, подыскивая слова. — По поручению полковника Дубнова мы проводим операцию по разоблачению сутенерского притона, который маскируется под модельное агентство «Русская лилия». Нами был разыгран спектакль, нацеленный на то, чтобы спровоцировать сутенеров на определенные действия. Тем самым можно было получить реальное подтверждение их преступной деятельности.

Лев Иванович окинул его ироничным взглядом.

— А с какой стати специальное хозяйственное управление занялось чужой работой? — с оттенком сарказма в голосе поинтересовался он. — По-моему, это работа совсем другого подразделения. Что-то тут у вас, граждане, не вяжется.

В этот момент Гуров заметил, как один из задержанных парней приподнял скованные руки и зачем-то сдавил пальцами край борта своей куртки. Лев Иванович подошел к нему, отвернул полу куртки и извлек какую-то штуковину размером с заколку галстука.

Поднеся к его лицу свою находку, он жестко произнес:

— Предупредил? Ну что ж, верный слуга своего господина, тебе это зачтется.

Тот в ответ лишь язвительно ухмыльнулся, как видно, надеясь на заступничество высоких покровителей.

— Ситуация изменилась! — объявил Гуров. — Всех грузить в «Соболь». Срочно отбываем в Лефортово. А то, боюсь, сейчас придет команда отпустить задержанных.

Спецназовцы сообразили, что операция сорвалась из-за сигнала, поданного одним из задержанных, и теперь главаря при высоком чине отловить не удастся. Они очень жестко, крепкими тычками погнали арестантов к «Соболю». Капитан оглянулся, убедился в том, что полковник Гуров их не видит, и отвесил этому самому сигнальщику резкий удар по почкам. Тот взвыл и повалился на землю. Но двое спецназовцев тут же подхватили его и одним махом, как мешок с картошкой, забросили в салон.

— Сука гнилая! — садясь на свое место, яростно выдохнул капитан.

Офицера глодала досада из-за того, что его подчиненные проморгали радиосигнальное устройство. Теперь, вместо серьезных акул, их улов составили лишь мелкие уголовные шестерки.

Гуров сел в свою машину и набрал номер Петра.

Орлов откликнулся сразу:

— Что там у тебя, Лева?

Услышанное озадачило, ошарашило и встревожило его. Он сообщил, что сейчас же созвонится с кем надо и примет самые что ни на есть кардинальные меры. В ближайшие минуты он приедет в Лефортово, к тамошнему СИЗО. По словам Орлова, подобных происшествий на его памяти еще не было.

Небольшая автоколонна, состоящая из «Соболя», «Майбаха», за руль которого сел один из спецназовцев, и «Пежо», помчалась в сторону Лефортова. Шофера джипа отпустили чуть ранее. Пару минут спустя на уже опустевший перекресток примчались сразу пять машин с мигалками, из которых высыпали сотрудники ППС с автоматами на изготовку.

Человек с майорскими погонами, возглавлявший эту группу, убедился в том, что ни вблизи, ни вдали никого уже нет. Он доложил кому-то об этом факте. Как видно, данный субъект был крайне недоволен услышанным, поэтому сказал майору что-то резкое.

— Ну а я что могу поделать?! — не выдержав и сорвавшись, заорал тот. — Откуда я их возьму? Раньше надо было давать команду. А теперь где их искать? Хотя я догадываюсь. Скорее всего, пацанов повезли в Лефортово. Куда еще могут?..

Уже на подъезде к следственному изолятору «Лефортово» Гуров на «Пежо» возглавил колонну и увидел сразу несколько дорогих иномарок, среди которых выделялся престижный «БМВ» с мигалкой на крыше. Он сразу же понял, что это может значить. Полковник сбавил скорость, напряженно размышляя о том, как ему поступить в данной ситуации.

Лев Иванович достал телефон и набрал номер капитана спецназовцев. Он хотел было отдать распоряжение пролететь мимо СИЗО на полном ходу, оторваться от погони и затаиться где-нибудь в лабиринте переулков. Но делать этого не потребовалось. Откуда-то сбоку выскочила еще одна «бэха», тоже с мигалкой. Гуров сразу же понял — это Петр.

Генерал-лейтенант Орлов направился к машине, стоявшей невдалеке от ворот следственного изолятора. Задняя дверца «БМВ» открылась. Из автомобиля вышел мордастый тип тоже в форме генерал-лейтенанта.

Высокие чины холодновато поприветствовали друг друга и заговорили о сложившейся ситуации. Мордастый генерал упирал на то, что полковник Гуров совсем зарвался и начал творить полнейший произвол, каковым, по его мнению, было задержание сразу четырех сотрудников специального хозяйственного управления.

Орлов с олимпийским спокойствием выслушал эти претензии и махнул рукой, приглашая Гурова подойти. Лев Иванович приблизился к генералам и вкратце доложил о случившемся. В довершение всего полковник достал из кармана свой сотовый с видеозаписью разговора Гаджиханова с Варварой. Затем он дал высоким чинам послушать и аудиозапись диалога директора модельного агентства и неизвестного типа, требовавшего доставить к нему девушку.

— По словам сотрудников агентства, этот господин со вчерашнего дня является его юридическим хозяином, — пояснил Гуров. — Насколько я мог понять со слов задержанных, это полковник Дубнов. Кстати, мы взяли этих четверых не просто так. Вот аудиозапись, сделанная спецназовцами на мой сотовый. — Он нажал на кнопку, и динамик выдал весьма занимательный диалог.

— Думаю, тут и комментарии, и споры излишни. — Орлов демонстративно развел руками. — Принадлежность голосов установить — раз плюнуть. Содержание этих высказываний любая экспертиза признает за реальные угрозы и намерения совершить уголовное преступление.

Мордастый генерал, не сказав больше ни слова, круто развернулся и сел в свою «бэху».

Наблюдая за тем, как спецназовцы ведут задержанных к СИЗО, он достал телефон, набрал чей-то номер и зло проговорил:

— Писец тебе, Гришка! Причем самый полный! В общем, так... У тебя только два выхода. Взять все на себя или застрелиться. Не скрою, второе предпочтительнее. И еще. Не дай бог меня подставишь — с тебя шкуру заживо снимут. Ты меня хорошо понял?

Глава 8

Стас Крячко прибыл к фитнес-центру и сразу же обратил внимание на обилие молодых стройняшек и очень даже интересных дам, пусть годами и постарше. Здание центра было построено в духе ультрасовременного супермодернизма. На его фасаде красовалось изображение какого-то изящного копытного животного, образованное неоновыми огнями, и мигала вывеска «Грациозная лань». Возле него стояли ряды дорогих лимузинов, прямо как в каком-нибудь премьерном автосалоне.

Станислав шагнул в вестибюль, подошел к охраннику и спросил, как ему пройти к начальству. Тот уведомил полковника, что господина директора на месте нет, а вот с его заместителем пообщаться вполне возможно. Крячко выслушал, как найти кабинет этого самого заместителя, и направился в глубину холла. Глядя ему вслед, охранник немедленно снял трубку телефона внутренней связи.

Станислав шагнул в приемную, общую для директора и заместителя. Секретарша приятно улыбнулась и немедленно сообщила ему, что Вениамина Донатовича на месте нет.

— А почему это его нет?

Крячко вдруг понял, что его решили кинуть, причем очень даже здорово. Он как-то сразу на уровне интуиции просек, что случившееся — прямая заслуга охранника. Полковник полиции впился в заробевшую секретаршу свирепым взглядом голодного питона Каа, который надумал загипнотизировать и припасти себе на обед несколько бандерлогов, существ весьма недалеких, но возомнивших себя венцом эволюции. Его

130

взор был столь пронизывающим и безжалостным, что бедная девочка в дальнейшем не одну ночь после этого наверняка просыпалась в холодном поту.

— Он вышел прямо перед вашим приходом, — робко пролепетала секретарша. — А куда направился — не сказал.

— Передайте кое-что этому засранцу! Если вы не расслышали, повторю еще раз: засранцу! Завтра же он получит повестку об обязательной явке в Главное управление уголовного розыска. И пусть только попробует скрыться. Из-под земли достану! У нас есть основания считать, что ваше заведение самым непосредственным образом курируется организованным криминалом. А теперь у меня есть полная уверенность в том, что ваше руководство причастно к деятельности, подпадающей под весьма суровые статьи УК. Пусть он попробует убедить меня в обратном.

Станислав хлопнул дверью и решительно зашагал к проходной. Подойдя к охраннику, он измерил его столь свирепым взглядом, что тот даже попятился.

— Тебе в фигуре ничего не мешает? — спросил Крячко голосом, не предвещающим ничего хорошего.

— В смысле?.. — Охранник мгновенно пал духом и безнадежно раскис.

— Оторвать тебе ничего не надо? — вновь зловеще поинтересовался Стас. — Ты чего кинулся названивать своему начальничку? Ты что, полный даун или излишне старательный холуй? Значит, так! Ты мне сейчас даешь координаты человека, который сможет рассказать всю подноготную этой богадельни. Расшифровывать не надо?

— Нет! Я все понял, — охранник охотно закивал. — Если вам нужен человек, который знает все тутошние секреты и тайны, то лучше Паши Проказника никого не найти.

— А он здесь? — Крячко искренне удивился.

— Здесь! Восьмой кабинет по этому коридору, прямо и направо. Он там постоянно тусит с нашими девицами, — доверительно приглушив голос, сообщил охранник.

— Ну-ка, немножечко подробнее. Чем он тут вообще занимается? — Стас заинтересованно прищурился.

Парень, обрадованный тем, что хоть как-то может сгладить свою промашку, торопливо заговорил:

— Он тут уже лет шесть числится консультантом по промо-маркетингу, курирует выступления клиентов нашего центра, всевозможные корпоративы и презентации с их участием. Но основное его занятие — подбор невест и любовниц для миллионеров. Паша приглядывает тут девчонок покрасивее, встречается с ними, смотрит, годятся они для его афер или нет. Если какая-то барышня кажется ему стоящей, то он начинает с ней работать, отправляет на подготовку в «Русскую лилию». В этом заведении девчонок гламурят и натаскивают по части того, как надо охмурять денежных мешков. Кстати, Паша свои кадры, случается, ищет и там. Заодно готовит портфолио — альбом, где его протеже красуются в самых разных видах, вплоть до того, как снимают в «Пентхаусе». Он подсовывает этот альбом какому-нибудь толстосуму. Тот заглатывает блесну. Вот и все. Паша с этого берет свой процент. Иной раз — миллионы баксов.

— Что, работает без обломов и осечек? — Крячко недоверчиво выпятил нижнюю губу.

— Практически так, — уверенно подтвердил охранник. — У него за последние годы был только один крупный облом с неким миллиардером, которому уже за пятьдесят, а он все никак не женится. Паша уже подсовывал ему двух девок, а тот все ни в какую. Теперь вот третья поспевает.

Стас задал охраннику еще несколько уточняющих вопросов и направился к восьмому кабинету. В полупустом коридоре, ярко освещенном газосветными лампами, было чисто и благоустроенно, но уж как-то слишком неуютно.

Крячко подошел к приоткрытой двери. Будучи сыщиком до мозга костей, он не мог не провести рекогносцировки методом негласного наблюдения. Проще говоря, подсматривания и подслушивания. Стас даже не подозревал, что именно в этот момент его лучший друг Лев Гуров занимался тем же самым.

В щель между притолокой и дверью Стас увидел парочку, довольно диссонансную по своим внешним характеристикам. В кресле сидела молодая, весьма эффектная дива с водопадом русых волос. Этакая Натали Вуд в улучшенном варианте.

Подле нее расхаживал невзрачный, сутуловатый мужичок с большими залысинами, постоянно размахивающий руками. Он был очень здорово похож на некоего беглого олигарха, некоторое время назад преставившегося в Лондоне.

Кривя рот, невзрачный субъект сыпал скороговоркой:

— Девочка моя, тебе надо решиться в корне изменить свою судьбу! В корне! Пойми, она в твоих собственных руках. Что тебя может ждать, если ты не решишься на поступок с большой буквы? Серое, тусклое существование среднестатистической домохозяйки, у которой денег от зарплаты до зарплаты и периодические скандалы с вечно подпитым мужем, который, кроме детей, делать ничего больше не желает и не умеет. Вот! А я тебе предлагаю феерический взлет к таким вершинам, которые тебе сегодня и не снились.

— А почему вы считаете, что быть счастливой — это обязательно видеть себя в глянцевых журналах, иметь яхту и виллу с золотыми унитазами? — с оттенком усталой иронии спросила его собеседница.

— Какой замечательный вопрос! — восхитился невзрачный господин. — Именно эта способность нестандартно мыслить и выделяет тебя из общей серой толпы. Ты — уникум, подлинный алмаз чистейшей воды, не нуждающийся в огранке! Поверь, таких женщин, как ты, в этом скучном мире совсем немного. А уж я-то повидал предостаточно, объехал весь мир. Да! Ариночка, ты — ангел, с тебя иконы можно писать, а ты прозябаешь в этом мировом захолустье. Тебя ждет Париж!

— Павел Альбертович, да пусть себе ждет на здоровье! — Девушка решительно поднялась с кресла. — Я так поняла, вы хотите сосватать меня за какого-то француза? Ой, что-то не хочется! Пусть они там сами жуют своих лягушек, без меня. Фу! — Барышня пренебрежительно махнула рукой и направилась к двери.

— Ариночка, но вы же не будете против, если мы просто отложим обсуждение этого вопроса на некоторую перспективу? — с разочарованным видом спеша за ней, протараторил невзрачный субъект.

— Хорошо, — заявила девушка, скорее всего чтобы только отвязаться, и поспешила выйти в коридор.

Станислав вовремя отпрянул в сторонку и сделал вид, что с кем-то говорит по телефону. Впрочем, Арина ускоренным легким шагом проскочила мимо. Она, как видно, даже не обратила на него никакого внимания.

Крячко вдохнул едва уловимую ноту духов, оставленную девушкой, и снова подошел к двери. Он шагнул в кабинет и чуть ли не нос к носу столкнулся с невзрачным господином, который, как видно, собрался уйти. Тот удивленно захлопал глазами и отступил на пару шагов, рассматривая нежданного визитера.

— Гражданин Лепроман? — строго спросил Стас, одарив его приветливой улыбкой уссурийского тигра. — А я — оперуполномоченный главка угрозыска.

Он показал несколько ошарашенному консультанту агентства свое удостоверение и изобразил приглашающий жест, предлагая вернуться обратно. Тот, то и дело невротично пожимая плечами и еще больше ссутулившись, двинулся вспять. Крячко опустился в кресло, где совсем недавно сидела Арина, и вновь ощутил запах ее духов.

Демонстративно громко втянув носом воздух, он с мечтательностью в голосе заявил:

— Ах, какая девушка! Мечта любого мужчины. Мало того, что необычайно красивая, так еще ведь и умная, порядочная. А вам самому Арина нравится? — Он вопросительно посмотрел на консультанта, который вконец растерялся и явно не знал, чего ждать от этого непонятного ехидного опера.

Лепроман сунул руки поглубже в карманы брюк, прошелся взад-вперед, пожал плечами и чуть раздраженно заговорил:

— Если вы имеете в виду такой момент, как свое намерение затащить ее в постель, то не думаю, что это вам удастся. Арина действительно очень порядочная девушка. К сомнительным похождениям она нисколько не склонна, поэтому-то и достойна стать королевой Парижа.

— Затащить в постель? Фу! Как это пошло и вульгарно звучит. Нет-нет, меня интересуют ваши деловые отношения с протеже. Вот вы за кого-то там сватаете эту же Арину. А что получите взамен? Чем она вам будет обязана?

Лепроман саркастично хохотнул, всплеснул руками.

— Мне будет обязана вовсе не она, а ее избранник, — с категоричностью в голосе заявил он. — Именно с ним я буду обсуждать свои комиссионные! Какие именно? Это коммерческая тайна. Но я говорю о деньгах, повторю еще раз, только с мужчинами. Обсуждать эту тему с девушкой считаю непристойным. Совсем уж некрасиво выглядела бы моя попытка взять с нее «комиссионные» постелью, интимными услугами. Это вообще не лезет ни в какие ворота! Если бы я поступал так, то о каком браке с миллионером могла бы идти речь?! Вы даже не представляете, какие у них требования к невестам. Как говорят в народе, чтобы и муха на ней не сидела! Да! Хотя встречаются и исключения. Некоторые, наоборот, ищут себе красоток, обязательно переживших роман с какой-нибудь знаменитостью.

— Даже так? — Станислав недоверчиво хмыкнул.

— О-о-о! Вы даже представить себе не можете, сколько денег я отдал одному голливудскому актеру первого плана только за то, чтобы он в своём интервью обмолвился, будто целый месяц на Багамах куролесил с Дашей, девушкой из России. Хотя они и близко не виделись. К ней тут же выстроилась очередь из трех женихов. Имя этого актера стало приманкой для парагвайского миллионера, арабского шейха и индийского махараджи.

— И кто же женился? — спросил Крячко, едва сдерживая смех.

— Парагваец, — глядя куда-то вдаль, Лепроман почему-то вздохнул. — Он Даше понравился больше. Я согласился с ее выбором, хотя самые большие комиссионные предложил шейх. У этого фрукта денег было столько, что ими хоть печку топи! Но желание женщины — закон. Кстати! Чтобы проиллюстрировать, насколько я далек от притязаний на тела своих клиенток, скажу следующее. Я категорически против разнузданного секса, тем более на первом свидании. Когда дело доходит до личного знакомства моей протеже и ее жениха, я всегда настоятельно советую: «Девочка, не спеши с ним в постель! Не уступай ему, как бы он ни просил и чего бы ни обещал. Ты сделаешь это потом, когда почувствуешь, что он уже дозрел и женится — сто из ста!» Те дурочки, которые не слушались моего совета, в нескольких случаях оказались в проигрыше. Да! Было и такое.

Не выдержав, Стас от души рассмеялся.

— Потрясающе! — заявил он, покрутив головой. — Чего только не бывает на белом свете! Но все это, скажем так, лирика. А меня интересует очень неприглядная проза жизни. Так вот, насколько мне известно, девушки из «Грациозной лани» уже не единожды становились любовницами всякого рода толстосумов, причем в некоторых случаях принудительно. Вдобавок эти бедняжки были несовершеннолетними. Что скажете об этом?

— Простите, но это не моя сфера деятельности. — Лепроман нахмурился, наконец-то перестал мотаться взад-вперед и нервно плюхнулся в кресло. — Да, до меня доходили подобные слухи. Но к таким вещам я абсолютно непричастен. Объясню почему. Да, мой бизнес не из самых почитаемых. Некоторые ставят знак равенства между ним и сутенерством. Ничего подобного! Все до единой мои протеже строго совершеннолетние. В большинстве своем они вступают в законный брак. А те, которые становятся любовницами состоятельных людей, этот свой выбор делают лично, обдуманно, без принуждения. Вы знаете, как долго я шел к тому, чтобы мое имя стало брендом? Больше десятилетия. Вы даже не представляете, сколько пришлось хлебнуть дерьма, прежде чем мои усилия дали результат. Теперь не я ищу клиентов, а они сами приходят ко мне. Так зачем же я буду в погоне за сомнительной копейкой терять подчас миллионы?!

— Ну а кто же тогда все это вытворяет? — Взгляд Крячко был преисполнен холодноватого сарказма.

— Я бы сказал в прошедшем времени — кто вытворял. А занимались этим люди, о которых можно было бы сказать так: «Иных уж нет, а те далече». Касавина и Сивяркина уже нет в живых, куда делся Антоновский — никто не знает. Упомянутые вами паскудства — именно их рук дело.

По словам Паши Проказника, трио совладельцев нескольких заведений гламурного пошиба сложилось в течение первого десятилетия двухтысячных годов. Они откровенно не доверяли друг другу, если не сказать большего. Например,

Сивяркин откровенно презирал Касавина, считал его конченым быдлом. При этом он без колебаний вошел в число совладельцев «Грациозной лани», за бесценок купленной Касавиным у Бубникса.

Помощник министра не питал особого дружелюбия и к Антоновскому, но вошел с ним в долю по «Ноу-Хау-Вест» и «Садам Астарты». В свою очередь, Антоновский считал Сивяркина хитрозадым чушком, норовящим прокатиться за чужой счет. К Касавину он относился примерно так же, как и Сивяркин. Сам же Касавин, совладелец консалтинговой фирмы со свингер-клубом и модельного агентства, пребывал в убеждении, что компаньоны постоянно обманывают его, занижают долю в прибыли и завышают общие расходы.

Тем не менее все эти трое бизнесменов могли запросто перегрызть глотку любому стороннему человеку, который посягнул бы на интересы хотя бы кого-то из них. Бизнес, пусть и незаконный, — это дело святое.

— Ну а что вы можете сказать об их крупномасштабном сутенерстве? Кто был главным, куда отправляли женщин? — последовал очередной вопрос Стаса.

— Я знаю об этом не слишком много. — На лице Лепромана появилась мина сосредоточенной задумчивости. — К этим делам они посторонних и близко не подпускали.

По слухам, ходившим по Москве, основоположником системы торговли живым товаром был, несомненно, Антоновский. Он еще в девяностых, в рамках своего банно-прачечного кооператива, вовсю практиковал бордельный бизнес. Этот тип уже в ту пору по этой части контачил с Сивяркиным, который тоже устроил подпольные бордели на базе нескольких городских бань. Позже к ним примкнули Касавин и Бубникс.

Ранее Касавин был обычным базарным торговцем бытовой химией. Однако его дела в этой сфере шли как-то не очень. Но однажды ему на глаза попалось объявление о продаже фитнес-центра. Он взял кредит и купил «Грациозную лань» у прежнего хозяина — Бубникса. Тот когда-то состоял в солнцевских братках, истратил на этот центр награбленные деньги, но предпринимателем оказался никудышным. А вот у Касавина дела быстро пошли в гору. Наверняка не в последнюю очередь потому, что фитнес-центр с какого-то момента стал не столько спортивно-оздоровительным учреждением, сколько поставщиком наложниц богатеньким Буратино.

Способов принудить девушек и женщин к фактической проституции было много. В частности, молоденьким девчонкам делались дорогие подарки, одалживались большие суммы денег. А потом их требовали обратно.

Когда среди зажиточных маргиналов появилась мода на свинг-отношения, Антоновский, Касавин и Сивяркин своевременно уловили эту тенденцию. Они в складчину создали «Ноу-Хау-Вест» и свингер-клуб «Сады Астарты», скрытый за этой ширмой. Бубникс, еще в конце девяностых пошедший в услужение к Антоновскому, стал менеджером данного клуба.

Но самым прибыльным проектом трио криминальных дельцов стало модельное агентство «Русская лилия». Именно оно еще в середине двухтысячных стало главным поставщиком живого товара на крупнейшие зарубежные сутенерские рынки.

— Вот там-то — будьте уверены! — ведется настоящая работорговля, — хмуро проговорил собеседник Стаса. — Я думаю, не менее тысячи девушек и женщин ежегодно попадают в руки этой троицы и оказываются за рубежом. Но только я вам ничего этого не говорил! — о чем-то вспомнив, предупредил Лепроман.

Как он рассказал далее, у этого трио имелись свои агенты, именуемые жучками, даже в некоторых школах. Учителя помогали сутенерам пополнять контингент несовершеннолетних «моделей». Самой урожайной порой для шайки становились дни вступительных экзаменов в столичные вузы. В это время их подручные, многие из которых сами были студентами, с утра до вечера отирались у дверей приемных комиссий и высматривали пригожих девчонок, которым судьба не захотела улыбнуться при поступлении на учебу. Немало давали и выездные конкурсы красоты, проводимые в районных центрах.

— Скажите, а почему вы не сообщили об этом в соответствующие органы? — с укором в голосе спросил Станислав.

Лепроман посмотрел на него как на чудака, который предложил ему прыгнуть с крыши высотки, и грустно усмехнулся:

— А вы таки хотели бы, чтобы меня нашли в какой-нибудь придорожной канаве с перерезанным горлом? — ответил он вопросом на вопрос, как это принято в Одессе. — И кому заявлять? Только не говорите мне за полицию и прокуратуру. Да уже через пять минут заинтересованные лица знали бы, кто и что именно сообщил. Крыша, созданная Сивяркиным, была мощнейшей. К тому же, Станислав Васильевич, давайте не будем во всех тех, кого вывозят за рубеж, видеть несчастных Сонь Мармеладовых. Во-первых, четыре из пяти вербуемых девушек никогда не соглашаются на предложения сомнительного свойства, чего бы им ни обещали. Кроме того, даже те, которые по причине своей глупости или волей злого рока оказались в борделях Турции или Италии, очень часто имеют шанс обратиться в российское консульство. Но идут туда почему-то далеко не все.

Крячко молча кивнул в ответ и тоже усмехнулся: да, логично!

— Хорошо. Тогда у меня вот какой вопрос. В ходе расследования убийства Сивяркина и Касавина у нас появился подозреваемый, который мог бы это совершить. Его дочь занималась в «Русской лилии», причем под нажимом своей классной руководительницы. Однажды она непостижимым образом исчезла. Мы полагаем, что ее отец не нашел поддержки у официальных структур и начал мстить предполагаемым виновникам. Скажите, на вашей памяти были скандалы, связанные с исчезновением девушек из той же «Русской лилии»?

— Говоря откровенно, что-то такое было. — Собеседник Стаса потер лоб и сокрушенно вздохнул. — Правда, большого шума это дело не повлекло и почему-то очень быстро забылось. Но должен вам сказать, что эти две смерти — не первые трагедии, связанные с происшествием, упомянутым вами. Этой весной на лестничной площадке многоэтажки на Южнодорожной была найдена учительница одной из столичных школ с переломом позвоночника. Она упала с лестницы. Почему и как — никому ни звука. По-моему, она до сих пор лежит в «Склифософском». Но ходили слухи, что эта особа каким-то образом связана с модельным бизнесом. Затем, три месяца назад, бесследно исчез тогдашний директор «Русской лилии» Альберт Фрымшин. Куда он делся и что с ним произошло — до сих пор никому не известно. Потом кто-то застрелил Касавина. Теперь вот убит Сивяркин. Его-то как прикончили, вы не в курсе?

— Профессиональный удар ножом в сердце, — задумчиво пояснил Крячко.

— А Антоновский где сейчас? — полюбопытствовал Лепроман. — Ему, надо сказать, тоже есть чего опасаться.

— Пока считается сгоревшим в своем авто. — Стас откинулся в кресле, положил ногу на ногу. — Кстати, на самом деле он не Антоновский, а Шпыряк.

Лепроман изобразил недоуменную мину и озадаченно спросил:

— Часом не родственник ли Адама Шпыряка? Мне о таком негодяе как-то рассказывали.

— Сын, — лаконично пояснил Крячко.

— Ага. Тогда все понятно — бандеровский фашист! — Лепроман понимающе рассмеялся. — То-то я замечал, что у него иногда проскальзывает западенский говорок. Он всегда смотрел на меня как на человека второго или даже третьего сорта. Хотя сам, чуть какие вопросы по организации презентаций или чего-то еще, тут же бежал ко мне!

Сразу после фитнес-центра Станислав отправился в клинику имени Склифосовского. Он нашел дежурную медсестру, показал ей удостоверение и поинтересовался спинальниками, поступавшими на лечение месяца три-четыре назад. Особенно из числа преподавательниц столичных школ среднего возраста.

Сестра озадаченно наморщила лоб, порылась в журналах, поискала в компьютере, о чем-то вспомнила и деловито сообщила:

— Да, была у нас такая. Это преподаватель биологии из гуманитарного лицея «Ренессанс — двадцать первый век» Кузьмятушкина Тамара Геннадьевна. Поступила с полным переломом позвоночного столба, в очень тяжелом состоянии. Мы даже не были уверены, выживет ли она. Две недели назад ее выписали, но она теперь до конца своих дней будет прикована к постели.

— Эта женщина не рассказывала, что с ней произошло?

Медсестра отрицательно покачала головой. По ее словам, вначале больная вообще не могла говорить. По мнению врачей, это было связано с каким-то сильнейшим нервным потрясением. Потом речь к ней частично вернулась, но она категорически отказывалась рассказывать о случившемся. У нее даже начинались нервные приступы, когда с ней пытались поговорить опера и следователи.

Крячко взял у медсестры домашний адрес Кузьмятушкиной и направился к парковке, где оставил своего «мерина». Достав телефон, он созвонился с информационным отделом главка и попросил найти адрес лицея. Когда Стас уже садился в машину, капитан Жаворонков сообщил ему, что означенное учебное заведение находится на Новореченской, сорок.

Прикинув кратчайший маршрут по наименее загруженным улицам, он вырулил на дорогу и покатил в общем потоке автотранспорта. При этом полковник запоздало вспоминал о том, что ему очень даже не мешало бы поесть. Но Стас собрал всю свою многопрославленную выдержку в кулак и объявил сам себе, что работа — прежде всего, а уж подкрепиться он всегда успеет.

В лицей сыщик прибыл в ту пору, когда там уже закончились уроки и в коридорах одиноко перекатывалось гулкое эхо. Крячко быстро нашел кабинет директора. Он отвесил этой представительной даме с властным, прямо-таки наполеоновским взглядом щедрую порцию дежурных любезностей и попросил ее рассказать о биологичке Кузьмятушкиной. Та, лишь услышав фамилию своей недавней сотрудницы, отчего-то несколько даже помрачнела и о чем-то задумалась.

— Скажу откровенно, никак не ожидала, что органы правопорядка после довольно-таки долгого перерыва вновь заинтересуются этой историей, — наконец-то обронила она. — Что я могу сказать о Тамаре Геннадьевне как о специалисте и просто о человеке? Как учитель она была на высоте. Дети ее очень уважали. На уроках всегда была дисциплина, образцовый порядок. Она была предельно собранной, общественно активной, всегда участвовала в жизни школы, служила примером для молодых специалистов.

Услышав вопрос Станислава о том, что она думает о жутком происшествии, его собеседница лишь развела руками. Она пояснила, что допускает вероятность хулиганского нападения или просто некую случайность. Женщина поднялась по лестнице, ей внезапно стало плохо. Она скатилась вниз, и как результат — травма позвоночника.

В этот момент в кабинет кто-то постучался. Молоденькая учительница весьма и весьма модельных кондиций — у Стаса даже екнуло внутри при ее появлении — попросила разрешения взять какой-то педагогический справочник, обещанный ей директоршей.

Та благосклонно кивнула, указала на полированный шкаф, после чего продолжила начатую мысль:

— Я несколько раз навещала Тамару Геннадьевну в больнице, но побеседовать с ней так и не смогла. В силу тяжести травмы она говорила с большим трудом и очень неразборчиво.

Поблагодарив директоршу, ее подчиненная с интересом оглядела незнакомца в потертой кожаной ветровке и скрылась за дверью.

— О том, что случилось с вашей бывшей сотрудницей, нам стало известно в ходе расследования другого дела. Был убит некий крупный федеральный чиновник. Один из свидетелей дал нам информацию, скажу откровенно, очень спорную. Я должен был проверить ее достоверность и решил обратиться к вам. Суть дела тут вот какая. Действительно ли девочки, классным руководителем которых была Тамара Геннадьевна, проходили подготовку в модельном агентстве «Русская лилия»?

Стас внимательно наблюдал за лицом директорши. Он сразу же заметил, как нервно дернулись ее губы и беспокойно забегали глаза. Этот вопрос ей почему-то очень не понравился.

Несколько изменившимся голосом директорша сухо пояснила, что так оно и есть. Их учебное заведение уже несколько лет подряд и в самом деле сотрудничает с американской некоммерческой организацией «Перспектива». Эта структура активно помогает лицею финансами, оборудованием и многим другим, вплоть до подбора кадров и ремонта классных комнат.

В рамках этого сотрудничества было решено подключить к обучению в «Русской лилии» самых перспективных старшеклассниц. С точки зрения директрисы, это давало девушкам реальный шанс в ближайшем будущем сделать карьеру манекенщицы или фотомодели.

— Не в уборщицы же им идти после лицея? — риторически вопросила она. — Благодаря высококлассной подготовке в модельном агентстве уже более двух десятков наших девушек работают в престижных западных домах моды. Да и тех наших выпускниц, которые не нашли себя в качестве фотомоделей, «Перспектива» не забывает. Девушки, изъявившие такое желание, с помощью этой организации устроились в Германии, Франции, Италии горничными в отелях, нянечками, продавщицами в крупных супермаркетах. Все очень довольны, часто звонят, рассказывают о себе.

— Скажите, а вот что это была за история с девушкой, которая год назад пропала без вести?

Его собеседница понимающе кивнула в ответ и пояснила:

— Случай, конечно, очень печальный, но никак не связанный с модельной студией. Девушку звали Маша Гайдукова, она занималась в «Русской лилии» и была одной из самых лучших. Маша была очень хороша собой, заметно выделялась и по интеллекту. Но вот случилось так, что вечером она пошла в гости к своей подруге и на обратном пути бесследно исчезла. Ее мама и педагогический коллектив школы обращались в правоохранительные органы. Но вы же сами знаете, как трудно бывает найти людей, пропавших без вести.

— У нее была только мать? Про отца вы что-то знаете?

— Они в разводе. Муж вроде военный. Он постоянно был в командировках. Сами понимаете. Это привело к разрыву. Когда Маша исчезла, он приезжал, приходил к нам в школу. Мы ему все объяснили, рассказали, в том числе и Машина подружка. Он обращался в полицию, к частным сыщикам, даже экстрасенсам. Но никто ничего определенного, к сожалению, сказать так и не смог. А Машина мама в начале минувшей весны умерла от сердечного приступа.

— Взгляните, это случайно не Машин отец? — Крячко достал из кармана и развернул фоторобот Штирлица.

Мельком взглянув на синтезированный портрет, директриса подтвердила:

— Да, это Олег Николаевич Гайдуков! А он что, в розыске? — удивленно спросила она.

— Нет, он интересует нас лишь как очень важный свидетель, которого мы никак не можем найти. В том числе и в плане поисков его дочери.

— Тут вот еще что... — Директорша несколько замялась, не зная, говорить ли дальше. — У Олега Николаевича, уж не знаю почему — может, кто-то что-то ему сказал? — были очень сильны подозрения в отношении одного крупного руководителя. Я не знаю, кто это, но, по слухам, Олег Николаевич с ним встречался. Между ними состоялся очень жесткий разговор. Что было дальше — я не знаю.

Стас задал этой даме еще несколько вопросов о сотрудничестве лицея с НКО «Перспектива», потом откланялся и покинул кабинет. Он ощущал явную замкнутость его хозяйки. Директриса не захотела сказать ему что-то очень важное — это Крячко чувствовал наверняка. Интуиция подсказывала сыщику, что эта дама пусть и не напрямую, но причастна к тому, что случилось с Машей Гайдуковой. Но как это доказать, подтвердить документально?..

Когда он вышел на школьное крыльцо, его размышления были прерваны чьим-то окликом:

— Вас можно? Вы из полиции?

Стас оглянулся и увидел ту самую девушку, которая заходила к директрисе.

— Да, я из Главного управления уголовного розыска. — Крячко показал красавице удостоверение. — Вы что-то хотели мне рассказать?

Та, явно волнуясь, кивнула в ответ и предложила пройти в школьный скверик, где они могли бы поговорить без лишних ушей. По словам девушки, назвавшейся Викторией, она уже давно собиралась обратиться в полицию или прокуратуру, но очень боялась мести уголовных подонков. Однако поняла, что покоя ей все равно не обрести, и решила высказать все, что накипело на душе.

Как далее рассказала Виктория, несколько лет назад она и сама ходила заниматься в «Русскую лилию». Еще в восьмом классе Кузьмятушкина не только уговорами, но и психологическим нажимом убедила Вику вместе с другими однокласс-ницами пройти курс обучения в тамошней школе моделей. Девушкам и даже нескольким парням из ее группы — всего та-ких подразделений было около десятка — преподавали вполне пристойные предметы: этику, диетологию, сценический шаг (дефиле), хореографию, основы актерского мастерства, сти-листику, визажистику и все такое прочее.

Стоило это не очень дорого. Сотрудники «Русской лилии» объяснили учащимся: большую часть суммы гасила некоммер-ческая организация «Перспектива».

Вика с первых же дней стала негласным лидером и тут же прочувствовала на себе все прелести своего положения. С одной стороны, ее тут же тихо возненавидели некоторые одноклассницы, оказавшиеся на вторых ролях. С другой — девчонку шокировало прямо-таки плотоядное внимание не-ких дядей, периодически появлявшихся на всевозможных просмотрах и кастингах. Она несколько раз пыталась уйти, но властная и жесткая Кузьмятушкина с этим категорически не соглашалась. Она напоминала девушке о том, сколько денег в нее вложили спонсоры из НКО.

Однажды, когда Вика училась уже в десятом классе, по-сле занятий к ней подошел визажист Эдуард. Женственно жестикулируя, он поинтересовался, не желает ли Викуся се-годняшним вечером посидеть в замечательном ресторане, где соберутся очень культурные и интеллигентные люди. Девушка сразу же поняла, что это может значить. Она пришла домой и обо всем рассказала отцу. Тот, простой шофер, нравом был крут и силой не обделен. Он тут же отправился к Кузьмятуш-киной и о чем-то с ней поговорил. От Вики тут же отвязались.

Она закончила школу, университет, за это время вышла замуж, родила ребенка, а по получении диплома пришла ра-ботать в свою бывшую школу. Ее приняли, хотя, как стало известно позже, Кузьмятушкина костьми ложилась, возражая против этого. Но школе нужна была хорошая математичка, и физматовский диплом с отличием стал главным козырем.

— Так что же это за человек — Тамара Кузьмятушкина? — выслушав Викторию, поинтересовался Крячко.

Молодая женщина грустно улыбнулась и ответила:

— Не хочу говорить гадости за глаза, но ее место было не в школе, а где-нибудь на мясокомбинате. Есть такие люди, безжалостные, запредельно жесткие, зацикленные на самих себе. Им плевать на кого бы то ни было. Вот она из их числа. Уже когда училась в университете, я чисто случайно узнала, сколько эта «передовая» учительница загубила жизней и сломала судеб.

Как явствовало из дальнейшего повествования Вики, за ширмой условной благопристойности модельного бизнеса таилось нечто совсем иное. Их группу с первых шагов, исподволь, очень тонко и искусно, начали настраивать на такие доминанты, как успех, даже ценой утраты собственного достоинства. Умение устранить конкурентов считалось очень важным. Но еще выше ценилась способность себя не только подать, но и продать за максимальные деньги.

Преподаватели очень грамотно и умело прививали подросткам цинизм и меркантильность. Учащимся как бы невзначай внушалась мысль о том, что успех, выражающийся в банковском счете, наличии виллы и яхты, постоянном присутствии в рекламе и гламурных изданиях, — это единственное, о чем только можно мечтать. Виктория отметила, что не все ее ровесники обладали достаточно прочным нравственным иммунитетом, способным успешно противостоять подобному зомбированию.

— И вот результат. — На лице женщины промелькнула горькая усмешка. — Я успела, как говорят наркоманы, вовремя соскочить. Другие не смогли. Как мне рассказали позже, почти все наши девочки к выпуску из школы моделей уже вовсю, извините, работали на корпоративах, презентациях и тому подобных тусовках. Сами понимаете, в качестве кого. Нет, их никто не принуждал. Они сами шли на это. Потому что у них была единственная цель — успех любой ценой.

Минувшей зимой Вика встретила свою одноклассницу Людмилу, которая была ее основной конкуренткой, и не узнала ее. Вместо цветущей красавицы перед ней была изможденная старуха с пустыми глазами, одолеваемая мучительной наркотической ломкой. Людмила выпросила у Вики пятьсот рублей на дозу и рассказала ей свою историю.

По окончании школы при «Русской лилии», которая к этой поре уже обзавелась богатым папиком, Людмила была направлена во Францию, в некое малоизвестное рекламное агентство. Однако на месте оказалось, что это, по сути, контора для девушек по вызову, обслуживающих богатых господ. Постепенно былая мечта о райской жизни обратилась в настоящий кошмар. Года два спустя Людмила впервые попробовала марихуану. Потом она подсела на крэк, героин, употребляла всевозможную клубную синтетическую наркоту.

Она очень быстро утратила, так сказать, товарный вид и была буквально выброшена на улицу. К концу своей «модельной карьеры» Людмила промышляла среди портовых отбросов, пока в ходе полицейской облавы ее не задержали и не депортировали обратно в Россию.

О судьбе большинства однокашников ей ничего известно не было. Но их жизнь, скорее всего, сложилась не лучше. Когда Людмила была во Франции, общий знакомый рассказал ей про еще одну модель — Женечку, кареглазую, кудрявую шатенку с обаятельной милой улыбкой. По его сведениям, та попала в руки косовской мафии и, скорее всего, была отправлена «на органы». Двое парней из их компании обосновались в амстердамской общине гомосексуалистов. Один уже успел заразиться ВИЧ-инфекцией.

— Знаете, Люду мне было жаль. Но при этом я ее боялась. Она снова меня ненавидела! Но теперь уже за то, что я не стала проституткой и наркоманкой, закончила университет, у меня замечательный муж и уже подрастает малыш. Этим летом ее не стало — она покончила с собой. Мне почему-то кажется, что к этому ее в какой-то мере подтолкнула и наша встреча. Станислав Васильевич, не знаю, поможет ли хоть кому-нибудь то, что я рассказываю, но мне хочется, чтобы вы знали: агентство «Русская лилия» — это школа растления и убийства человеческих душ. За красивым фасадом и высокими словами таится чудовищная, бездушная система превращения людей, доверившихся им, в живой товар, который без возражений позволяет делать с собой все, что только угодно.

Стас спросил о Маше Гайдуковой, и Вика ответила, что слышала об этой истории. Она считала, что Машу продала ее подруга.

— Скорее всего, она специально помогла ее похитить. Возможно, подсыпала психотропные препараты. Для большинства людей, прошедших выучку в агентстве, это дело естественное. Знаете, уже то, что эта самая подружка — ее зовут Амалией — уже дважды пыталась покончить с собой, полностью подтверждает мое предположение. Видимо, ее одолели запоздалые угрызения совести.

Высказалась Виктория и по поводу всего модельного бизнеса в целом:

— Согласитесь, что в реальности фотомоделей требуется не так уж и много. Это, скажем так, «штучный товар». По некоторым данным, в России сегодня — только вдумайтесь! — около трех тысяч модельных агентств. В них работает около ста тысяч женщин, не считая тех, которые еще только учатся. Поневоле возникает вопрос: для чего такая орда, если требуется в сотни раз меньше? Ответ очень прост: это отработанная, налаженная и хорошо замаскированная система вербовки и подготовки проституток и экспорта их за рубеж.

— Должен сказать, что я придерживаюсь того же мнения. — Крячко озабоченно нахмурился.

Глядя в пространство, Вика проговорила с болью в голосе:

— Когда у меня родился сын, на многие вещи я стала смотреть несколько иначе. Мне вдруг подумалось, что вот эта система модельного бизнеса — способ генетически обескровить Россию, придуманный кем-то очень недобрым и хитрым. Ну а как еще можно назвать массовый вывоз наших девушек в сексуальное рабство?! Большинство из них уходит в небытие. А те, кому удалось вернуться, — кого они родят?! А ведь уже установлено, что таланты и дарования передаются по женской линии. Смысл такой диверсии вам понятен? Это один из способов дебилизации нас как народа. Тут и этот не самый умный единый государственный экзамен, и бездарная болонская вузовская система. А тут еще и проституция. Я своим ученицам внушаю: девочки, не попадитесь на эту гламурную удочку. Счастливый билет выпадает единицам, а всем остальным — в один конец!.. Пусть это грешно, но я скажу так: слава богу, что эта сутенерша Кузьмятушкина получила свое и больше уже никогда не появится в лицее.

Глава 9

Направляясь к месту жительства учительницы Кузьмятушкиной, на улицу Южнодорожную, Станислав вспоминал те
или иные моменты только что состоявшихся встреч. Он был
полностью согласен с Викторией, но одновременно понимал
и другое. Одна лишь полиция, даже при поддержке прокура-
туры, едва ли что изменит. Тем более если учесть, что немалая
часть персон, носящих полицейские и всякие иные погоны, а
также и так называемые штатские чины, не прочь разжиться
деньгами из сутенерских закромов. Они с удовольствием воспользуются и интимными услугами секс-рабынь.

И вообще, нужно менять энное число законов, отношение
самого общества к этой проблеме. Ой как же много всего
надо, чтобы мы вырвались из системы массового оскотини-
вания, чтобы нынешнее хамоватое словцо «телка» вновь стало
исключительно зоотехническим термином!..

Крячко подрулил к элитной высотке, где явно проживали
люди не самые бедные. Миновав консьержа, скорее всего мол-
давских кровей, он поднялся на четвертый этаж и позвонил в
дверь с номером шестнадцать.

Через какое-то время послышались шаги, и до Стаса донесся чей-то голос:

— Кто там?

Крячко пояснил, кто он, пару минут ждал появления жильцов квартиры и уже собирался было позвонить еще раз. Но
тут дверь наконец-то приоткрылась, и к нему вышла особа лет
тридцати, которой человек, не опытный в этих делах, дал бы
гораздо больше.

Безрадостно глядя на нежданного гостя, она вопросительно
мотнула головой и прошелестела едва слышно:

— Слушаю вас.

— Меня интересуют обстоятельства беды, случившейся с
Тамарой Геннадьевной. Каким образом она получила столь
тяжелую травму? Я могу с ней поговорить? — Стас вопросительно посмотрел на женщину, а та категорично объявила:

— Нет! Тамара Геннадьевна чувствует себя крайне плохо,
у нее расшатана нервная система, и она ни с кем не желает
общаться.

В этот момент из глубины квартиры донесся не самый слабый женский голос, срывающийся на истеричный крик:

— Ленка, кто там? Это она? Она?! Не пускай ее! Не пускай!

Женщина замахала руками — мол, уходите! — скрылась в квартире и резко захлопнула за собою дверь. Станислав понял, что делать тут больше нечего, и зашагал по лестнице вниз. Когда он проходил через холл вестибюля, его вдруг осенило. Полковник полиции подошел к консьержу и спросил, давно ли тот здесь работает. Как оказалось, уроженец Приднестровья охранял покой жильцов этого дома уже около пяти лет и абсолютное большинство его обитателей знал лично.

Консьерж Иван охотно рассказал о том громком событии минувшего лета, которое и по сей день осталось поводом к самым разным пересудам. Случилось это в относительно безлюдное время суток, часов около трех дня, когда людей в подъезде почти не бывает. Неожиданно для Ивана с улицы в холл вошел незнакомый бородач. Несмотря на летнюю жару, на нем были черное пальто и широкополая шляпа, из-под которой свисали хасидские пейсы. На его носу громоздились круглые очки, а в руке он нес сумку.

Этот человек показал Ивану паспорт на имя Арона Галана и пояснил, что собирается купить квартиру в этом доме. Посему он хотел бы посмотреть, кто тут вообще обитает. В частности, не наблюдаются ли среди жильцов антисемиты.

Галан ушел наверх, чтобы, по его словам, присмотреться и прицениться. Вскоре появилась Кузьмятушкина. Она вошла в лифт и поднялась на свой этаж. А менее чем через минуту сверху донесся отчаянный женский вопль, сопровождаемый падением чего-то тяжелого. Еще через несколько секунд вниз вприпрыжку слетел Галан.

— Антисемиты! Антисемиты! — прокричал он и выбежал на улицу.

Как рассказала прибывшей опергруппе соседка Кузьмятушкиной по лестничной площадке, та, выйдя из лифта, неожиданно увидела перед собой незнакомого бородача.

Он, к ее неописуемому ужасу, за волосы достал из сумки окровавленную женскую голову и мрачным, замогильным голосом сказал:

— Ты хотела Машиной крови? На, пей! — Этот тип бросил в нее свою страшную ношу.

Кузьмятушкина, которой отсеченная часть человеческого тела попала прямо в лицо, в ужасе метнулась назад. Она оступилась на ступеньке и покатилась вниз по лестнице, теряя сознание и переламываясь по линии соединения двух срединных позвонков. Соседка, которая наблюдала за происходящим через глазок, сама едва не упала в обморок.

Сотрудники полиции обследовали место происшествия и установили, что голова — всего лишь муляж, искусно сработанный из гипса и поролона, увенчанный париком из настоящих волос. Кровь, покрывавшая лицо и стекавшая на пол, оказалась краской.

Теперь Кузьмятушкина не просто не может подняться с постели. Она еще и постоянно подвержена перманентному стрессу, который не в состоянии подавить даже пригоршни таблеток. Любой звонок в дверь бывшая учительница воспринимает как пришествие несчастной девушки, с которой она поступила крайне скверным образом.

На следующий день, во время утреннего доклада оперов, Петр сидел с видом именинника. Наконец-то поперло! Когда Станислав рассказал о хасиде с муляжом окровавленной женской головы, он удивленно развел руками.

— Феноменально! — констатировал Орлов с миной некоторого даже восхищения. — Нет, ну это ж надо! С бабой разбираться кулаками или оружием не стал, а расквитался такой вот страшилкой. Да, мы имеем дело с человеком, у которого котелок варит и имеется масса всевозможных дарований. В том числе и актерских. Значит, по-настоящему его зовут Олегом Гайдуковым. Впрочем, это нам пока мало что дает. Конечно, в аэропортах и на вокзалах информацию о нем мы разместим. Фотороботы уже давно разосланы. Вот только сдается мне, что Лева был прав. Скорее всего, Гайдуков уже не в России. А наши спецслужбы — ГРУ и СВР — молчат, не дают никакой информации. Я их понимаю, но все равно досадно.

— Ну а Вольнова подключить еще не надумал? — покачивая ногой, озабоченно спросил Крячко. — Он-то к ним чуточку поближе, все-таки ФСБ. Вдруг сможет что-то выяснить?

Петр в ответ удрученно вздохнул и проговорил:

— Он только вчера вечером с Курил вернулся. Между прочим, в подземельях, найденных вами на Шубумаи, удалось обнаружить такое!.. В общем, только вам по секрету. В специальном заминированном сейфе были найдены фотокопии сотен древних манускриптов, которые в сороковом году были презентованы японцам гитлеровской «Аненербе». Там и древнеиндийские, и египетские, и шумерские рукописи! Как намекнул Александр — мы с ним не так давно общались по телефону, — там есть такие технические идеи, что просто дух захватывает!

В этот момент в дверь раздался короткий стук, и в кабинет вошел полковник Вольнов собственной персоной.

— О! Легок на помине! — отвечая на рукопожатие, резюмировал Гуров.

— Да, вот решил навестить, передать привет от гостеприимных жителей острова Шубумаи, — сказал тот, жизнерадостно улыбаясь. — Вас там и сейчас вспоминают.

Александр вкратце рассказал о результатах своей работы, проводимой совместно с военными спелеологами. По его мнению, туннели в сопках острова Шубумаи создали вовсе не японцы. Самураи лишь воспользовались тем, что уже было создано до них. Может быть, даже миллионы лет назад.

— Когда мы с ребятами обследовали обе сопки, нам стало ясно, что теми силами и средствами, какими располагали японцы, да еще при таком качестве обработки стен, проложить столько туннелей в сплошном камне они не смогли бы и за тысячу лет. Но самое интересное, что часть туннелей уходит под остров, а куда — вообще хрен его знает! Мои ребята идти туда почему-то не захотели. Сказали, что у них предчувствия нехорошие. У них обостренное чутье на опасность. Решили с этим погодить. — Вольнов покончил с дальневосточными новостями, перешел к текущим делам и деловито отметил: — Петр Николаевич мне говорил про ваше нынешнее расследование. Как у вас там на сегодня?

— Надо бы выяснить, из какого ведомства наш главный фигурант, — озабоченно сообщил Петр. — У тебя контакты с ГРУ и СВР хорошие?

Александр чуть пожал плечами и ответил:

— Относительно. Но попытаюсь. Как его? Олег Николаевич Гайдуков? Добро! Займусь.

— Ну а у вас, мужики, что на сегодня? — Орлов выжидающе посмотрел на Льва Ивановича и Станислава.

— Поеду-ка пообщаюсь с Гаджихановым. — Гуров слегка потянулся и сдержал зевок.

Этой ночью его сон почему-то был не очень спокойным, и теперь сыщик ощущал явный недосып.

— Думаю, у него было время подумать, так что ожидаю услышать немало интересного. Кстати, Курдачев тебе сегодня еще не звонил? Как он там после вчерашнего?

— А что с Курдачевым? — заинтересовался Александр.

Петр пренебрежительно махнул рукой и в нескольких словах рассказал о своем вчерашнем рандеву с министерской шишкой у стен СИЗО «Лефортово».

— Уверен, что Курдачеву сегодня будет не до звонков, — отметил он. — Об этом наверху уже знают. Из приемной министра мне сообщили, что Дубновым уже занялась служба собственной безопасности.

Вольнов весьма серьезно отреагировал на услышанное.

— Однако, — покачав головой, отметил он. — Занятный случай! Полковник Дубнов приобрел в собственность заведение с сомнительной репутацией, да еще и явил намерения угрозами принудить к интиму несовершеннолетнюю девчонку? Ничего себе умник! Вы мне аудиозаписи вчерашних разговоров скопируете? Надо будет его и по нашим каналам прозвонить. Такие паразиты очень часто сидят на крючке у зарубежных спецслужб, которые их вербуют с понятными целями.

— Да не вопрос, — Гуров усмехнулся и достал из кармана сотовый телефон. — Тут и видео такое, что мало не покажется. Что еще сегодня? Кроме Гаджиханова хочу пообщаться с еще одним типом. Он отбывал срок за сутенерство, располагает информацией о путях отправки живого товара за границу. Его сажал не я, так что, может быть, откровенности добиться и удастся. В общем, игра стоит свеч. Сегодня, по идее, должны быть готовы результаты идентификации костей из джипа Антоновского. Если окажется, что сгорел не он, — немедленно берем Бубникса в работу.

Стас энергично стукнул себя по коленкам крепко сжатыми кулаками и заявил:

— Ну а я уже сейчас беру в работу директора и его заместителя из «Грациозной лани». Если не захотят встретиться — вызову повесткой. Еще думаю прощупать окружение Касавина. Мне кажется, его роль в деятельности и этой «лани», и «лилии», и свино-клуба мы здорово недооцениваем. Да, и еще! Если Петро даст денег, надо бы слетать в Одессу, посмотреть, что это там за подпольная гостиница, принадлежащая покойному господину Сиявркину.

— Об этом подумаем, — Орлов многообещающе кивнул.

Опера и Вольнов вышли из генеральского кабинета.

— Ладно, мужики, отбываю! — дойдя с приятелями до их кабинета, объявил Вольнов. — Сегодня по нашей конторе у меня выходной, поэтому прямо сейчас попробую прозвонить коллег, по своим каналам прозондирую Европу. Контактов у меня достаточно, авось что-нибудь да вынырнет.

Гуров вошел к себе в кабинет и по внутреннему телефону созвонился с судмедэкспертом Дроздовым.

Тот в своей флегматичной, занудливой манере сообщил:

— Лев Иванович, насчет этого я вам только что звонил, но никто не подошел к телефону. Так вот, получается, что в джипе сгорел не Антоновский. Это кто-то другой. Я и по зубам проверил, и по длине бедренной кости. Я так просчитал, рост этого человека был максимум метр шестьдесят восемь. А рост Антоновского, как мне сказал Валера Жаворонков, составлял метр семьдесят восемь. Разница слишком большая.

Гуров поблагодарил своего собеседника, положил трубку, свел брови и заявил:

— Ну, Бубникс! Набрехал, скотина! Стас, заскочи по пути к этому господину и прижми его так, чтобы жизнь ему медом не показалась. В машине, оказывается, сгорел вовсе не Шпыряк! Значит, тот смылся, а этот брехун его отмазал. Надо выяснить, куда именно подался этот фрукт бандеровский. А чтобы наш болезный поменьше скрытничал и выкручивался, сейчас поручу Прохорову изучить всю его подноготную. Раз он с ним уже работал, ему и карты в руки. Уверен, какие-нибудь грешки у Бубникса вылезут обязательно!

Он снял трубку телефона, набрал номер информационного отдела и услышал отклик капитана Жаворонкова. Полковник объяснил Валерию ситуацию, поручил ему срочно разослать по всем регионам фото Шпыряка и сделать ориентировки по его поиску.

Лев Иванович вошел в помещение СИЗО, предназначенное для проведения допросов, и огляделся. Сколько же времени он тут провел, выясняя тайны и секреты своих подопечных?! Если сложить вместе, то суммарно месяцев несколько получится наверняка.

Вскоре конвой доставил Гаджиханова. Директор агентства выглядел подавленным и хмурым. Сперва он ответил на дежурные вопросы, а потом хоть и не очень охотно, но рассказал о деятельности «Русской лилии».

Как оказалось, это агентство раскинуло по всей европейской части России целую сеть так называемых скаутов, которые не имели отношения к общеизвестному детскому движению. Эти люди официально в штате агентства не числились. Они находились, так сказать, в свободном полете, искали девушек, которые могли бы заинтересовать «модельмейкеров». Эти самые скауты рыскали в учебных заведениях, спортзалах, бассейнах, на чисто женских производствах, наподобие швейного, даже на улицах.

Надо сказать, что такая вот замануха — блистательный успех на подиуме, колоссальные гонорары и обязательный миллионер в качестве законного мужа — мало кого привлекает. Поэтому скауты активно осваивают НЛП — нейролингвистическое программирование. Проще говоря, они владеют самыми эффективными способами уболтать жертву, погрузить ее в вербальный гипноз, иногда именуемый еще и цыганским.

Гуров пообещал походатайствовать перед судом о смягчении приговора Гаджиханову, активно содействующему расследованию. В обмен его собеседник сообщил, что у «Русской лилии» есть около десятка филиалов, которые ежемесячно отправляют за рубеж примерно тысячу дурочек, мечтающих о заморском счастье.

— Три дня назад тридцать девок увезли на автобусе в Одессу. Куда их там дальше девают — я не знаю. Хотя, понятное дело, в Одессе они не останутся. Там своих проституток хватает. Украина сейчас даже Россию переплюнула по этой части. Если года три назад у нас каждая пятая красотка была с Украины, то теперь — каждая вторая. Сами прут, лишь бы взяли. Я удивляюсь вам, русским, да и славянам вообще. Как вы можете такое допускать?! Вы хоть когда-нибудь видели на Тверской или Ярославке чеченку, кабардинку, лезгинку, аварку? Нет! Хотя вы же не скажете, что горянки некрасивы и непривлекательны!

— Конечно не скажу, — согласился Гуров.

— Вот! — Гаджиханов потряс в воздухе растопыренной пятерней. — Я не понимаю, почему русские мужчины мирятся с тем, что их девушек, самых здоровых и красивых, вывозят из страны в позорное рабство. Женщина — это душа нации. Если ее тело истоптано и оплевано, что она потом сможет родить? Мужчину, воина, защитника своего очага, или трусливого ублюдка, вобравшего в себя грехи всех тех скотов, которые покупали за деньги его мать?

Машу Гайдукову он хорошо помнил. Эта девушка и в самом деле была необычайно красива. Гаджиханов слышал и о том, что с ней случилось. Ее украли прямо с улицы. Она шла вечерней порой словно невменяемая. Вероятнее всего, Машу кто-то накачал наркотиками. Похищением руководил прежний директор агентства Альберт Фрымшин. Девушку привезли в загородный дом помощника министра. Там ее по очереди изнасиловали сам Сивяркин и Леонид Касавин, гостивший у него.

Куда ее дели потом, Гаджиханов не знал, но предполагал, что, скорее всего, отправили за границу чартером. Так называвшийся вывоз тех девушек, которые отказывались ехать по согласию. Им вводили наркотики и увозили на специально оборудованной грузовой «Газели». До Гаджиханова доходили слухи, что доезжали не все — некоторые в дороге умирали от избыточной дозы дури.

Несколько месяцев назад Альберт Фрымшин бесследно исчез. Перед этим к ним в агентство приходил моложавый, очень крепкий мужчина, который расспрашивал о Маше Гайдуковой. Судя по всему, это был ее отец. Он ходил в местную полицию и прокуратуру. Фрымшина раза два вызывали на допросы. Он без труда смог доказать свою невиновность, однако потом вдруг исчез — поехал в ресторан «Милая Дуся» и прямо там словно растворился в воздухе. Его машина так и осталась стоять перед входом.

Все сразу же поняли — его похитили и убили. Скорее всего, это сделал отец Маши. Более того, именно он выбил из Фрымшина имена тех, кто глумился над его ребенком. Всего месяца через полтора после этого в институт имени Склифософского попала Кузьмятушкина, потом был убит Касавин.

— Стрелял настоящий профессионал, — уверенно проговорил Гаджиханов. — Он выпустил в Леньку три пули. Первая — в пах. Его похоронили кастратом. Две другие угодили в живот. После таких ранений спасти невозможно, а смерть долгая и мучительная.

— Но он же вроде бы умер сразу, — с сомнением в голосе сказал Гуров.

— Нет, уже в больнице, на операционном столе. — Задержанный болезненно поморщился. — Просто боль была такой адской, что он не мог шелохнуться, издать хотя бы стон.

— И все же, на ваш взгляд, куда могли отправить Машу? — Лев Иванович испытующе взглянул на Гаджиханова.

— Клянусь хлебом — не знаю! — арестант развел руками. — Но могу сказать, что если она попала в руки косоваров, то ей конец. Если негритянку, марокканку, немку, француженку они еще отпустят, выжав из нее все, что только можно, то славянок эти негодяи не милуют никогда. Всех их они пускают «на органы». Хотя косовары вроде бы и мусульмане, но я их презираю. Это ничтожные, жалкие людишки. Когда-то они были христианами, потом из жадности приняли ислам. Сербы и болгары, как бы на них ни давили турки, остались верны своей вере и поэтому достойны уважения. А вот албанцы и от своей прежней веры отреклись, и настоящими мусульманами не стали. Большинство из них не соблюдает священный месяц Рамадан. Они и в мечеть-то идут лишь тогда, когда что-то угрожает их шкурным интересам.

Закончив допрос, Гуров отправился на улицу Предмостную, где проживал некий Суклич, в свое время слывший одним из самых крутых дельцов сутенерской мафии. Бывший мафиози отбыл в местах не столь отдаленных более десяти лет. Он завязал со своими былыми делами и занялся куда более безопасным антикварным бизнесом, особенно в плане нумизматики и бонистики. Теперь у него была небольшая лавочка. Ее владелец не только продавал редкие монеты, как старинные, так и современные, но и оценивал их за умеренную плату.

Лев Иванович подрулил к мастерской по изготовлению ключей и производству мелкого металлоремонта, зашел в ее вестибюль и увидел еще одну дверь сбоку, над которой была прилеплена самодельная табличка, написанная от руки: «Монеты, марки, купюры — консалтинг». В помещении было малолюдно. Некий тип, еще молодой, но уже с красным носом, пытался всучить какую-то монету худому, как сушеная вобла, гражданину с бесцветными глазами, характерными для этой же самой рыбы.

Увидев Гурова, хозяин заведения, досадливо крякнув, сунул красноносому пятидесятирублевую бумажку, бросил его монету в какую-то коробку, стоявшую на стеллаже, и вытолкал своего клиента за дверь.

— Никак не ожидал увидеть полковника Гурова собственной персоной в моем убогом заведении, — тускловато взглянув на гостя, все так же бесцветно сказал он. — Какими судьбами, господин опсруполномоченный?

Лев Иванович усмехнулся и проговорил:

— Мы же как будто не встречались, а вы меня знаете.

— Да кто же не знает правильного опера Льва Гурова? Я даже догадываюсь, по какому вы вопросу.

— Занятно, — Гуров улыбнулся. — И по какому же?

— Думаю, именно вам поручили расследовать убийство Сиваркина, — без намека на эмоции пояснил Суклич. — Эх, Лев Иванович! Как поменялся мир! В середине девяностых за три десятка конченых шлюх, прошедших все столичные бордели и панели, которых мы вывезли в Финляндию, мне дали двенадцать лет, из которых — пять строгача. Видите ли, две из них — наркоманки стопудовые! — уже в Стране Суоми перебрали героина и приказали долго жить. Финны нас сцапали, передали в Россию. УК тогда еще был советский, судьи тоже прежней выпечки. Вот мне и отмотали по полной программе, даже сверх того. А сегодня? Бывает, невинных девчонок вывозят пачками за границу, и никто не чешется. Даже мне становится муторно! Хотя повидал я — ой-ой-ой!

— Я не сказал бы, что всем это так вот запросто сходит с рук, — категорически не согласился Гуров. — Сейчас тоже ловят и сажают. Хотя, конечно, сроки дают смешные, это факт. Но меня вот что интересует. Если вам и в самом деле жаль этих глупышек, то, может быть, подскажете, по каким каналам «Русская лилия» вывозит девчонок за границу?

Немного подумав и повздыхав, Суклич проговорил:

— Я уже давно не при делах. О сегодняшней системе знаю немногое. Но если от старой хоть что-то еще сохранилось, то вам бы стоило отправиться в Одессу. Там, на улице Табачной, в доме с жестяным орлом над крышей, проживает некий Гоша Копай. Как я слышал, он главный диспетчер по отправке живого товара заказчикам. Это все, чем могу помочь, господин полковник. Я оказываю вам содействие только ради этих обманутых бедолаг. Разумеется, источник данной информации должен остаться конфиденциальным.

— Безусловно! — согласился Лев Иванович, попрощался с Сукличем и немедленно отправился в главк.

Петр Орлов, на которого, можно сказать, обрушилась груда новостей, некоторое время сидел, тяжело отдувался и глядел в потолок.

— Опять встает вопрос об Одессе! — с досадой констатировал он. — Что тут сказать? Ладно, будем думать. Надо узнать расписание авиарейсов в том направлении. Слушай, а если подключить наших тамошних коллег?

— Если у нас коррупции через край, то там ее во много раз больше, — сухо ответил Гуров. — Не хочу говорить плохо о своих украинских коллегах, но реальность не располагает к оптимизму. Боюсь, Гоша Копай узнает о визите своей милиции намного раньше, чем к нему отправится опергруппа.

Орлов с силой стиснул пальцы, что-то напряженно просчитывая и прикидывая.

— Лева! У нас нет иного выхода! — наконец-то сердито отрубил он. — Сутенеры живой товар отправили в Одессу три дня назад. Я не думаю, что они будут держать там девчонок целый месяц. Партию набрали, в транспорт загрузили — и счастливого пути! Мне кажется, в этой ситуации все решают даже не часы, а минуты. Пока ты прилетишь да все, что нам надо, найдешь, ловить уже будет нечего.

— Если считаешь нужным, то звони. — Лев Иванович поднялся с кресла. — Наверное, ты прав. Но было бы здорово, если бы ты звонил не просто в угрозыск, а может быть, кому-то из своих знакомых. У тебя ж там кто-то есть?

Генерал хлопнул себя по лбу и поднял руку, как бы желая сказать — вот же, отличная идея!

— Конечно, есть! — Орлов сразу же воспрянул духом и схватился за трубку телефона. — Полковник Игнатенко уже в отставке, но его там знают и уважают. Сейчас, сейчас!

— Ладно, я пошел к информационщикам, — сказал Гуров и покинул кабинет.

По пути в информационный отдел он увидел Станислава Крячко, шагающего по коридору.

Перед поездкой в «Грациозную лань» Стас решил заранее созвониться с этим фитнес-центром. Судя по всему, его вчерашний демарш сработал весьма эффективно — и директор, и его заместитель оказались на месте. Эти высокие должностные лица заявили, что уважаемый господин полковник может подъехать в любое удобное для него время. Они обязательно его дождутся.

160

Крячко загрузился в свой «Мерседес» и первым делом отправился в травматологию навестить Бубникса. Когда он в белом халате, накинутом на плечи, обтянутые ковбойкой, вошел в палату, тот лежал на своей кровати и усердно заливал баки собратьям по несчастью. Одни из них частично, а другие почти полностью были упакованы в гипсовые «доспехи» и напоминали собой средневековых рыцарей, приготовившихся к турниру.

— И вот, короче, катим мы по шоссе, а нам прямо в лоб летит «Феррари», — скосив глаза в сторону соседа слева, живописал Бубникс. — Даже издалека видно, что за рулем тупая телка, у которой мозгов меньше, чем у воробья. Я вижу, что деваться некуда. В лоб друг другу впишемся, мало никому не покажется. Ну и тогда я...

Что он сделал дальше, Бубникс рассказать не успел, поскольку кто-то подошел сбоку и тронул его за плечо. Рассказчик повернул голову и недоуменно поморщился: кого это еще там принесло? Но развернутое удостоверение прояснило ситуацию и повергло его в растерянность и уныние.

— Слушаю, — кисловато сказал Бубникс, сопровождая этот развернутый монолог кряхтеньем и оханьем.

Обитатели палаты с чрезвычайным интересом всматривались в крепкого, не обделенного силой визитера. Они уже начинали догадываться, кто он и откуда.

— Чего ж ты наврал-то насчет ДТП? — ничуть не смущаясь энным числом ушей, прислушивавшихся к его словам, во весь голос, как о чем-то малозначащем поинтересовался Стас.

Бубникс от неожиданности даже закашлялся, дернулся и невнятно пролепетал:

— О чем это вы?

— Как это о чем? Я хочу знать, кто сгорел в машине и куда мог дать деру Шпыряк, то есть этот самый Антоновский. — Крячко сурово нахмурился. — Врать и выкручиваться не рекомендую. Опять сбрехнешь — очень сильно пожалеешь.

Палата, и до этого примолкшая, обратилась в аналог сурдокамеры. Было даже слышно жужжание мухи, сумевшей пробраться в помещение через щель в окне.

161

Конфузясь и заикаясь, Бубникс скомканно рассказал, что на самом деле никакой ссоры между ним и Антоновским не было. Тот забрал себе все обналиченные деньги и пообещал поделиться с ним у финской границы. Еще с ними в джипе был шофер, но за руль Антоновский сел сам, заставив того пересесть на свое место. Деньги лежали в большой сумке с ремнем через плечо, которую он держал на коленях.

Когда они были уже довольно-таки далеко от Москвы, на одном из безлюдных участков дороги Антоновский для чего-то сбавил скорость и выехал на самый край дорожной насыпи. Он резко крутанул руль вправо, левой рукой отщелкнул дверной замок и на ходу выпрыгнул из кабины. Машина покатилась по длинному крутому склону. Бубникс чисто инстинктивно ухитрился поймать лапку дверного замка. Больше он ничего не помнил.

Когда его привели в чувство какие-то люди, он с ужасом увидел джип, догорающий внизу. Бубникс знал, что Антоновский хотел его убить, по его вине он получил серьезные травмы и переломы. Но бедолага дал себе слово не выдавать своего погубителя. А вдруг тот явится и добьет калеку прямо в больнице?

— Вот и все, что я могу сказать, — осипшим голосом заключил Бубникс. — А вот куда Антоновский мог податься? Всем, чем угодно, могу поклясться — даже не имею представления. Может быть, он и в самом деле попробует пробраться через финскую границу?

— Для этого нужны документы на другую фамилию, — понимая, что на сей раз его собеседник не врет, разочарованно проворчал Станислав.

— А знаете, как-то раз я видел у Сонечки бумаги, которые она готовила для оформления загранпаспорта. — Бубникс глядел в потолок, говорил напряженно и медленно. — Заглянул в них. Там фото Евгения, только вот фамилия написана другая — Коршунец. Это наш бывший охранник, который за месяц до этого погиб в автокатастрофе. Я очень тогда удивился — с какой стати на покойника оформляют загранпаспорт, да еще с фотографией Антоновского?

Крячко записал в блокнот личные данные погибшего охранника и удовлетворенно отметил:

— Вот это интересно! Самое то. Ладно, выздоравливай.

Выйдя из больницы, он достал телефон и позвонил Орлову. Тот одобрил итоги его изысканий и пообещал, что сейчас же напряжет информационщиков, чтобы те объявили в федеральный розыск Коршунца Алексея Борисовича.

Как и было обещано, директор фитнес-центра и его заместитель встретили Станислава Крячко чуть ли не хлебом-солью. Во всяком случае, кофе и коньяк были предложены сыщику прямо с порога. Памятуя, что он за рулем, Стас был вынужден отказаться от пятизвездочной благодати, согласился лишь на чашечку кофе.

Говоря дипломатическим языком, в ходе конструктивного диалога высокие договаривающиеся стороны констатировали сходство своих позиций по целому кругу вопросов. Проще говоря, собеседники Стаса согласились рассказать ему все, что знали о совладельцах их заведения.

Впрочем, многое из того, что ими было рассказано, Крячко минувшим днем уже слышал от Лепромана. В наибольшей степени его заинтересовало то обстоятельство, что Антоновский имел какой-то бизнес криминального свойства где-то в Сухуми. По предположению собеседников полковника Крячко, тот был связан с абхазскими криминальными группировками, занимающимися рейдерскими захватами квартир русскоязычного населения. Схема таких афер была проста. Житель Сухуми уезжал по делам или в отпуск, а когда возвращался, его квартира была уже занята непонятно кем.

За время его отсутствия жилье, захваченное бандитами, при содействии криминальных риэлторов и нотариусов несколько раз перепродавалось, и никакие обращения в суд уже помочь не могли. Коренные абхазы жертвами подобных шаек становились редко. Родственники зорко охраняли даже временно покинутое жилье, да и на кровную месть бандитам нарываться не хотелось. А вот чужаки были самой желанной жертвой для этих негодяев. Роль Антоновского да, скорее всего, и прочих членов криминального триумвирата заключалась в отмывании и легализации капиталов, добытых неправедным путем.

Завершая разговор, собеседники Станислава уже вполне уверенно заявили о том, что Антоновский мог податься только на юг, в сторону абхазской границы.

Увидев Льва Ивановича, Крячко просиял улыбкой победителя.

— Как успехи? — спросил он с залихватскими нотками в голосе, тут же не удержался и похвастался сам: — Короче, я узнал, где он может быть, этот самый Шпыряк.

Выслушав его, Гуров согласился — да, информация классная. Он поделился с другом результатами своих изысканий. В этот момент в коридор вышла Верочка и объявила, что Петр Николаевич ждет их у себя. Приятели переглянулись. Судя по всему, случилось что-то экстраординарное.

Их предположение оправдалось. Когда они вошли в кабинет, Орлов сидел перед телевизором и слушал молодую, весьма бойкую телерепортершу. Та стояла в вечерних сумерках на фоне домов какого-то зарубежного города и что-то торопливо поясняла зрителям. Камера сместилась влево, на экране появилась возбужденно гомонящая толпа. Тут же прохаживались полицейские, санитары тащили носилки к каретам «Скорой помощи».

— Это что за тусовка? — спросил Стас, указав на телеэкран.

— Секунду! — Петр упреждающе вскинул руку.

Тем временем события на экране развивались своим чередом. Камера показала умчавшиеся «Скорые», телерепортерша подошла к полицейскому с офицерскими знаками различия и о чем-то его спросила. Разговор шел на каком-то из южнославянских языков. Сотрудник полиции кивнул в ответ и заговорил.

Тут же последовал закадровый перевод:

— Трое мужчин, убитых неизвестным киллером, как нам удалось установить, албанцы по национальности, прибыли в Варну из Косово. Они шли по улице, насколько это можно было понять, к ресторану «Сириус». Официант их опознал.

Они бывали здесь уже не раз. Как сказал официант, старшего звали Адриан Буджар. По некоторым данным, эти люди — эмиссары косовского криминального сообщества, занимающегося торговлей секс-рабынями и трансплантатами. Теперь полиция будет проводить расследование и искать убийцу косоваров.

В кадре снова появилась телерепортерша и проговорила:

— Как видите, в Варне совершено громкое тройное убийство. Что это было на самом деле, кто именно застрелил косоваров — пока остается загадкой. Может быть, это криминальные разборки и приезжих мафиози убили местные уголовники, этим самым устранив своих конкурентов. Но нельзя исключать и мести. Эти трое наверняка натворили немало такого, что и стало причиной столь дерзкого покушения.

Когда на телеэкране появился другой новостной ролик, Орлов приглушил звук и пояснил:

— Посмотреть новости мне посоветовал Вольнов. Он минут десять назад позвонил и сказал, что этот сюжет напрямую касается нашего расследования.

— В плане? — коротко обронил Гуров.

— Александр считает, что этих троих косоваров мог убить все тот же Гайдуков, — ответил Петр и многозначительно улыбнулся.

— То есть получается так, что он сейчас в Болгарии. Там ему каким-то образом стало известно, что его дочь погубили косовские бандиты, из-за чего он и решил им отомстить. Да? — уточнил Станислав.

— В общем-то, да, — согласился Орлов.

— Но без серьезных оснований никак нельзя уверенно говорить о том, что стрелял Гайдуков, — проговорил Лев Иванович и с сомнением взглянул на генерала.

Тот потер переносицу, чуть качнул головой и заявил:

— Кое-какие основания есть. Как говорилось в новостной программе канала «Мир сейчас» — я там успел увидеть только конец сообщения и сразу же переключился сюда, — на убитых были надеты лучшие израильские синтетические бронежилеты. Их не пробить даже из крупнокалиберного пистолета. Если только не воспользоваться приемом, называемым нашими спецназовцами «бам-бам», что означает две пули подряд, всаженные в одну точку. За бугром таким приемом мало кто владеет. Кроме того, Вольнову удалось выяснить, что до прошлого года Гайдуков был командиром подразделения спецназа ГРУ и считался одним из лучших стрелков во всей этой структуре. Кстати, данная информация — не для огласки!

— Понятно, — Стас энергично кивнул.

Морща лоб, Петр продолжил:

— Там получилось-то вот как. Вчера вечером на одной из портовых улиц Варны неизвестный мужчина в отдалении следовал за тремя косоварами. В какой-то момент он поднял сумку, которую нес в руке, и направил ее в их сторону. Тут же хлопнуло шесть выстрелов подряд. Даже те люди, которые находились рядом, толком так ничего и не поняли. Пистолет был с хорошим глушителем, через сумку его не видать. Темп стрельбы — шесть выстрелов за пять секунд. Впечатляет? Вот так-то! Пока очевидцы разбирались, что да как, стрелок мгновенно исчез, и теперь большой вопрос, найдут ли его вообще. Никто ничего не запомнил — ни лица, ни одежды.

Приятели глядели на экран телевизора, где персонаж рекламного ролика, всем уже давным-давно осточертевший, объявлял, что теперь он идет к кому-то, кто еще не имеет этого вот стирального порошка. Некоторое время они осмысливали только что увиденное и услышанное.

Потом Лев Иванович выразил их общее со Стасом мнение:

— Ну и в какую сторону нам теперь двигаться со своим расследованием? Если оно изначально имело своей целью необходимость выявить и изобличить того человека, который убил Сивяркина, то, по сути, мы это уже сделали. Мы знаем, кто его прикончил, как и почему. Кстати, если по совести, то я и сам такую мразь размазал бы по асфальту. Убийца господина Сивяркина в данный момент, как мы сами видим, находится за границей России. Задержать его мы не можем. Ну и что теперь?

— Что теперь? — Орлов сердито дернул плечами. — Да, убийство помощника министра и ряда других лиц уже можно считать раскрытым. Но дело-то еще не закончено! Например, есть вопросы по пропавшему без вести Альберту Фрымшину. По поводу деятельности модельного агентства «Русская лилия» я уже поставил в известность генпрокуратуру. Этим субъектом теперь займутся очень даже всерьез. По «Садам Астарты» и фитнес-центру также будет проведена детальная прокурорская проверка. Кстати, полковник Дубнов с сегодняшнего дня считается подозреваемым в совершении ряда тяжких преступлений. Его, скорее всего, возьмут под стражу. Курдачев, наш главный доброжелатель, сейчас заметался. Кресло под ним затрещало. Недавно прибегал майор Крайний с рапортом об увольнении.

— Надо же! Столько хороших событий, а мы и не в курсах! — Крячко хохотнул и картинно развел руками. — Вот с Дубнова, Курдачева и Крайнего и надо было начинать. Но вообще-то да. Не знаю, как Леве, а мне очень хотелось бы взять за жабры этого поганца Шпыряка. Что думаешь? — Он подмигнул Гурову.

— Солидарен, — заявил тот. — Он наша персональная добыча. И вот что еще я хотел бы сказать. Петр, давай-ка продвинь через министерство идею насчет проведения проверки работы всех этих модельных агентств. Правильно Стасу сказала Вика из лицея. В подавляющей массе это, безусловно, хорошо замаскированная форма проституции. Да, есть, скажем так, модели, которые работают в индустрии моды и в шоу-бизнесе. Но процентов восемьдесят-девяносто занимаются вовсе не этим и не всегда добровольно!

— И вообще, я считаю, что статьи за сутенерство у нас, можно сказать, поощряющие, — Станислав досадливо махнул рукой. — Иной раз доходит до идиотизма! Года два назад где-то на Урале поймали шайку моральных уродов. Они умыкали малолеток прямо с улиц и принуждали становиться проститутками, а несогласных идти на панель зверски убивали. По-моему, три или четыре трупа было найдено в лесу за городом. Вот! За это вся шайка должна была сесть пожизненно. А им что дали? Чуть ли не условные сроки. Я весь экран телевизора заплевал, глядя на этот дерьмовый судебный процесс.

— Зато если бы кто-то из родителей воздал этим гнидам за своих детей, сроки им отмотали бы в разы больше, — продолжил его мысль Гуров.

Генерал Орлов как-то неопределенно кивнул, безнадежно вздохнул и заявил:

— Мужики, не будьте наивными. В который уже раз напомню Маяковского: «Ведь, если звезды зажигают, значит, это кому-нибудь нужно?» Вы полагаете, Сивяркин — единственное досадное исключение подобного рода? Конечно нет! Таких сивяркиных везде и всюду — хоть пруд пруди. Хотя, конечно, жизнь на месте не стоит. В думских коридорах уже появилась идея о запрете детских конкурсов красоты. Дураку же понятно, что эти взрослые игры не для детей. Нельзя им с неокрепшей психикой запрыгивать в мир, где царит жесткая конкуренция, где победа достигается не самыми достойными приемами.

— Я вообще-то считаю даже так, что вовлечение детей в модельный бизнес — это самый хитрый проект сутенерской мафии. Именно она вкладывает миллиарды в то, чтобы готовить для себя кадры с самых ранних лет, — рассудил Лев Иванович с изрядной долей сарказма. — Этими делами заправляют транснациональные группировки, у которых доходы даже выше, чем у торговцев наркотиками и оружием. Там крутятся сотни миллиардов долларов. Скажу больше. У меня нет уверенности в том, что те же Шпыряк, Сивяркин и Касавин — реальные хозяева всех этих трех заведений. Гарантирую, что над ними есть кто-то повыше и побогаче. Живет он не в Москве, а в Лондоне или Сан-Франциско.

Подперев голову кулаком, Орлов некоторое время смотрел куда-то в пространство, потом выпрямился и хмуро произнес:

— Ну все! Будет! Митинг, посвященный искоренению социальных язв и пороков, объявляю закрытым. Давайте, мужики, поступим так. Сейчас дорабатывайте предварительные отчеты, чтобы завтра мне было что показать в министерстве. Потом можете отправляться домой, готовить свои дорожные баулы. Будьте в постоянном контакте с ребятами из информационного отдела. Если подтвердится версия, что Шпыряк и в самом деле дал деру на Северный Кавказ, вы немедленно отправитесь туда, будете координировать работу тамошних коллег по его задержанию и поимке.

Глава 10

Гуров прибыл на работу задолго до восьми и с удивлением увидел Стаса, паркующего своего «мерина» на служебной стоянке.

Поставив рядом «Пежо», Лев Иванович поздоровался с другом, улыбнулся и спросил:

— Что, не спится?

— Ты не поверишь! Всю ночь по горам мотался за этим долбаным Шпыряком. Вот, кажется, уже все, поймали. А он — раз, и опять смылся! Мы снова за ним. Встал вот с таенной головой, весь измученный и вдребезги разбитый.

Они не спеша направились к управлению, то и дело пикируясь и подначивая друг друга. Лев Иванович поздоровался с судмедэкспертом Дроздовым, проходившим по коридору, как всегда величественно-задумчивым.

Потом он достал ключи от кабинета и вполголоса произнес:

— Сейчас заходим, и нам тут же звонит Петро. Спорим? — Гуров посмотрел на Стаса.

— А чего спорить-то? Я и сам это знаю, — с некоторой ленцой откликнулся тот.

Как бы подтверждая это предположение, на столе Льва Ивановича почти сразу же задребезжал телефон внутренней связи.

— Что и требовалось доказать, — поднимая трубку, пробормотал Гуров. — Да, Петро, здорово! К тебе на ковер? Да, уже идем.

Когда они вошли, Орлов, о чем-то размышляя, неспешно расхаживал по кабинету. Генерал выглядел усталым, но по нему было заметно, что всем сущим он вполне доволен.

При появлении приятелей Петр круто развернулся в их сторону, кивком указал на кресла и с интригующим подтекстом объявил:

— Так, мужики, есть интересные новости. С какой начинать?

— С наиновейшей! — усевшись и положив ногу на ногу, вальяжно изрек Крячко.

— Хорошо. — Орлов сел на свое место и, выдерживая паузу, побарабанил пальцами по крышке стола. — Вы сегодня отправляетесь в Краснодарский край. Конкретно — в Адлер. Крики «ура!» и аплодисменты по этому поводу не возбраняются. Билеты вам уже заказаны, вылетаете в тринадцать пятнадцать. Ближе к четырем будете на месте. Вас там встретят. Далее. Ваши усилия по разоблачению сутенерской банды оказались не напрасны. Вчера вечером наши одесские коллеги сработали достойно и сообщили очень важную информацию.

Как явствовало из повествования Петра, ему удалось-таки созвониться с отставным полковником Игнатенко. Тот, узнав о случившемся, охотно согласился помочь. Как позже уже сам Игнатенко сообщил Орлову, он задействовал все свои контакты и возможности, дошел даже до городского УВД.

Учитывая серьезный характер выявленного криминала, милицейское руководство выделило усиленную опергруппу, вместе с которой Игнатенко разыскал перевалочную гостиницу Сивяркина. Но там уже было пусто. Всех будущих секс-рабынь куда-то успели увезти.

Не теряя времени, одесские опера отправились на Табачную. Они без особого труда нашли особняк Гоши Копая и провели достаточно жесткий допрос, в итоге которого криминальный диспетчер был вынужден расколоться. Он признался, что шестьдесят девушек, в числе которых были уроженки России, Украины и даже Закавказья, минувшей ночью вывезли в порт, где тайком загрузили в трюм большого траулера. Как явствовало из ситуации, на торговцев живым товаром работали некоторые достаточно крупные чины, как таможенные, так и пограничные.

Рано утром траулер вышел из порта и отправился в Варну. Там у сутенерской мафии тоже имелись свои прихваты. Этот канал нелегального провоза секс-рабынь уже довольно давно работал без сбоев.

Прикинув время пути, Игнатенко понял, что это судно уже прибыло в порт назначения, о чем и сообщил Орлову. Уже не имея особой надежды на то, что это может иметь положительный исход, Петр созвонился с Вольновым. Он рассчитывал, что у Александра есть контакты в Болгарии. Оказалось, что связи у него там имелись, и очень даже неплохие. Он тут же набрал один из имевшихся у него номеров, и менее чем через полчаса болгарская полиция и пограничники вовсю шерстили траулер «Синий дельфин», прибывший из Одессы.

Проверяющие вскрыли один из трюмов и обнаружили там нечто жуткое. Девушки, усыпленные наркотиками, лежали плотными рядами на многоярусных нарах, сколоченных из досок. После этого около часа кареты «Скорой» развозили подневольных пассажирок по больницам города. Такого улова пограничники и полицейские не видели уже давно.

Капитан траулера и его помощник на допросе показали, что этим вечером за живым товаром должен был подъехать грузовой фургон. На нем секс-рабыни были бы отправлены в Косово. Часть из них предполагалось оставить в притонах Приштины. Других хозяева собирались отправить дальше, в Австрию и Италию.

Как ни упирался капитан траулера, но ему пришлось признаться, что подобный рейс по доставке невольниц в Варну он совершает не впервые. Этот субъект вынужден был назвать и косовского получателя живого товара. Им оказался тот самый Адриан Буджар, который около суток назад был убит в Варне.

Именно из-за того, что получатель «груза» не прибыл вовремя, невольницы избежали отправки в мучительное и позорное рабство, да и гибели тоже. Как выяснили полицейские, у всех девушек бандиты брали кровь для определения ее группы и тканевой совместимости. По сути дела, любая из них могла пойти под нож подпольного хирурга, чтобы после этого быть захороненной где-нибудь на косовском пустыре или в овраге.

— Так что, парни, вы можете записать в свой актив спасение шести десятков человеческих душ, — завершая свой рассказ, с нотками торжественности в голосе объявил Орлов.

— Ну и ты себе тоже можешь занести! — великодушно предложил Станислав.

— Ай, спасибо!.. Ай, утешил старика! — Петр улыбнулся. — Ладно, мужики, держать вас больше не буду. Сейчас получаете билеты, командировочные, едете домой за вещами и отправляетесь во Внуково. Счастливо!

Сидя в кресле самолета, Гуров смотрел в иллюминатор на земные просторы, раскинувшиеся далеко внизу. Совсем недавно они со Стасом летали на Дальний Восток. Было это около месяца назад, а такое ощущение, будто происходило в какой-то далекой, прошлой жизни. Как быстро летит время! И чем дольше живешь, тем сильнее оно ускоряет свой бег.

Теперь вот они со Стасом держат путь на юг, к Черному морю. Им уже доводилось там бывать. Отдыхать туда ездили, да и по работе. А теперь сыщикам предстоит провести задержание потомственного бандеровца и бандита со стажем, который в очередной раз пытается уйти от наказания. Да, теперь им со Стасом мороки будет через край.

Узнав об отъезде мужа на юг, Мария чуточку огорчилась. Во-первых, ее супруг опять исчезал на неопределенный срок, а во-вторых...

— Лева, я тоже на море хочу! — глядя на его сборы, почти жалобно объявила Строева. — Там сейчас хорошо — бархатный сезон, пляжи, фрукты. Ой, как же я устала от мегаполиса!

— Собирайся, поехали, — вскинув ремень дорожной сумки на плечо, простецки предложил Гуров.

В ответ Мария лишь сокрушенно вздохнула — когда?..

— Сегодня «Гранатовый браслет», завтра бенефис старейшего актера нашего театра, послезавтра постановка по Тургеневу, — перечислила она, загибая пальцы. — Нет, не суждено мне попасть на море.

«Когда вернемся, надо будет съездить с ней хотя бы на Клязьму, — рассудил Гуров. — А то в этих каменных джунглях и в самом деле запросто можно свихнуться».

Стас, как это бывало всегда, то и дело постреливал взглядом в сторону симпатичных стюардесс, нацепив на физиономию мину умиротворения и благодушия. О чем он думал в этот момент, сказать было трудно, но, скорее всего, вовсе не о предстоящей операции.

Лишь когда самолет чуть тряхнуло на воздушном ухабе, Крячко недовольно проворчал:

— Летунов-то, часом, не из лесовозов набирали?

Уже около трех часов дня равнина внизу сменилась холмистыми пространствами, а затем и горными хребтами. Еще через какое-то время вдали показалась бескрайняя синь Черного моря.

— Подлетаем. Адлер, — заметил Лев Иванович, покосившись в сторону приятеля.

— Да, доплюхали, — согласился Крячко, с хрустом потягиваясь и разминая руки. — Я не очень люблю такие дистанции хотя бы за то, что и хрен поспишь — времени маловато, и заскучаешь сверх меры. Это как в одном анекдоте. Хорошая штука унитаз, но не очень. Если попьешь, то не успеешь руки помыть, а если руки помоешь — не успеешь попить.

Когда они вышли из здания аэропорта, окруженного пологими возвышенностями, невдалеке от входа Гуров увидел парня в обычном штатском костюме, который, судя по всему, кого-то ожидал.

Лев Иванович сразу же обратил на него внимание, круто свернул к нему и негромко поинтересовался:

— Вы не из краевого Управления внутренних дел?

Тот закивал в ответ и сообщил, что он именно оттуда. Мол, я очень рад, что товарищи из Москвы так скоро нашли меня самостоятельно.

Сыщики сели в «Фольксваген» с обычными номерами и попросили отвезти их в городской отдел полиции. Машина вырулила на широкую трассу и помчалась по ней куда-то на юго-запад. По обеим сторонам дороги роскошно зеленела субтропическая растительность. В просветах между деревьями и над их макушками виднелись вершины далеких и близких гор.

Встречающий, назвавшийся Виталием Ребровым, в дороге рассказал москвичам о том, что человек, похожий на того, который фигурировал на фото, присланном в Адлер, минувшим днем был замечен на местном автовокзале. Об этом сразу же было сообщено в Главное управление уголовного розыска. Когда сержант, обнаруживший подозрительного типа, вознамерился проверить документы, тот, как видно, очень этого испугался и моментально растворился в толпе пассажиров. Сержант немедленно вызвал подкрепление, однако найти беглеца так и не удалось.

С учетом этого факта во всей здешней округе и Краснодарском крае в целом было усилено патрулирование. Особенно возле границы с Абхазией. Здешние оперативники тоже были уверены в том, что Шпыряк попытается скрыться именно на ее территории. Там ему затеряться было гораздо проще. Кроме того, оттуда можно нелегально перебраться в Грузию, откуда вытребовать его в Россию будет крайне непросто. Если вообще возможно.

Прибыв в городской отдел, гости из Москвы встретились с его руководством и коллегами из местного уголовного розыска. В ходе разговора выяснилось, что Шпыряка в Адлере видели дважды. После вчерашнего случая на автовокзале человека, похожего на того, физиономия которого красовалась на фото в ориентировках, развешанных по городу, ближе к вечеру увидел житель старого одноэтажного дома. Он обратил внимание на подозрительное сходство квартиранта своего соседа с человеком, объявленным в розыск. О своих сомнениях бдительный гражданин сообщил участковому. Тот пошел с проверкой, но оказалось, что квартирант, как видно, заранее почуял неладное и уже успел свалить в неизвестном направлении.

По общему мнению, Шпыряк вначале был уверен в том, что едва ли кто будет искать его именно здесь. Он решил некоторое время отлежаться в Адлере, чтобы потом, когда все уляжется, выбрать удобный момент и отправиться в Абхазию. Однако теперь этот фрукт, вероятнее всего, почуял преследование и постарается уйти как можно раньше. Вот только каким путем и когда?

Начальник ОВД закрепил за гостями Виталия с машиной и пообещал в случае необходимости выделить в их распоряжение опергруппу. Ну а пока было решено усилить режим патрулирования улиц Адлера, приказать участковым инспекторам активизировать проверку частного жилого сектора, сдаваемого внаем. Подкрепившись в ближайшем кафе, московские гости решили съездить к пограничному переходу, чтобы там, на месте, посмотреть режим несения дежурства и просчитать варианты того, насколько успешным могло бы быть нелегальное пересечение границы в этих горных краях.

Они загрузились в «Фольксваген» и помчались в южном направлении по столь же живописной дороге, что и между аэропортом и Адлером. Даже более того, когда машина время от времени взмывала на возвышенности, по правую руку было видно море. Отсюда оно казалось совсем близким — темно-синее, бескрайнее, бездонное.

У пограничного перехода было достаточно многолюдно. Особенно с абхазской стороны. Там стояло много транспорта, загруженного фруктами, предназначенными для продажи в России. С нашей стороны транспорт шел порожняком. Видимо, поэтому его было меньше.

Опера подошли к старшему наряда и поинтересовались, располагают ли он и его люди ориентировками на Шпыряка, вернее, теперь уже Коршунца. Тот подтвердил, что они уже предупреждены и очень внимательно отслеживают всех мужчин, пересекающих пограничный переход. Но на данный момент людей, похожих на типа, объявленного в розыск, пока замечено не было.

На вопрос о возможности нелегального пересечения российско-абхазской границы в каких-то других местах старший лейтенант, чем-то очень похожий на киношного начальника Чукотки в исполнении Михаила Кононова, ответил, что это очень даже сомнительно. По его словам, пограничники свое дело знают. Людей, объявленных в розыск, они выявляли уже не раз. А пробраться через горные хребты, не зная троп, не имея альпинистской подготовки, дело практически безнадежное.

Понаблюдав за работой пограничного перехода, опера решили вернуться назад. На ночь они разместились в небольшой гостинице с энтомологическим названием «Шмель». Поскольку до темноты было еще далеко, они взяли такси и доехали до ближайшего пляжа. К их немалому удивлению, фанатов морского купания там оказалось не так уж и мало. Приятели окунулись в соленую морскую воду, разогретую дневным солнцем, и решили до гостиницы пройтись пешком. Что значат для двух здоровых мужиков какие-то два-три километра?

Они не спеша шли вдоль дороги, обсуждая планы на завтрашний день. Коллеги из городского управления заверили их, что мимо здешних сотрудников МВД мышь не проскочит, муха не пролетит. Москвичам, дескать, просто надо ждать, когда искомый негодяй волей-неволей где-нибудь да засветится. Но московским полковникам было понятно, что залечь на дно тот может на неопределенный срок. Не месяц же его ждать?! А уж в том, что он, будучи напуган двумя своими проколами подряд, спрячется на неопределенный срок, сомневаться не приходилось.

— Бабла у него миллионы. С такими деньгами он сможет найти себе самое надежное лежбище, — размышляя вслух, философски заметил Гуров. — Так что наша командировка может вылиться в настоящий отпуск.

— Заманчивая мысль! Но мы не будем злоупотреблять доверием Петрухи. Тут что важно? Пусть участковые как следует обрабатывают частный сектор, особенно всевозможные клоповники, где погребов, закутков и прочей хрени — как у дурака фантиков, — категорично рассудил Стас.

— Как вариант годится, — согласился Лев. — Но это все та же затяжная долбежка, не дающая особой надежды на скорый результат. Надо придумать что-то нестандартное, совершенно неожиданное.

Иномарка с шашечками, пролетавшая мимо них, неожиданно затормозила.

Водитель выглянул в окно и залихватски объявил:

— Уважаемые сеньоры! Карета подана! Прошу занимать места, а то она рискует превратиться в тыкву. И вам ноги не бить, и мне немного заработать. Как?

Глядя в вечерних сумерках на этого доброхота на таксомоторе, опера на какой-то миг потеряли дар речи. Это был Шпыряк собственной персоной! Не отрывая от него взгляда, приятели как сомнамбулы шагнули к кабине, веря и не веря своим глазам.

Таксист оценил их реакцию по-своему, немедленно сменил тон и сурово уведомил:

— Мужики, если вы задумали что-то нехорошее, то зря. Шутить не советую! Монтировка под рукой, враз мозги вправлю!

— Погоди, не кипятись! — Стас нетерпеливо махнул рукой. — Мы не отморозки. Просто ты так похож на одного нашего знакомого, что вас не различить!

— Ну и что? Мало ли кто и на кого похож?! — Шофер недоуменно пожал плечами. — Так вы едете или нет?

— Едем-едем! — Гуров сел на переднее сиденье, приятельски улыбнулся и достал из кармана крупную купюру. — Вот тебе гонорар в порядке предоплаты, чтобы не было каких-то вопросов. Нам к отелю «Шмель». В общем, тут такое дело... Тебе в кино сниматься не доводилось? Ты не мог бы сыграть на видеокамеру человека, ошибочно задержанного полицией? Просто надо по телевизору хохму показать, разыграть одного клоуна.

— Мужики, вы мне как-нибудь поподробнее это растолкуйте. — Таксист с сомнением покосился на Гурова. — А то никак не въеду, в чем тут двойное дно и с какого боку я рискую отхватить кренделей.

— Двойного дна никакого, — с ходу уловив суть задумки товарища, заговорил Крячко. — Мы из Москвы, служим в Главном управлении уголовного розыска и сейчас проводим у вас одну операцию, о которой в подробностях рассказать не можем. Но человек, которого мы ищем, как две капли воды похож на тебя. Только ростом пониже. Кстати, вот глянь на ориентировку и сам скажи. — Стас достал из кармана листовку из серии «Находится в розыске».

— Охренеть! — Таксист удивленно покрутил головой.

— И эта твоя помощь, между прочим, будет оказана не за здорово живешь! — Гуров ткнул пальцем в потолок кабины. — За это тоже предусмотрен гонорар.

— Какой? — спросил шофер уже с нотками заинтересованности.

— Средний дневной заработок. Только не говори, что он у тебя сто тысяч, — откликнулся Станислав с заднего сиденья.

— Он у меня в среднем две пятьсот. — Таксист поморщился, называя эту сумму.

Лев Иванович понял, что такая замануха может не сработать, и поспешил спросить:

— Штрафов неоплаченных много?

— Тысячи на три, — сокрушенно сообщил шофер. — Скажу сразу: ничего серьезного нет. Так, по мелочам. Где-то малость скорость превысил под видеофиксатором, где-то не там остановился.

— Хорошо! Решим вопрос, чтобы их списали, — безмятежно улыбаясь, объявил Гуров.

— Правда, что ли?! — Таксист округлившимися глазами посмотрел на своих пассажиров, как на святых чудотворцев. — Если так, то отчего бы и не посниматься? Давайте! Где, как, во сколько?

Лев Иванович удовлетворенно кивнул и сказал:

— Телефончик свой оставь. Мы прямо сейчас начнем договариваться со здешними телевизионщиками, гаишниками, городским Управлением внутренних дел. Как только все концы с концами сведем — реально это будет завтра, — сразу же звоним тебе. Ты приезжаешь, тебя снимают в КПЗ, после чего до послезавтра отдыхаешь дома и нигде не показываешься, чтобы твой двойник случайно тебя не увидел. А то такая накладка может получиться, что всей нашей задумке кирдык придет.

— Ну и дела! Сколько таксую — первый раз такое! — заявил таксист, останавливаясь у подъезда гостиницы.

Опера поднялись к себе в номер и занялись каждый своими делами.

Стас включил телевизор и, созерцая какой-то местный конкурс красоты, замысловато, даже философски, прокомментировал недавнюю встречу с двойником Шпыряка:

— Если исходить из того, что случайности — это не до конца изученные закономерности, то встречу с этим таксистом стоит рассматривать как общеизвестный перст судьбы. Ну а ты вообще молоток — с ходу придумал классную комбинацию! У меня в голове что-то похожее тоже закрутилось, было дело, но ты быстрее сформулировал. Слушай, Лев, допустим, это все у нас получилось. По местному ТВ показали таксиста и объявили о задержании Шпыряка. На твой взгляд, есть гарантия, что он и в самом деле тут же ударится в бега? Куда именно рванет? Думаешь, ломанется через пограничный переход?

— Скорее всего. Применительно к ситуации, срежиссированной нами, для него это самый безопасный вариант. А посему для Шпыряка это станет финалом его похождений, — нажимая на кнопки сотового телефона, проговорил Гуров.

Лев Иванович позвонил на мобильник начальника городского управления, рассказал ему о только что происшедшей необычной встрече и своей задумке насчет того, как можно использовать двойника разыскиваемого преступника. Тот с ходу уловил всю оригинальность идеи, охотно ее одобрил и даже взялся утрясти с гаишниками вопрос по поводу штрафов таксиста.

На следующий день камера предварительного заключения городского отдела напоминала съемочную площадку. Таксист, доведенный гримерами до полного сходства со Шпыряком, сидел в «обезьяннике» и яро доказывал, что он не Евгений Антоновский, не Степан Шпыряк, не Коршунец, а совсем другой человек. Одновременно с этим опер, якобы отловивший его, настырно утверждал, что задержанный — особо опасный преступник, скрывающийся от правосудия.

Оба участника этой сценки сыграли свои роли чрезвычайно убедительно. Затем в кадр вошла телерепортерша, которая, стоя на фоне негодующего поддельного Шпыряка, выразила уверенность в том, что благодаря этому успеху адлерских полицейских в городе теперь станет намного спокойнее.

Московские полковники поблагодарили таксиста и отправили его домой. Время, оставшееся до вечера, они потратили на прогулки по городу, посещение пляжа и тому подобные оперативные мероприятия. Вечером Гуров и Крячко просмотрели по местному телевидению сюжет о задержании Шпыряка. Выглядел он очень естественно, без фальши и накладок.

— Ну и все, — глядя на телеэкран, насмешливо отметил Лев Иванович. — Крючок с наживкой заброшен, осталось дождаться хорошей поклевки.

Ранним утром приятели сидели в машине Виталия и внимательно отслеживали весь транспорт, проходящий мимо.

— Даю голову на отсечение: наш клиент поедет самым первым автобусом, — уверенно проговорил Гуров. — О, кстати, вот и он!

Вдали и в самом деле показался большой бело-синий автобус. Вскоре он остановился на площадке, где проводился досмотр. В салон вошли пограничники, а следом за ними и опера.

Лев Иванович внимательно осмотрел пассажиров и с досадой вынужден был констатировать, что Шпыряка в салоне нет. Но тут он обратил внимание на то, что в полностью забитом автобусе одно место в середине ряда отчего-то пустует.

— Кто-то из пассажиров опоздал или отказался от поездки? — спросил Гуров шофера.

Тот оглянулся, махнул рукой, хмыкнул и ответил:

— Минут пять назад один чудак с бородой и в очках вышел прямо на трассе. Сказал, что оставил дома включенный утюг. А сам побежал куда-то в горы.

— Где это место? — Стас сердито хлопнул себя рукой по бедру.

— Там билборд с рекламой зубной пасты... — начал объяснять шофер, но опера его не дослушали.

Они бросились к машине, которая через пару секунд на бешеной скорости умчалась в сторону Адлера.

Гуров едва успел сообщить «начальнику Чукотки» о том, что, вероятнее всего, в сторону границы ушел преступник, который наверняка попытается перебраться в Абхазию. Пограничник понимающе кивнул, достал сотовый телефон и быстро набрал чей-то номер.

Изготавливая свой «Стриж» к ведению огня, Лев Иванович сердито выдал:

— Вот скотина! Как же он почуял, что тут ему уготована ловушка?! Зараза! Чутье, как у зверя. Надо поставить в известность местную полицию, пусть высылают подкрепление. Желательно со служебно-розыскной собакой.

Гуров связался по сотовому с начальником городского отдела и в нескольких словах рассказал о происшедшем. Тот пообещал немедленно выслать усиленную опергруппу.

— Ничего, добудем этого зверя. Никуда он не уйдет! — категорично объявил Крячко, тоже доставая пистолет и передергивая затвор.

Увидев приближающийся билборд с чьей-то широкой улыбкой и неестественно-белыми зубами, Виталий ударил по тормозам, и машина замерла напротив опоры рекламного щита. Лев Иванович и Станислав разом десантировались из кабины и ускоренным шагом двинулись вправо, в сторону горного массива.

— Мне тоже с вами? — выйдя из кабины, громко спросил Ребров, глядя вслед операм, взбирающимся по каменистому косогору.

— Жди подкрепление, покажешь им, куда идти! — оглянувшись на ходу, распорядился Гуров.

Они почти бежали вверх по крутому склону, изобилующему валунами, между которыми пробивались трава и кустарники. Неожиданно Лев Иванович увидел примятый стебель какого-то высокого мелколистного растения с желтыми цветками. Он присмотрелся, определил, что стебель был притоптан не более десяти минут назад, и махнул рукой Стасу, поднимающемуся параллельным курсом.

— Все в порядке! Он тут проходил! — сообщил Гуров. — Думаю, далеко уйти не успел.

— Слышь, Лева! Если он вооружен, то как бы нам не попасть под прицельный огонь. Знаю я эту гнилую братву — от нее чего хочешь можно ждать! — отдуваясь и фыркая, как тюлень, купающийся в проруби, откликнулся Крячко. — Где-нибудь затаится и в спину, сука, шмальнет.

— Да, это не исключено. — Гуров огляделся, вдруг вскинул пистолет и нажал на курок.

Грянул выстрел.

Стас взглянул в сторону товарища и недоуменно поинтересовался:

— Лева, ты чего?!

— Глянь вон на те камни, — Гуров указал на груду валунов, высившуюся метрах в ста впереди. — Там что-то мелькнуло. Давай обходить с двух сторон!

Сказал он это нарочито громко, даже прокричал. Тотчас же из-за этой груды в расщелину между огромными глыбищами камня кинулся какой-то человек. Он на ходу поспешно вскинул руку и нервно дважды подряд нажал на курок пистолета. Грохнули выстрелы. Пули с отрывистым цоканьем влепились в камни где-то за спинами оперов.

Теперь началась настоящая погоня со всеми ее непременными атрибутами. С беготней и жарким потом по спине. С перестрелкой и угрозой получить нежданную пулю, постоянно реющую где-то рядом. С азартом смертельного риска, разогревающим кровь до температуры вулканической лавы, и бесшабашной настырностью, достойной какого-нибудь завзятого сорвиголовы.

Опера с первых минут в самой полной мере осознали, что противник им достался незаурядный. Он был и вынослив, сообразителен, проворен и агрессивен, как крыса, попавшая в западню. Шпыряк умело использовал естественные укрытия и своевременно менял свою позицию, совершая короткие перебежки и долгие марш-броски через низины и ложбины.

Но и его преследователи были людьми подготовленными, знающими все нюансы и тонкости проведения подобных операций. Их неутомимость и сноровка, умение выявлять и использовать слабые стороны противника, готовность к разумному риску, хладнокровие и выдержка постепенно начали давать свои результаты.

С какого-то момента Шпыряк занервничал. Его отступление стало куда менее организованным и гораздо более хаотичным.

Опера сразу же почувствовали эту перемену. Их продвижение по его следам стало куда более решительным и жестким. Все чаще между каменистыми холмами и острыми пиками скальных уступов грохотали выстрелы. Шпыряк теперь стал допускать ошибки. Он все чаще спотыкался, издавал истеричные вопли, выпускал пулю за пулей в сторону преследователей.

Он кипел яростью и ненавистью к этим двум настырным ментам, которые, несмотря на свои полковничьи погоны, были не чета раскормленным чинушам с пузом как на девятом месяце беременности. Эти полковники с их по-молодому легким, пружинистым шагом, позволяющим перемещаться почти бесшумно, с их гибкостью и великолепной реакцией, не говоря уже об остром зрении и твердости руки, профессионально-точно удерживающей оружие, повергали беглеца в настоящую панику.

Шпыряк знал, что пристрелить его любой из этих двоих мог бы уже давно, но они хотели взять его живьем! Вот это-то и страшило преступника больше всего. Следствие, суд, бездна сомнений и надежд, необходимость отвечать на неприятные, колючие вопросы этих клятых москалей. Что может быть хуже? Ему припомнят все его дела — сутенерство, убийство малолетних невольниц и конвоиров, раскопают все то, чем он занимался в прошлом.

Даже прожив половину своей жизни в России, Степан не забывал, что он назван в честь батькиного кумира. А тот всегда дрался с москалями, ненавидел их. Вот и он пусть и по-своему, но тоже воевал против них, отправляя в рабство и на смерть этих глупых москальских девок.

Правда, среди его жертв было немало уроженок Украины, в том числе и его родных краев. Ну и что? Ему было на это наплевать. Только те люди, которые следовали заветам великого Степана Бандеры, были достойны права жить и вершить судьбы других. Все прочие, пусть даже трижды украинцы, — все равно москали. Они подлежали идейной перековке или истреблению!

А еще он должен кровью москалей смыть свой тщательно скрываемый позор. Ведь даже на смертном одре не забыть, как его когда-то опускали в тюрьме за то, что он летним вечером перебрал горилки и затащил к себе в клуню соседскую девчонку Маричку Чумаченко. Но к чему вспоминать о том, что было там, если в сознании раскаленной занозой засело то, что произошло потом?! Он вошел в тюремную камеру и сразу же увидел десятки глаз, нацеленных в его сторону.

К нему подошел здоровенный мужик в тельняшке и хриплым басом неприязненно спросил:

— Так это ты девочку испортил? Бедная Маричка! — с грубоватым сочувствием произнес он. — Ну да ладно. Снимай штаны, давай знакомиться!

Волна панического ужаса пробежала по спине Шпыряка. Он никак не предполагал, что здесь о нем уже знают все, даже имя его жертвы!

В этот момент Шпыряк вдруг вспомнил, как она, плача, бросила ему в лицо:

— Будь ты проклят! Чтоб ни роду тебе, ни племени!

Вот и начало сбываться ее проклятие. Сразу несколько пар крепких рук схватили его с разных сторон, куда-то понесли, на ходу стащили штаны и повалили на нары. Кто-то задрал его голову и кастетом из толстого плексигласа выбил верхние и нижние резцы. А потом!.. Святые праведники! Нет, лучше не вспоминать!.. Это был настоящий ад, который и в дальнейшем повторялся не единожды, до самого конца отсидки.

Тем вечером он пришел в себя, едва нашел в себе силы добраться до двери и постучать охране. Вскоре в камеру вошли двое надзирателей. Они взяли его за руки, даже не дали натянуть штаны, и оттащили в тюремный лазарет как какой-нибудь хлам на помойку. Когда через две недели Шпыряк вернулся в камеру, на его ягодицах тут же были вытатуированы саксофон и виолончель.

Выйдя из тюрьмы, он не пожалел денег, чтобы избавиться от этих позорных меток кошмарного тюремного бытия. Да и протезирование выбитых резцов обошлось очень недешево.

Отстреливаясь и убегая, Шпыряк вдруг осознал, что проклятие Марички сбылось полностью. Он так и не смог создать семью, свое продолжение, стал последним в роду. Что теперь сын скажет там своему батьке, уже давно умершему Адаму Шпыряку? Ради чего он жил? За что будет умирать? За идеи Степана Бандеры?

Но к чему брехать самому себе про идеи и свою личную войну с москалями? Это была его личная война не с ними, а с самим собой. Он сам себя убил в тот момент, когда, одержимый пьяной похотью, схватил Маричку за руку.

В какой-то момент Шпыряк огляделся по сторонам и с удивлением обнаружил, что каким-то непостижимым образом вновь оказался у автомобильной трассы между Адлером и пограничным переходом. Он даже не заметил, как описал дугу по каменистым нагорьям и вышел к шоссе. Шпыряк выглянул из-за стены кустарника и увидел несколько машин с полицейскими мигалками, стоявших на дороге. Глядя на них, беглец злорадно рассмеялся. Все эти менты побежали в глубину горной гряды, даже не догадываясь, где он сейчас на самом деле. Эх, если бы не эти два приставучих мента, то вообще все было бы здорово. Кстати, а где они?

Словно откликаясь на его вопрос, где-то в отдалении послышался осторожный хруст ветки. Черт! Опять эти москали! Шпыряк сунул руку в карман и вспомнил, что запасную обойму он уже вставил и даже наполовину опорожнил. Он испытывал раздражение от того, что у «ПМ» такой малый боезапас — всего каких-то восемь патронов. Попробуй повоюй с ними! Беглец пригнулся и опрометью перескочил через трассу, едва не попав под колеса бешено мчащейся «Шкоды».

Он снова ушел в заросли кустарника и помчался в сторону моря. Все правильно! Там, вдоль береговой линии, много зелени и каменных лабиринтов. Вскоре можно будет оторваться от преследования.

Продолжая бежать в ту сторону, откуда долетал соленый ветер, несущий с собой дыхание моря, Шпыряк с удивлением обнаружил, что эти места чем-то ему удивительно знакомы. Точно! Он когда-то уже был здесь. Ни хрена себе! Да это же то самое место, где лет пятнадцать назад они на пару с его тогдашним корешем Юликом Мокрым, уже отправившимся на тот свет из-за передоза, поимели одну молоденькую телку. Да, так оно и было!

Они ехали из Адлера в Абхазию. У них были дела в Гаграх по части покупки стволов для перепродажи в Москве. Братки увидели на пустынной окраинной улочке города какую-то молоденькую девчонку, по виду скромную и застенчивую, без церемоний затащили ее в салон машины, а потом вот здесь, на этом самом месте, по очереди с ней позабавились.

Шпыряк, наученный прежним опытом, не пожелал оставлять живого свидетеля. Он собственноручно подтащил отчаянно упирающуюся и плачущую жертву к краю каменистого обрыва и сбросил ее вниз.

Неожиданно ему стало страшно до леденящей жути. Он вдруг подумал, случайно ли попал сюда. Чувствуя, как по его спине заходил мороз, Шпыряк оглянулся и с ужасом увидел... ту самую девчонку! Она была в том же самом платье, изорванном ими, только ее лицо было покрыто запекшейся кровью, вытекшей из проломленной головы. Видимо, при падении девчонка ударилась теменем о камень. Глаза ее были закрыты, но он чувствовал: она его видит!

Леденея от ужаса, Шпыряк попятился, пытаясь понять, это происходит в самом деле, наяву или же он просто бредит? Беглец уже и думать забыл о своих преследователях, поскольку видел перед собой нечто куда более ужасное: свое давнее преступление, вдруг материализовавшееся. Девушка неожиданно открыла мутные глаза, светящиеся чем-то потусторонним, изобразила кошмарную улыбку смерти и направилась к нему, протягивая голые кости рук.

Шпыряк взвыл и совсем потерял голову. Он метнулся назад, сорвался с края обрыва и камнем полетел вниз.

В самый последний момент Шпыряк успел увидеть оперов, выбежавших из чащобы. Глядя на его лицо, перекошенное безумием, они озадаченно замерли. Было яснее ясного, что у беглеца сорвало крышу.

Когда Шпыряк с душераздирающим воем исчез за краем обрыва, Гуров устало вытер пот и с досадой лаконично резюмировал:

— Кирдык!

— Думаешь, готов? — Стас недоверчиво прищурился.

— Даже если и не свернул шею, то суду он теперь уже не подлежит. — Лев Иванович сунул пистолет в подмышечную кобуру и разочарованно махнул рукой: — Ладно, пойдем глянем.

Друзья подошли к краю обрыва и увидели далеко внизу картину, весьма непростую для восприятия. Шпыряк висел, попав головой в развилку молодого дерева, выросшего прямо на склоне, развернувшись туловищем на сто восемьдесят градусов. Его неестественно вытянутая шея была скручена штопором. В этом райском уголке адская смерть настигла идейного бандита и абсолютно безнравственного мерзавца Степана Шпыряка. Она избавила его от суда человеческого, но ускорила другой, не нуждающийся в прокурорах и адвокатах, не знающий жалости и снисхождения к таким нелюдям, в отличие от земного, либерального и толерантного.

Гуров, Крячко и Александр Вольнов сидели в кабинете Петра Орлова, баловались терапевтическими порциями доброго коньячка и обсуждали недавние события. Генерал был несколько раздосадован тем фактом, что Антоновского-Шпыряка живым задержать не удалось. Но его радовало и воодушевляло то обстоятельство, что операция по разоблачению мафиозной структуры, занимавшейся торговлей живым товаром, прошла успешно. Было задержано не менее трех десятков членов этого криминального сообщества. Еще десятка полтора преступников, от рядовых «быков» до главарей весьма высокого ранга, было объявлено в федеральный и международный розыск.

Как сообщили Орлову из Одессы, там также было задержано более десятка членов сутенерской мафии. Все они взяты под стражу, по их деятельности проводится следствие, в перспективе негодяев ждут суд и отсидка в тюрьме.

— Нет, мужики, об этом и не мечтайте. — Вольнов невесело усмехнулся и покачал головой. — Не успеют они сесть. Думаю, не позже середины зимы их отпустят, да еще и объявят национальными героями.

Собеседники Вольнова, крайне удивленные услышанным, недоуменно уставились на него.

Генерал спросил:

— Саша, ты это серьезно?! Какие тому могут быть основания?

Без всякого намека на шутку или намерение устроить розыгрыш Александр пояснил, что нынешнюю ситуацию на Украине его контора отслеживает постоянно. Ее прогнозы относительно грядущих событий в соседней славянской стране никак не располагают к оптимизму. Прежде всего из-за коррумпированности и политической непоследовательности официальной власти. Первое лицо государства, проходящее в оперативных документах под псевдонимом Дятел, давно уже не внемлет здравому смыслу.

— Он слишком увлечен своими шкурными делами, чтобы здраво оценивать происходящее и принимать какие-то превентивные меры, — с горечью пояснил Вольнов. — Президент позволяет чинушам, приближенным к нему, безнаказанно хапать госбюджет. Олигархи творят полный финансовый беспредел, а те персоны, которые удалены им от кормушек, совместно с американцами готовят государственный переворот. Вы в курсе дела, что янки только по официальным данным вложили в путчистов более пяти миллиардов долларов? А по неофициальным — все пятнадцать. Именно через те НКО, которые финансировали развал и войну в Югославии, мятеж в Ливии, Сирии, многих других странах. Кстати, и у нас этой швали через край!..

— Ну, наши-то верхи вроде бы как-то уже взяли их под контроль, — проговорил Гуров и озабоченно нахмурился.

— А толку? — Александр саркастично усмехнулся. — Взяты под контроль только официальные каналы поставки денег, а сколько неофициальных? Где реальный контроль за их расходованием? Его в полном объеме как не было, так и нет! Имея за пазухой гадюку, очень трудно надеяться на то, что она тебя однажды не укусит. А если этих змеюк десятки?! Строго между нами скажу, что в отдельных случаях наши не хуже Дятла миндальничают и заигрывают с теми, кого давно бы пора вышвырнуть за границу. Доиграемся!

— Саша, ну а по одесским сутенерам-то что ты хотел сказать? С какого бодуна их от тюрьмы отмажут? — напомнил Станислав.

Вольнов согласно кивнул и продолжил. По мнению аналитиков его ведомства, Евросоюз и американцы последнее время засуетились неспроста. На Украине готовится сценарий, похожий на ливийский и южноосетинский. С середины минувшего лета Украину усиленно стали заманивать в Евросоюз, обещая ей всевозможные блага. Официальные власти страны прекрасно понимают, что все эти обещания гор златых — не более чем элементарное жульническое разводилово лохов. Но все тот же Дятел пытается проводить политику «и нашим, и вашим».

Он пока не предпринял никаких реальных шагов по вступлению в Таможенный союз, объективно выгодному Украине, зато заигрывал с европейскими чиновниками. Если бы Дятел решился на вступление в ТС, а еще лучше и в ОДКБ, это позволило бы ему избежать очень многих бедствий. Но он, скорее всего, будет продолжать политические игры, и это станет началом его собственного конца.

— Многие ли знают, что уже несколько лет подряд на территории Польши и Литвы, в специальных натовских лагерях усиленно подготавливаются боевики бандеровских УНА-УНСО, которых готовят к полномасштабным боевым действиям на территории Украины? А это реальный факт. — Александр тяжело вздохнул. — Дятел обречен уже сейчас. Его может ожидать судьба Милошевича или Каддафи. Если только он не успеет укрыться в России.

По его мнению, американцы еще в семидесятых-восьмидесятых годах весьма успешно использовали засилье бандеровских недобитков в западных областях Украины. Уже тогда там раздувалась зоологическая русофобия. Методики австрийских иезуитов, отработанные веками, позволяли оболванивать молодежь. К нынешней поре уже обучены многочисленные отряды фашиствующих штурмовиков, готовых хлынуть на восток Украины, чтобы и там установить свои порядки. Как считают эксперты ФСБ, жители этих территорий ненавидят бандеровщину, но запросто могут быть ею смяты. Националисты вооружены и организованы, а вот юго-восток от Одессы до Харькова разобщен. В частности, еще и из-за того, что искусственно разбавлен уроженцами западных районов Украины, которых не одно десятилетие целенаправленно переселяли в русскоязычные области.

Поводом к мятежу станет вполне объяснимое возмущение населения засильем коррупции и ухудшающейся ситуацией в экономике. Начнутся демонстрации, внешне мирные, но с радикалистскими лозунгами. Потом начнутся акции неповиновения. Можно сказать заранее, что Дятел, заигрывающий с Евросоюзом, не посмеет предпринять каких-то жестких, радикальных действий, укротить оранжевую смуту.

— А что же наши? — спросил Петр и подпер голову крепко сжатым кулаком.

— А наши тоже во многом являются заложниками ситуации. — Вольнов развел руками. — Они не хотят повторения горького опыта Олимпиады восьмидесятого года, которую американцы фактически сорвали под визготню об Афганистане. Помните же их так называемую альтернативную Олимпиаду в Лос-Анджелесе, где спортсменов поселили в наспех отремонтированной тюрьме? В Сочи вложены сотни миллиардов рублей. Это в определенном смысле не только культурный, но и очень масштабный экономический проект, призванный в недалекой перспективе окупить все сделанные вложения. Пустить его под откос просто никак нельзя. Мы можем действовать чисто дипломатическими методами. Но если бы Дятел не был дятлом, то ему и это стало бы хорошим подспорьем.

Александр отметил, что Дятел, к примеру, мог бы уже сейчас, в сентябре, наглухо закрыть свою западную границу и воспрепятствовать въезду подготовленных бандитов и ввозу оружия. Он вправе запретить деятельность НКО, но ничего этого не сделает.

— Пик мятежа придется на февраль, на дни сочинской Олимпиады, — убежденно констатировал Вольнов. — Это повтор две тысячи восьмого года, когда Саакашвили во время открытия Олимпиады в Пекине напал на Южную Осетию. Американцы и их холуи склонны к шаблонам. Что будет дальше? Крах государственных структур, приход к власти ставленников Запада. Начнется разгул бандитизма, как политического, так и чисто уголовного. Из тюрем будут выпущены преступники, разумеется, пострадавшие от тоталитарного режима. В первую очередь уроженцы западных областей Украины. Среди сутенеров, задержанных в Одессе, подавляющее большинство составляют именно бандеровцы. Так что, мужики, боюсь, тамошним честным и порядочным правоохранителям очень скоро придется самим спасаться от разгулявшейся мрази.

— Неужели все так безнадежно? — с горечью в голосе спросил Гуров.

— Отчасти, — Александр ободряюще улыбнулся. — Националисты споткнутся о Крым и Севастополь. Там люди еще не забыли о том, что они — часть России. Жители Крыма уже сейчас требуют от Дятла вступить в Таможенный союз. Жаль, что он их не слышит. Думаю, случись бандеровский переворот, они с этим мириться не станут. Крым гарантированно уйдет к России.

— А войну это не спровоцирует? — спросил Орлов и выжидающе прищурился.

— А войны нам в любом случае не миновать — хоть большой, хоть малой, — Вольнов пожал плечами. — Это и есть главная задумка либерального Запада — чужими руками жар загребать, чтобы славяне убивали славян. Еще во времена Ющенко его прихвостни заявляли о том, что Украине должны принадлежать земли Дона, Кубани и Терека. Слышали же? Кстати, по нашим оперативным документам он проходил под псевдонимом Корявый. Только, во-первых, ситуация-то сегодня такова, что украинская армия, по сути, развалена. Во-вторых, все ли пойдут воевать против России за интересы бандеровской верхушки и ее западных хозяев? И третье. Главари понимают: случись заваруха, им придется очень туго. Мы просто обязаны будем очистить всю территорию Украины от бандеровщины. — В этот момент в кармане Александра запиликал телефон.

Он выслушал собеседника, усмехнулся и с таинственным видом сообщил:

— Вот он и достиг своей цели. Я имею в виду нашего неуловимку. Мне сейчас сообщили, что ему удалось найти свою дочь.

По словам Вольнова, о причастности Гайдукова к убийству ряда крупных преступников, имеющих самое прямое отношение к сутенерскому бизнесу, в ФСБ догадывались изначально. Усилиями помощников Александра было найдено заявление Гайдукова об исчезновении дочери и отказ в возбуждении уголовного дела по причинам недоказанности факта ее похищения для продажи в секс-рабство.

Когда в Варне были убиты сразу трое косоваров, в числе которых оказался главарь крупнейшей группировки, занимающейся торговлей живым товаром, по почерку человека, проводившего ликвидацию, стало ясно, что это профессионал высочайшего класса. С учетом ситуации можно было смело предполагать, что без Гайдукова тут не обошлось.

Вольнов задействовал свои контакты в полиции и спецслужбах ряда балканских стран, в том числе Сербии. Ему удалось выйти на одного из умеренных косовских главарей, который рассказал историю русской девушки, доставленной в Косово год назад.

Как явствовало из его слов, несмотря на насилие, совершенное над ней, и зверские побои, она не сломалась подобно многим другим и наотрез отказывалась становиться проституткой. Сутенеры надеялись, что уломать невольницу удастся в Италии. Уж очень ценным товаром она им казалась. Ее переправили в Турин. Там девушку держали в нелегальной гостинице, использовавшейся в качестве борделя. Хозяева планировали накачивать ее наркотиками и продавать богатым селадонам.

Она попыталась бежать через окно. Охранник заметил это попробовал схватить девчонку и вернуть ее назад. Вырываясь из его рук, она упала с пятого этажа и сломала позвоночник.

Больше тот косовар ничего не знал.

О том, что было дальше, Вольнову стало известно уже из других источников. Две монахини из католической клиники для бедных случайно оказались неподалеку от несчастной девушки. Они вызвали «Скорую» и отвезли ее к себе. Вскоре туда заявились какие-то люди, которые хотели забрать из больницы новую пациентку. Но они узнали, что она из-за шока не способна сказать ни слова, скорее всего, вообще не выживет, и сразу же ушли.

Однако девушка выжила. Речь к ней так и не вернулась, у нее не было никаких документов. Но монахини как-то сразу догадались, что их подопечная родом из России. Ее звали просто и без затей — «Русской».

Было это год назад. За данное время о судьбе Маши стало известно одному начинающему журналисту крупного, весьма популярного итальянского издания. Он навестил ее в палате, после чего организовал сбор средств на лечение. Откликнулись многие. Девушке сделали операцию и перевели в реабилитационный центр.

Журналист постоянно ее посещал и всячески поддерживал. Благодаря его помощи она начала ходить. Со своим новым другом девушка общалась на бумаге. Она что-то писала ему по-английски, но журналист не распространялся об этом.

Пару дней назад он пришел к ней с каким-то представительным господином. По свидетельству очевидцев, девушка заплакала от счастья, обняла визитера и даже наконец-то сумела что-то сказать. Причем говорила она именно по-русски. Почти сразу же после этого все трое куда-то бесследно исчезли.

Надо сказать, что очень даже вовремя. Час спустя в реабилитационный центр заявились четверо небритых типов уголовной наружности, которые говорили по-итальянски с сильным албанским акцентом. Визитеры объявили, что являются родными братьями русской пациентки и хотели бы забрать ее домой. Но монахини огорчили их. Ни девчонки, ни ее друга-журналиста в клинике уже не было.

— Вот такая, мужики, необычная история со счастливым концом, — заявил Вольнов. — Думаю, этот итальянский журналист оказался очень неравнодушен к Маше. Именно он сделал так, чтобы к ней приехал отец. Они сейчас наверняка где-то далеко как от России, так и от Италии. Например, в Бразилии или Аргентине, где есть достаточно большие итальянские диаспоры. Там они без проблем могут скрыться от наших следственных органов и от косовской мафии.

— Кстати, о мафии! — Петр вскинул указательный палец. — Сейчас по ТВ должно идти журналистское расследование о деятельности косовской мафии на Балканах и по всей Европе. Ну-ка, чего там?

Он щелкнул пультом. На экране появилась небритая физиономия какого-то типа лет сорока пяти с автоматом в руках.

— О! Кусимх Таглут, главарь самого крупного косовского клана наркоторговцев, — пояснил Александр. — Сволочь и мразь, каких поискать.

Орлов прибавил звук, и собеседники услышали сиплый голос косовского бандита, сопровождаемый синхронным переводом:

«Я обращаюсь к своим братьям по оружию на Западной Украине, к единоверцам на Ближнем Востоке и на Кавказе. Сокрушим же ненавистную нам Россию, сотрем ее с карты мира. Русские, знайте: скоро мы придем к вам!»

Ценник для генерала

РОМАН

Глава 1

Владимир Маркович Рыбников спустился по ступеням, придерживаясь за поручни, машинально кивнул проводнице и проговорил обязательную фразу:

— Спасибо вам. До свидания!

Он смотрел и не узнавал ничего вокруг, вдыхал этот воздух с волнением юноши, пришедшего на первое в своей жизни свидание. Пинск! Белорусское Полесье! Как давно и вместе с тем совсем недавно все это было.

Тридцать лет назад, в далеком 1978 году, Володя садился здесь в поезд молодым сержантом, дембелем. Полтора года он прослужил в части, расположенной в нескольких десятках километров от города. Теперь Владимир Маркович — генерал-майор в отставке, а волнуется так, как будто его только что высадили из вагона, пришедшего с Украины, где он полгода отбарабанил в учебном центре связи в Павлограде.

Да, вокзала не узнать. Перроны как игрушечные. Над головой навес из поликарбоната, под ногами цветная тротуарная плитка. Само здание с большими буквами «ПІНСК» похоже больше не на железнодорожный вокзал, какими Рыбников привык их видеть в других городах, а на три дорогих элитных коттеджа, построенных впритык друг к другу.

В здании Рыбников задерживаться не стал, а сразу вышел на просторную и какую-то пустую привокзальную площадь.

— Рыба! — тут же раздался голос справа. — Рыба, здорово!

Рыбников обернулся и увидел двух солидных мужчин, спешащих к нему. Оба в обычных летних куртках, один в джинсах, которые на его грузном теле смотрятся не очень-то элегантно. Первый почти совсем лысый, второй с седой шевелюрой и такими же усами. Рыбникову стало несколько неуютно в своем дорогом костюме и галстуке. Вдобавок он их не узнавал. Эти пятидесятилетние мужчины сильно отличались от худощавых молодых парней в выгоревших полинялых хэбэшках и кирзачах.

— Что, не узнаешь? — Лысый дядька довольно засмеялся. — Изменились мы, конечно. А ты вообще аж генералом стал!

И все! По глазам, по знакомой артикуляции он, конечно же, узнал Муху — Сашку Мухина — и Леху Богомазова — Волжанина.

— Здорово, мужики! — как тогда, тридцать лет назад, сказал Рыбников и по очереди крепко обнял бывших сослуживцев. — Да, постарели мы, деваться некуда. Чего же вы современных фотографий на «Однополчанах» не разместили? Я мог и не узнать вас теперешних.

— Узнал же. — Богомазов прошелся пальцем по седым усам. — Так что?.. Поехали?

— А какой маршрут? Вы с Лехой писали, что тут в школе музей нашей части открыли.

— Да, в прошлом году. Только мы тоже на торжество не попали.

— Может, в гостиницу сначала? — спросил Рыбников, кивая на свой чемодан. — Барахло кинуть, а потом уж по местам, так сказать, боевой славы.

— Не-не-не, Рыба, — решительно запротестовал Леха, щуря серые глаза под белесыми ресницами. — Сюрприз тебе будет, генерал. Хороший стол под яблоньками, банька и душистый самогон.

— Чего-чего? — Рыбников остановился. — Стол под яблоньками?

— Конечно. А скажи-ка, ты Олю Синицкую не забыл? Старую любовь?..

— Неудобно как-то, — пробубнил Рыбников и насупился. — Столько лет прошло. Да и расстались тогда не совсем правильно. Мы с ней немного переписывались потом. Она ждала, а я... Да и писать перестал первым. Получается, что поморочил бабе голову и дал деру.

— Ладно, не мудри лишнего. — Мухин, как и прежде, ухмыльнулся, глядя на сослуживца снизу вверх. — Что было, то прошло. Она так рада нам! Это же молодость! У Ольги дочь сейчас старше ее самой в то время. Тридцать лет прошло!

Рыбников смотрел на своих постаревших однополчан. Чтобы согласиться, ему понадобилась всего минута. Но за это время он вспомнил все: свой узел связи, курилку, клуб. По выходным они смотрели там фильмы, а потом вываливали в темноту белорусской ночи и стреляли друг у друга сигареты. Так сладко было после полутора часов фильма сделать несколько затяжек, прежде чем последует команда построиться.

А еще он почти с нежностью вспомнил ту большую сковороду, которая бережно хранилась в радиомастерской. Грибы росли в Беларуси везде и в большом количестве. Не надо было выбираться за колючую проволоку, достаточно просто походить на задах пять минут. На жареху набирали без особого труда. Потом ребята разводили костерок. Кто-то, чаще всего Муха, бежал на кухню с майонезной банкой за подсолнечным маслом, несколькими картофелинами и хлебом.

Картошка, жаренная с грибами, была удивительно вкусной. Конечно, к концу первого года службы солдаты привыкли и к армейскому рациону, и к количеству пищи. Никто от голода не страдал, но эта сковорода сближала, создавала свой маленький дружеский мирок.

К Лехе Богомазову сразу прилепилась кличка Волжанин. Он был широким в кости, светловолосым, с припухшими губами, как будто потрескавшимися от солнца. Парень всегда добродушно улыбался. Он так и виделся Рыбникову в старых штанах, закатанных до колен, в широкополой соломенной шляпе и с удочкой в руках. Откуда взялась в представлениях шляпа, Рыбников долго не понимал, пока не увидел в каком-то фильме образ рыбака с Волги.

Муха, как все звали Сашку Мухина, был его полной противоположностью. Темные волосы удивительным образом росли у него почти от самых бровей. Этот невысокий парень всегда ходил вразвалочку, пилотку или шапку носил набекрень и слыл великим насмешником. Нет, не ехидным и злым, а добродушным и веселым. Он первым начинал хлопать приятелей по плечам и спине, если они обижались на его шутки, да и сам не дул губы, когда становился мишенью для чужих приколов.

Все было: боевое дежурство, наряды по роте, воскресные соревнования по кроссу на лыжах, футбольные встречи с соседним подразделением — батареей боевого обеспечения, сокращенно ББО.

Были и девушки. Те из них, которые носили форму, с солдатами дружбы не водили. Они общались с офицерами и прапорщиками, которых солдаты в разговорах между собой часто называли «кусками». Но были и вольнонаемные девушки, жительницы соседних сел.

Оля Синицкая работала продавщицей в магазинчике во втором дивизионе. На той площадке, где размещался штаб полка и подразделения управления, своей бани не было. Поэтому солдаты с узла связи и ББО по субботам ходили через лес в баню второго дивизиона. В тамошнем магазинчике Рыбников и познакомился с Олей.

Теперь ему пришлось соглашаться. Отставному генералу было даже немного приятно, что кто-то все за него подумал, что не нужно принимать решений, можно беззаботно окунуться в воспоминания своей молодости.

Они заехали на улицу Черняховского. Там стояла школа, в которой в прошлом году был открыт музей их части.

Потом шумная компания мужиков, которые в разные годы служили в полку, на арендованной «Газели» отправилась в лес. Туда, где до 1989 года размещалась их часть.

Грунтовые дороги заросли кустарником. Сохранились только те из них, которые соединяли соседние села. Они проехали деревянный магазинчик, знакомый всем еще со времен службы и за эти годы внешне ничем не изменившийся. Потом было посещение развалин на месте первого дивизиона. Вслед за этим «Газель» проехала через мосток, за которым Рыбников со сжавшимся сердцем увидел знакомый синий домик.

— Это потом! — заявил Муха, сидевший за спиной Рыбникова. — Сначала по местам боевой славы. Сюда уже несколько лет в день части, двадцать второго сентября, съезжаются сослуживцы.

200

Дорога, некогда хорошо накатанная, теперь стала узкой. Рыбников помнил ее. Она плавно изгибалась среди высоченных сосен, соединяя два дивизиона, штаб полка, ангары, где хранились боеголовки.

Богомазов вдруг пихнул его локтем в бок и показал пальцем вперед и влево. Да, именно отсюда они каждый день строем выбегали на утреннюю пробежку. Открывались ворота КПП, и топот кирзачей уносился в сторону второго дивизиона. Потом назад. Вслед за этим зарядка напротив входа в казарму.

— От КПП ничего не осталось, — сказал Рыбников, кивнув в сторону фундамента, разрушенного и поросшего травой.

— Крепись, — Мухин усмехнулся. — Тут почти ничего не осталось.

Они вышли из «Газели» и с замиранием сердца зашагали через траву туда, где виднелся холм бункера командного пункта ракетного полка. Там же сидели радисты и сам сержант Рыбников. От казарм узла связи и ББО не осталось почти ничего, только небольшие холмики среди высоких ровных сосен. В эти самые стволы они когда-то, пока не видит старшина, кидали штык-ножи. Слева две стены. Это все, что осталось от домика, в котором располагались финчасть и строевой отдел. Здания штаба тоже нет.

— Вон, гляди-ка! — заорал вдруг Муха и принялся активно махать обеими руками. — Наши! Кузьмин, Носков!

Рыбников нахмурился. В его памяти сразу всплыл этот давний инцидент. Еще одна группа бывших однополчан выбралась из пустых коридоров заброшенного бункера.

Носкова Рыбников узнал сразу. Тот, казалось, нисколько не изменился за эти тридцать лет. Высокий, смуглый, узкогубый. Прямой тонкий нос создавал впечатление, что с лица этого человека никогда не сходит неприязненное выражение. Две группы медленно сближались.

— Здорово, генерал. — Носков прищурился и протянул руку. — На потрахушки приехал? Ностальгия? — Он сказал это вроде бы и нормальным тоном, с обычной иронией, но намек был ясен.

Рыбников сдержался. Ему очень часто приходилось пропускать мимо ушей вот такие вольности, граничащие с откровенным хамством. Это постоянно происходило при встречах с теми людьми, с которыми Рыбников водил знакомство в далекой молодости, когда он еще не был генералом. Теперь многие из них пытались подчеркнуть панибратские отношения, но делали это нелепо.

— А я ведь тогда, по дембелю, хотел тебя на вокзале отловить и хороших звездюлей тебе отвесить, — продолжил Носков с той же насмешкой в глазах.

— Из-за бабы? — Рыбников вскинул брови.

— Из-за того, что ты меня застучал тогда, когда я в самоходе был.

— Ты сам все придумал и поверил в это, — спокойно ответил Рыбников. — Тебе нужно было отомстить мне за нее, вот ты и стал всем говорить, что я тебя застучал. А на хрена мне это было нужно?

— Да ладно, — Носков вдруг неприятно рассмеялся. — Не переживай. Ты же теперь генерал!

Рыбников, едва сдерживая бешенство, дождался, когда Носков отойдет подальше, потом медленно пошел по пустырю, который был когда-то плацем. Он стал вспоминать, как они здесь печатали шаг во время строевых занятий. Рыбников стоял вот тут в составе знаменного взвода, когда шла проверка. На трибуне, вон там, в сторонке, красовался заместитель командующего армией, генерал, сын одного из наших прославленных маршалов. Характер у сына, как рассказывали офицеры, был не менее крут, чем у отца.

Какая-то девушка лет двадцати пяти усердно щелкала фотоаппаратом.

«Эта-то особа что тут делает? — подумал Рыбников. — Дочь чья-нибудь?»

Пятница, вторая половина дня. Для Москвы это однозначная пробка, тянущаяся от самого центра в сторону МКАД. Многие пытаются пораньше выбраться из столицы к своим загородным домам, дачам, коттеджам. И часов с трех основные радиальные магистрали уже запружены автомобилями.

Валентина Геннадьевна Остросельцева была женщиной крупной. Поэтому и машину себе три года назад она выбирала соответствующую. Больше всего ей понравилась представительская «Хендай Соната». Валентина Геннадьевна, еще пребывая в раздумьях, в автосалоне села в нее и сразу бесповоротно влюбилась. Ждать пришлось три месяца. Зато когда покупка наконец-то была оформлена и женщина получила свою машину, ее блаженству не было предела.

Транспорт по Щелковскому шоссе двигался медленно, рывками. Но когда до МКАДа осталась пара километров, машины наконец-то двинулись вперед с нормальной скоростью.

Валентина Геннадьевна вдавила педаль газа. Она с наслаждением чувствовала, как послушен ей мощный мотор. Женщина легким движением руля подправила машину на своей полосе.

Поток автомобилей двигался все быстрее и быстрее. Вот уже стрелка спидометра приблизилась к отметке 80. Последовал плавный поворот, и расстояние между машинами стало увеличиваться. С нарастанием скорости уменьшалась и плотность потока.

Женщина улыбнулась. Ей нравилась скорость, мощная современная машина. Она с удовольствием ощущала свою власть над автомобилем и дорогой.

Справа сбоку вдруг выскочил серый «Форд» и тут же вильнул влево, прямо перед самым бампером машины Остросельцевой. Это маневр был таким неожиданным, столкновение казалось настолько неизбежным, что женщина непроизвольно рванула руль влево. Тормозить в потоке, да еще и на такой скорости было глупостью, тем более что встречные полосы в это время суток практически пустовали.

Огромный черный капот «Бьюика» вырос перед глазами женщины как из-под земли. Остросельцева только в ужасе вытаращила глаза, а потом страшный лобовой удар бросил ее грудью и лицом на подушку безопасности, ремни врезались в тело. Беспомощная, потерявшая управление машина отскочила в сторону и тут же попала под второй страшный удар «Лендровера», не успевшего затормозить.

Попутный поток автомобилей продолжал уноситься вперед, в сторону МКАД. Водители только посматривали на искореженные машины и качали головами. Никто так и не понял, почему черная «Хендай Соната» вдруг выскочила на полосу встречного движения. Обычное дело для Москвы, когда кто-то спешит.

Зато встречные полосы движения оказались перекрыты полностью. Водители выскакивали из остановившихся машин и бежали к месту аварии. Кто-то уже вытаскивал телефон и набирал номер Службы спасения.

Пассажирка «Бьюика» помогала выбраться на асфальт водителю с окровавленным лицом. Из «Лендровера» вышли двое парней, потиравших локти и грудь. Они смотрели на остатки «Хендай Сонаты» и даже не матерились. Результаты столкновения оказались настолько красноречивыми, что осуждать кого-то было уже поздно. Через щель передней двери на асфальт упало несколько ярких капель крови. Потом они стали падать чаще, постепенно превращаясь в тонкую струйку крови.

В зал для заседаний офицеров собрали в срочном порядке. Такое в Министерстве обороны теперь стало нормальным явлением. Кончились ленивые в своей размеренности годы управления бывшего министра. Теперь помимо постоянно действующих совещаний появились еще и срочные. Новый министр в спешном порядке ликвидировал недочеты многолетней деятельности прежнего руководства.

Офицеры дружно встали, когда в зал вошел министр. Уверенная неторопливая походка, чуть наклоненная голова, твердый взгляд. Новый министр обороны никогда не выглядел торопливым, раздраженным. Всегда ровен в обращении с подчиненными. Люди чаще видели его улыбающимся, чем хмурым, но никто не обольщался. За улыбкой, предназначенной, скажем, единственному заместителю-женщине, мог последовать жесткий прессинг в адрес какого-нибудь другого сотрудника при генеральских погонах.

С каждым днем деятельности нового министра на своем посту темп работы центрального аппарата только нарастал.

Ситуация, сложившаяся в мире и в стране, требовала серьезных изменений в Вооруженных силах.

— Прошу садиться, — негромко разрешил министр мягким и чуть картавым голосом.

Без всякой паузы последовали вопросы о стадии готовности управлений и департаментов по данным поручениям, срок исполнения которых заканчивался на текущей неделе. Промежуточные проверки тоже стали нормой, и работы у контрольного управления министерства заметно прибавилось.

Дальше последовал вопрос, к которому никто не был готов. Это тоже присуще новому министру. Не проходило ни дня, чтобы он не знакомился с деятельностью того или иного направления, новыми проектами, состоянием дел в отраслях, которые проверялись или жестко контролировались еще в прошлом году. В сферу внимания министра мог попасть каждый генерал, любой департамент, какая угодно воинская часть, дислоцирующаяся на бескрайних просторах страны или за ее пределами. Даже завод, собирающий подводные лодки или аварийные комплекты для летчиков.

— Во время нескольких последних рабочих поездок я обратил внимание на убогие поселки, — заговорил министр. — Это жалкое подобие коттеджей позиционируется как качественное жилье для военных. Более того, нашлись люди, которые попытались объяснить мне, что эти хибары должны стать поощрением за долгую и безупречную службы для старших офицеров, военнослужащих, награжденных высшими орденами государства, пострадавших и получивших инвалидность за время прохождения службы. В эти ветхие домишки мы собираемся селить заслуженных офицеров? Кто мне может пояснить ситуацию?

Поднялся офицер, торопливо перебиравший на столе листы различных справок, подготовленных для неожиданных совещаний.

— В настоящее время в восточной части Европейской России, а также за Уралом и в Приморье у нас строится несколько поселков для военнослужащих, — доложил он. — Если вы спрашиваете о жилье для офицеров, выходящих в отставку, то мы планировали предоставлять его как поощрение за отличную службу. Это несколько поселков в средней полосе России, на Волге и...

— Я спросил, почему такое убожество, — строго напомнил министр. — Офицеры, которые по двадцать и тридцать лет отдали армии, не заслужили лучших условий? Что это за ободранные стеновые панели, что это за проекты? Такую архитектуру я в Туве видел тридцать лет назад, когда там строили поселки нефтяников. А сейчас какой год? Лучших проектов не нашлось? Чье финансирование там использовалось, вы мне сейчас можете пояснить?

— Если речь идет о тех поселках, о которых я говорил, то это бюджетные деньги. Естественно, проводились тендеры на строительство и закупку инженерной составляющей в виде уличных котельных, ГРП, систем водоподготовки и...

— Если вы думаете, что я могу вот так просто бросаться пустыми словами, то сильно ошибаетесь! — снова перебил его министр. — Я на местах задавал вопросы и ни о каком бюджетном строительстве ничего не услышал. Или вы не владеете информацией, или мне там откровенно врали. Вас не виню, потому что вы к этой теме не могли быть готовы. Но прошу контрольное управление, контрольно-финансовую инспекцию разобраться в этом вопросе. Необходимо также со всей тщательностью проверить деятельность фондов различного вида, созданных при нашем министерстве. Всех, которые так или иначе привлекаются к обеспечению армии. В частности, меня интересуют... — Министр стал по памяти называть фонды, переводя тяжелый взгляд с одного своего помощника на другого.

Наверное, таким образом он хотел показать, что вопрос очень важен. При новом министре весь аппарат уже привык к тому, что второстепенных проблем не бывает, но, когда он смотрел вот так, означало, что в этом деле все будет вывернуто наизнанку, выпотрошено до крохи, до самой полной ясности. В некоторых кабинетах такой взгляд называли не иначе как «команда фас».

Конец сентября в Сочи — это особое время года. Изнуряющая жара спала, теперь в воздухе ощущалось ароматное тепло субтропиков, мягкий запах моря. Да и в поведении курортников тоже много поменялось. Исчезла суета, гости из северных широт, обгоревшие на пляжах, по вечерам не лезли в кафе через головы других людей, чтобы насладиться кавказскими винами и немецким пивом.

Теперь на набережных стало куда спокойнее. Народ степенно прогуливался, явно наслаждался погодой и природой. Бархатный сезон всегда был предназначен не для молодежи, а для людей в возрасте, степенных, не одолеваемых страстями, а вкушающих долгожданный отдых, вполне заслуженный или просто купленный за большие деньги. Ни для кого не секрет, что отдохнуть в Сочи уже давно стало заметно дороже, чем в Турции или Египте.

Ведомственный санаторий «Искра», в который Гуров получил-таки семейную путевку в сентябре, ему очень нравился. Здесь было все, включая сочетание природных факторов, влияющих на отдых. Максимум комфортабельности позволял отрешиться от внешнего мира, просто отоспаться, отлежаться в номере с книжкой или бездумно глядя в телевизор.

Санаторий расположился в довольно популярном Хостинском районе Сочи, совсем неподалеку от знаменитой Мацестинской долины. Он был окружен красивым парком. До побережья, правда, от санатория целых пять сотен метров. Но если тебе хочется гулять и дышать, ты наслаждаешься отдыхом в мягком климате, а не норовишь еще до рассвета бежать на пляж и валиться на лежак, то это как раз и очень хорошо.

Удобным было и расположение санатория неподалеку от морского вокзала. Но самое главное — целебное воздействие природных факторов. Это месторождение минеральных сероводородно-гидросульфидных вод, носящих название старомацестинских, морской воздух в сочетании с горным, благоприятный климат с субтропической влажностью. Одним словом, для Машиных нервов лучшего места и не придумать.

Лев Гуров и Мария Строева возвращались с прогулки. Они томно вздыхали и дружно закатывали глаза. Ведь наслаждаться таким вот покоем им оставалось всего два дня. Потом самолет, Москва, суета и напряженный ритм работы. У нее в театре, у него — в Главном управлении уголовного розыска. Вот и сейчас Лев Иванович пропустил супругу вперед, на территорию санатория, а сам чуть задержался, чтобы бросить взгляд на парк.

— Ладно уж, пойдем, — улыбнулась Маша. — Перед смертью не надышишься, перед концом отпуска не наотдыхаешься. Давай мы с тобой устроим сегодня вечером нечто необычное.

Они двинулись по территории санатория к своему корпусу, продолжая фантазировать.

— Романтический ужин с хорошим вином и изысканными блюдами в этих стенах не прокатит, — напомнил Лев Иванович жене. — Максимум, который здесь позволен, — это полночное бдение под луной и вздохи.

— А если мы украдкой? — Мария оглянулась по сторонам с видом заговорщицы.

— Тайная вечеря? — с сомнением спросил Гуров, а потом посмотрел вправо.

Там на лавочке сидели две темноволосые женщины с явными кавказскими чертами. С приближением Льва Ивановича и его дражайшей половины их беседа явно оживилась.

— Эх... — Мария махнула рукой, но закончить мысль не успела.

— Машенька, дорогая! — одна женщина резво вскочила с лавки. — Вот где я не ожидала тебя увидеть! Ты в отпуске? Кто этот импозантный мужчина с благородной сединой на висках? Неужели муж?

— Лианочка! — Мария раскрыла объятия и приняла в них незнакомку. — Сколько же мы с тобой не виделись? Ты все хорошеешь и хорошеешь.

Гуров, не снимая улыбки с лица, с сомнением посмотрел на женщину. Седина в жестких волосах, небольшие черные усики по уголкам верхней губы — все это никак нельзя было описать словом «хорошеешь». Однако он послушно согнул спину и галантно приложился к ручке, протянутой ему.

— Лев Иванович. — Полковник боднул воздух головой, едва удержавшись от того, чтобы не повалять дурака и не щелкнуть каблуками.

Женщина оказалась актрисой Ереванского театра музыкальной комедии. Лиана Саркисянц приехала к своей родственнице, отдыхавшей в санатории. Та сегодня уезжала домой, в Краснодар. Лиана с Марией договорились о совместном проведении вечера.

— Вот видишь, — с довольным видом заметила Маша, когда они вошли в прохладный холл своего корпуса. — Проблема решена на высшем уровне. В смысле, на небесах. Лианка удивительная женщина, к тому же экстрасенс. А как она поет!

— Она нам петь будет? — насторожился Гуров.

— Если ты попросишь, то, думаю, не откажет.

Гуров хмыкнул, но от комментариев воздержался. Он немного не так представлял себе пару последних вечеров в санатории. Хотя почему бы и не в обществе армянской актрисы? Представители этой профессии тем и хороши, что национальность у них одна — театральная. Они могут быть смуглыми, светлыми, с голубыми или черными глазами, брюнетами или блондинами, но театр налагает на них неизгладимые черты, оставляет настолько четкий след, что ты перестаешь замечать и акцент, и цвет кожи. Только страсть, непостижимая эмоциональность.

«Эх, мне так хотелось побыть вдвоем с Машей. Старею, что ли? — Лев Иванович глянул в большое зеркало, висевшее на стене лифта. — Нет, вроде не заметно. Так что же меня гнетет?» Тут они с Машей вышли из лифта и двинулись по коридору в сторону своего номера. «Еще два дня, — подумал Гуров. — Потом я вот так же пойду по коридору своего управления. Коллеги будут насмешливо здороваться, в шутку попрекать южным загаром и свежим цветом лица. Мне снова придется окунуться в текучку с трупами, хищениями, разбоями, коррупцией в подведомственных подразделениях. Наверное, это просто предчувствие. Может, меня никто не дергает лишь потому, что все знают — через два дня я сам явлюсь? Вдруг там у нас какой-то аврал? Полковник, ты, наверное, просто соскучился по своей работе».

Лиана пришла в восемь часов вечера и привела с собой молодого армянина с гитарой. Пареньку, назвавшемуся Артуром, было всего восемнадцать лет, и он оказался сыном актрисы. Гуров понял, что напряжение спадает. Получились чуть ли не семейные посиделки. Маша с Лианой пели под аккомпанемент гитары. Артур вполне профессионально выдавал сольные партии. Льву Ивановичу оставалось лишь отпускать комплименты и делать приятное выражение лица.

В принципе, вечер удался, потому что Лиана и Артур оказались людьми удобными и комфортными. Не было в них ни навязчивости, ни отстраненности из-за каких-то условностей.

Гуров думал о том, как красива бывает любая женщина, когда ей комфортно. А вот он этого не ощущал. Какой-то непоседливый червячок все чаще и чаще заставлял его думать о работе.

«Наверное, такая у меня натура. Не могу долго отдыхать, оставаться без своего дела», — подумал полковник.

Глава 2

Потом, когда их спрашивали, они уже не могли вспомнить, кто именно первым увидел окровавленное тело. Кто-то закричал, причем очень громко. Нет, не женщина, голос был мужской. А потом все кинулись к дверному проему, который вел в бункер бывшего командного пункта ракетного полка, теперь совершенно заброшенный.

Мухин и Богомазов протиснулись в первые ряды и с ужасом увидели на бетонном полу тело своего однополчанина Рыбникова. Это было нелепо, страшно и непонятно. Они стояли и тупо смотрели. Еще вчера вечером он был жив, смеялся, пил вместе с ними, охотно смотрел на компьютере фотографии молодых лет, вспоминал истории из их совместной службы, и вот!..

Отставной генерал лежал на боку, откинув голову назад. На лице застыла странная гримаса. Рот чуть приоткрыт, глаза тоже. Мужиков бросило в дрожь. Потому что смотрел на них не старый друг и сослуживец, а мертвец. Только оболочка, пустая и безжизненная.

Одна рука нелепо подогнута и прижата телом, вторая на отлете. У друзей возникло впечатление, как будто Рыбников перед смертью замахивался на кого-то. Ноги согнуты в коленях и раздвинуты, как будто он бежал, лежа на боку. В таких позах замирают люди, упавшие с большой высоты.

210

Пыль, мусор, затхлый сырой воздух и потемневшая лужа крови. Удар был нанесен точно в сердце. Вон и прокол от лезвия ножа на левой стороне груди. Он горизонтальный. Удар был нанесен с таким расчетом, чтобы лезвие прошло между ребер.

— Как же это? — тихо, почти шепотом, спросил Богомазов. — Он ведь... Черт, это ведь не сейчас случилось.

Хмурый Мухин схватил друга за рукав и потащил по коридору вон из бункера. Богомазов посмотрел ему в лицо и понял, что сейчас лучше помолчать. Теперь не стоит вслух говорить о том, что эти три дня они провели вместе, жили в доме Ольги Синицкой в Оброво. Вчера вечером Рыбников вдруг куда-то пропал прямо из-за стола. Исчезла и Ольга. А потом женщина вернулась, а Рыбников, кажется, нет. О нем никто так и не вспомнил. Они вчера почему-то основательно набрались, хотя пили ничуть не больше, чем обычно.

Никто не стал уезжать. Все курили и тихо переговаривались, глядя под ноги. Раньше тут был строевой плац. И вот опять, спустя столько лет, столпились на нем солдаты, когда-то служившие в этой части. Мертвое место, расформированная войсковая часть. Труп одного из ее солдат спустя тридцать лет. В Пинске, как памятник, стоит в музее знамя полка, а тут горбится заброшенный бункер, похожий на могилу, поросшую травой. В этом бетонном склепе лежит не фигуральный, а вполне натуральный труп. Бывший сержант, потом генерал-майор.

Оперативно-следственная группа приехала почти через час.

Кинолог с собакой сунулся в бункер, сразу же вышел, разочарованно махнул рукой и сказал следователю:

— Там тридцать человек только что потоптались. Какой уж тут след!..

Невысокий капитан юстиции в сером кителе, с покатыми плечами и сильной шеей, кивнул и приказал кинологу:

— Пройдись тут вокруг. Может, он орудие убийства выкинул или обронил что-то. Всякое бывает, надо проверить.

Кинолог молча повернулся и пошел за бункер, в самом вероятном направлении, по которому должен был скрыться преступник. В теории, конечно. А на практике, зная, что сюда, как сегодня, наведываются десятки ветеранов, не стоило себя и утруждать. Приехал, остановил машину у того места, где когда-то был КПП части, убил, спокойно вернулся и был таков.

Пока следователь и эксперты работали в бункере, старший лейтенант и прапорщик переписывали всех присутствующих. Тех, у кого при себе были документы, отпускали сразу. Троих, которые оказались без паспортов, посадили в свою машину до выяснения личности. Благо эти мужики были местными, пинскими.

Следователь вернулся к себе в кабинет. Какое-то время он разглядывал пенсионное удостоверение убитого человека, потом решительно отложил его и взял трубку проводного служебного телефона:

— Сергей Александрович? Это Чуриков. Я на планерке не был, у меня поздний вызов по району. Разрешите прийти и доложить? Хорошо, сейчас буду.

Следователь поднялся, одернул китель и взял со стола папку с материалами по делу о трупе, обнаруженном в лесу. Пенсионное удостоверение он сунул в карман. Следователь прошел по коридору до самого конца, открыл дверь и шагнул в большой кабинет, обставленный совершенно стандартно. Неизменный портрет Лукашенко красовался над креслом начальника.

— Разрешите? — спросил Чуриков, вежливо задержавшись у двери.

— Заходите, Олег Николаевич, — оторвавшись от бумаг, разрешил подполковник юстиции. — Что там у вас?

Следователь уселся и начал докладывать:

— В лесу, в тридцати километрах от Пинска, в районе деревень Оборово и Якша, обнаружено тело мужчины со следами ножевого ранения в область сердца. В том месте, где произошло убийство, некогда располагалась советская воинская часть. В прошлом году в одной из городских школ был создан музей этого полка. Теперь туда приезжают ветераны. Особенно двадцать второго сентября, когда отмечается день части.

— Что, перепились и передрались ветераны?

— Пока я могу сказать лишь, что убийство произошло примерно восемь-двенадцать часов назад. Проблема в другом,

Сергей Александрович. — Чуриков сунул руку в карман, вытащил пенсионное удостоверение, протянул его начальнику, вздохнул и прокомментировал: — Убитый был генералом в отставке. Из России.

— Генералом? — Подполковник раскрыл удостоверение и некоторое время молча изучал его. — Да, неприятное дело. Если это убийство было совершено под влиянием алкоголя, стало результатом какой-то пьяной ссоры, то мы все равно обязаны сообщить коллегам в Москву. Это ведь не рядовой гражданин.

— Да, придется сообщать. Вы поручите это кому-нибудь или хотите, чтобы я набросал текст сообщения?

— Знаете что, Олег Николаевич... — Подполковник замолчал, откинулся на спинку кресла и взглянул на следователя: — Давайте-ка вы сами. Отправляетесь поспать, а в шесть, точнее в шесть тридцать, прошу ко мне с материалами и текстом сообщения, которое уйдет в МВД России. Экспертов я сам потороплю с предварительными выводами, чтобы к вечеру у них проклюнулось что-нибудь членораздельное. Вы там первым все видели, говорили с ветеранами, зафиксировали положение тела, общую обстановку, оценили местность. У вас сложилось личное впечатление. Это важно, такое не объяснишь и не передашь. Так что это дело я оставляю за вами.

— Сергей Александрович, — Чуриков нахмурился, — дело не рядовое. Там нагрузка будет еще та, а у меня...

— Да-да, хорошо. Вечером и это обсудим. Дела, далекие от финала, передадим другим сотрудникам. С тем, что пора завершать, тоже разберемся. Посмотрим со сроками. В крайнем случае попробуем истребовать официальной отсрочки. Сейчас судебные органы будут этому только рады. У них и так много всего накопилось. Одним словом, проблему решим.

Встречать журналистов из России был отправлен начальник районного уголовного розыска майор Лиманов. Заодно он должен был ответить на некоторые вопросы представителей СМИ. Правда, информацией ему приказано было делиться дозированно.

Микроавтобус «Форд», взятый в аренду ради такого случая, ждал на парковке минского аэропорта. Водитель, молодой парень по имени Тарас, дремал, изредка приоткрывая один глаз и поглядывая на часы. Сегодня начальство обещало отпустить его домой пораньше. Триста километров по хорошей дороге от Минска до Пинска, если не нарушать правила, можно проехать за четыре часа. Максимум за четыре с половиной. Как ни крути, а к четырем можно освободиться.

Причина спешки у парня была довольно простая. Он собирался привести домой и познакомить с родителями свою девушку. Вроде как смотрины. Прежде они видели ее только на фотографиях. А сегодня речь пойдет о свадьбе — когда да как.

Олеська — так звали невесту — была сиротой. Тарасу даже нравилось вести себя как зрелому мужику, опекать ее, заботиться. Всю свадьбу придется взять на себя, потому что родителей со стороны невесты нет. Тарас знал, что ему это вполне по силам. Зарабатывал он хорошо и втайне ото всех уже два года копил деньги именно на свадьбу.

Двери аэровокзала распахнулись. Тарас увидел своего майора в расстегнутом кителе и трех крепких молодых мужчин с большими дорожными сумками в руках. Крепкие ребята, ростом не ниже майора, а ведь и тот совсем не маленький. Что-то не очень-то они похожи на журналистов.

Майор Лиманов на ходу отвечал на вопросы нетерпеливых гостей. Он рассказал, из-за чего весь сыр-бор. Убили то ли по пьянке, то ли еще из-за чего приезжего из Москвы. А он оказался генералом в отставке. Вот и засуетились все и в Минске, и в Пинске, и в Москве. Вопрос, получается, международный.

Тарас нажал кнопку на панели. Откатилась боковая дверь. Московские гости полезли в салон, коротко здороваясь с водителем.

Последним туда запрыгнул Лиманов и распорядился:

— Теперь гони, Тарас. А то люди голодные, а кормить их в аэропортовской столовке не хочется.

Тарас засмеялся, хотел было спросить, а что же начальство не выделило денег на ресторан, но решил, что шутить неприлично. Все-таки произошло убийство, ребята не на пикник приехали. Да и зачем говорить, раз все так удачно складывается?! Захоти сейчас майор заскочить куда-нибудь по пути в кафе, и потеряют они как минимум час. А это в планы Тараса не входило.

Он лихо вырулил со стоянки, объехал круглую чашу фонтана. Сегодня на трассе машин было почему-то мало. «Форд» уже час шел со скоростью девяносто километров.

Тихо журчала музыка. Тарас слышал, как переговаривались пассажиры в салоне. Солнце весело светило, пригревая левый локоть Тараса.

Лиманов рассказывал журналистам подробности. Как они нашли тело и выяснили, что бывшие однополчане встречаются каждый год, хотя и части-то уже нет. Расформировали ее очень давно.

Тарасу было смешно. Он тоже служил в армии, вот уже пять лет как демобилизовался, а особых чувств к своей бывшей части почему-то не испытывал, как и желания навестить отцов-командиров — тоже.

Да, есть она, эта самая часть. Служил он там водителем. За все это время его машина с передвижной радиоантенной выезжала на развертывание всего два раза. Тарас в основном тер и красил машину, поддерживал давление в шинах, иногда заводил движок и проверял регулировку карбюратора. Ах да! Еще он три раза носил аккумулятор на перезарядку.

Странные люди встречаются на свете! Надо же, они скучают по армии, в которой служили аж тридцать лет назад!

Машина миновала Столбцы, потом проскочила развязку на Новогрудок и Несвиж. Осталось проехать Барановичи, Ивацевичи, а там уже почти дома. «Форд» преодолел подъем и нырнул в тенистую низину. Высокие ветвистые деревья обступили дорогу с двух сторон, чуть ли не соединяясь ветвями. Из трубы, проложенной под трассой, стекал веселый ручеек.

Тарас пребывал в приподнятом настроении, и все вокруг его радовало. Солнце, зелень деревьев и этот самый ручеек. Весной тут, наверное, шпарит сильный поток талых вод, справа из-за этого образуется настоящее озеро.

Дорога опять пошла вверх. Перед подъемом опытные водители всегда набирают скорость, чтобы не пришлось потом переключаться на низкую передачу. И потеря времени, и лишний расход бензина. Тарас вдавил педаль в пол, стрелка спидометра перевалила за сотню. Нормально, к концу подъема она как раз упадет до нужных девяноста.

Тарас бросил взгляд вправо. В этот же миг он боковым зрением увидел впереди что-то очень большое и яркое.

Оранжевый сорокатонник «Шекман» вылетел из-за пригорка. Тарас успел подумать, что водитель напрасно гонит эту китайскую дуру с такой скоростью. У нее тормозной путь ого-го-го какой. Вдобавок этот самосвал славится не совсем надежными тормозами. Тем более если он груженный под самую завязку.

Самосвал быстро приближался, а потом вдруг резко свернул на встречную полосу. Тарас судорожно вцепился в руль мгновенно вспотевшими ладонями. До огромного капота «Шекмана» было всего три или четыре метра. Парень понял, что он все равно не успеет ничего сделать. Нет смысла тормозить, когда на тебя сверху несется такая масса. Сворачивать поздно, да, собственно, и некуда.

Кажется, в салоне кто-то успел понять всю жуткую суть происходящего и крикнуть:

— Эх, твою ж мать!

Страшный удар буквально расплющил переднюю часть микроавтобуса. Огромный самосвал как пушинку смахнул «Форд» в кювет, со страшным скрежетом подмял под себя, перевалил через него передними колесами и осел на месте. Отчаянно парил раздавленный радиатор микроавтобуса, по траве расплывалось горячее пятно моторного масла. Узнать марку раздавленной машины можно было лишь по задним фонарям и форме двери.

Несколько машин, спускавшихся в низину с обеих сторон, прижались к обочинам. Народ кинулся к месту аварии. Водительская дверца самосвала была открыта, кабина оказалась пустой. Никто не сомневался в том, что в микроавтобусе все погибли.

Кто-то принялся набирать на мобильнике номер экстренных служб, другие принялись обсуждать причины аварии. Отказ тормозов, гидравлики рулевого управления, прокол колеса, задремавший водитель, который теперь от страха убежал в лес. Эх, бедолага, вот ведь угораздило! Натворил делов!

Черный «БМВ» плавно подкатил к ажурным воротам, ведущим на территорию элитного жилого дома, стоявшего на Балаклавском проспекте. Ворота почти сразу стали открываться. Из остекленной будки вышел мужчина в черной униформе и приветствовал машину вежливым кивком.

Фонд «Ветеран», расположенный на цокольном этаже жилого дома, занимался многими вопросами, но все они так или иначе были связаны с Министерством обороны. Это строительство жилья, помощь ветеранам и инвалидам, получившим увечья во время выполнения воинского долга, материальная поддержка заслуженных офицеров, уходящих в запас.

Фонд создавался еще при непосредственной поддержке бывшего министра. Его возглавляли отставные военные, в попечительский совет входили заслуженные ветераны армии. Среди них не было ни единого человека, который прежде носил звание ниже генерал-майора.

Человек, вышедший из черного «БМВ», был невысок. При заметной полноте фигуры в других условиях и в ином месте он выглядел бы несколько комично. Обширная лысина тоже нисколько не украшала этого субъекта. Но звание генерал-лейтенанта, пусть и отставного, плюс положение президента фонда обязывали окружающих видеть в нем только солидность и власть. Отсюда, наверное, и спесивое выражение на одутловатом лице.

Но, возможно, это были последствия комплекса неполноценности, сложившегося еще в детстве и связанного с маленьким ростом. Потому-то и пошел человек в армию, и лез, наверное, вверх по служебной лестнице, невзирая, так сказать, ни на что. Лишь бы доказать, что и он человек, что зря над ним насмехались одноклассники и однокурсники.

В приемной, уставленной цветами в напольных вазах, секретарша подскочила как на пружине при виде вошедшего начальника. Из-за невысокой стойки, ограждавшей ее стол, по помещению разносился запах жидкости для снятия лака с ногтей. Миловидная девушка покраснела и преданно посмотрела шефу в глаза. Неожиданные приходы босса всегда чреваты вот такими последствиями. Руководитель любой конторы частенько застает подчиненных за занятиями, далекими от выполнения их профессиональных обязанностей. А сегодня президента фонда в офисе не ждали.

— Ой, здравствуйте! — выпалила секретарша. — Сергей Сергеевич, вы уже приехали? Никак вам не дадут отдохнуть!..

— Хватит болтать, — оборвал президент девушку. — Кофе принеси и никого не пускай. Приедут Крикунов с Шиловым, скажешь им, что я здесь.

Девушка облегченно кивнула, потому что запас слов у нее иссяк, а свежий маникюр на ногтях уже начинал подсыхать. Сергей Сергеевич Ломакин всегда был грубоват. Многие обижались и даже увольнялись. Но если стерпеть, не обращать внимания на эту его черту и работать так, как требуется, то с ним вполне можно было ладить. Главное, не нарываться на неприятности.

Да и платил он людям честно, не выискивал всякие мелкие нарушения, лишь бы снять премиальные. Чтобы Ломакин кого-то лишил премии, это надо было постараться!

Секретарша дважды успела принести шефу кофе, прежде чем в приемную вошли два члена попечительского совета. Альберт Владимирович Крикунов, высокий, немного сутуловатый, с крупными ступнями и кистями, как всегда, приветливо улыбнулся девушке и мельком глянул на дорогие часы, блеснувшие под обрезом рукава идеально выглаженной, не самой дешевой рубашки. Этот человек был изыскан во всем, как в одежде, так и в манерах. Многие вздыхали. Вот бы, мол, нам такого шефа, а не хамоватого Ломакина с его казарменным юмором.

Вторым вошел Игорь Андреевич Шилов. Костюм на нем сидел небрежно, узел галстука был чуть распущен. Из-под расстегнутого пиджака откровенно выпирал изрядный пивной животик. Шилов холодно кивнул секретарше, потом привычным движением почесал шрам, пересекавший висок и чуть стягивающий угол правого глаза.

За глаза Шилова в фонде звали Пиратом, а Крикунова — Магистром. Альберт Владимирович и правда был магистром экономики. Он закончил какой-то экономический вуз уже после выхода в отставку. Шилов и Крикунов когда-то были военными.

Собственно, как и Ломакин, который встал из-за стола и протянул руку визитерам. Мужчины молча обменялись рукопожатиями, а потом расселись на мягком диване и креслах, стоявших в углу, под вытяжным вентилятором. Шилов тут же полез за сигаретами. Крикунов покосился на него и невольно поморщился.

Интерьер кабинета президента фонда изобиловал фотографиями, схемами, макетами зданий и благоустроенных территорий. Боковая стена была сплошь увешана рамками с благодарственными письмами, различными дипломами и тому подобной мишурой, которую выставляют напоказ в любом офисе. За спиной хозяина кабинета красовалась его фотография, сделанная на стадионе. Он был в спортивном костюме, рядом с ним стоял теперешний министр обороны.

— Когда и при каких обстоятельствах тебе сообщили о трагедии? — закурив и с придыханием выпустив струю дыма, спросил Шилов.

Крикунов ждал, глядя на Ломакина, не выражая нетерпения.

Сергей Сергеевич пошевелил бровями, скрипнул зубами, потом ответил:

— Сообщили сегодня утром. А какие, собственно, обстоятельства тебя интересуют? Позвонил человек из МВД, попросил известить его жену. Только где ее теперь искать, да и какая она ему жена?! Восемь лет как расстались. У каждого своя жизнь.

— Да-а, жизнь, — зло процедил сквозь зубы Шилов. — Нет у него теперь этой жизни.

— А подробности какие-нибудь этот человек из МВД рассказал? — поинтересовался Крикунов. — Как Рыбников погиб, из-за чего? Ты по телефону сказал вроде, что его убили. Это точно установлено?

— Пока информации мало, — проворчал Ломакин. — Да, сказали, что нашли тело с ножевым ранением в грудь, будут расследовать. В Москву сообщили, потому как он российский подданный и генерал. И какого хрена он вообще туда поехал?! Что за сентиментальщина!

— А зачем он поехал? — тем же ровным голосом поинтересовался Крикунов.

— Встреча однополчан. Чушь, одним словом! Срочную он служил в Белоруссии еще в советские времена. И вот вздумалось старым дуракам там собраться. Велик праздник! Делать им нечего.

— Как же ты ему разрешил, если сам в отпуске? Он твой первый заместитель, в твое отсутствие исполняет обязанности руководителя.

— Да никаких проблем и не было бы, — зло проговорил Ломакин. — Он уехал на четыре дня, я вернулся бы через три. Что тут?..

— Что тут случилось бы, ты хотел сказать? — процедил сквозь зубы Шилов, разглядывая кончик горящей сигареты. — Могло, например, со счетов списаться энное количество денег. Сколько точно ушло, ты посчитал?

— Восемьсот тридцать пять миллионов.

— Недурно, — Крикунов покачал головой. — Это почти тридцать миллионов долларов. Вся сумма ушла с одного счета?

— Нет, с четырех. Но львиная доля, конечно же, с основного.

— А вы чего такие спокойные? — вдруг взорвался Шилов и даже вскочил на ноги. — «Недурно»!.. Вы охренели совсем? У нас тридцать зеленых лимонов украли! Вы понимаете, что произошло?

— Сядь, не дергайся, — огрызнулся Ломакин. — Нервный какой нашелся! У меня тоже нервы, только криками здесь не поможешь.

Сергей Сергеевич дотянулся до внутреннего телефона и поднял трубку.

— Света, Остросельцеву ко мне, — коротко приказал он. — С документами по последним перечислениям.

— Я предлагаю пока не привлекать полицию. Посмотрим, по каким счетам ушли деньги, — невозмутимо произнес Крикунов. — Если по легальным договорам, то разбираться будем сами. В конечном итоге это всего лишь заминка на пару недель.

Невысокая женщина средних лет с папкой в руке вошла в кабинет и напряженно посмотрела на шефа, потом на других мужчин. Она прекрасно знала состав попечительского совета, понимала, что внезапный вызов к президенту фонда, только что вернувшемуся из отпуска, да еще с такими документами, ничего хорошего означать не может. К тому же вызывали главного бухгалтера, а пришла она, ее заместитель.

— Вы просили документы, Сергей Сергеевич, — тихо сказала женщина.

— Где Остросельцева? — хмуро буркнул Ломакин. — Опять по магазинам бегает?

— Я не знаю, Сергей Сергеевич. Валентина Геннадьевна уже дня два недоступна. Она хотела денек отлежаться, просквозило ее. Телефон отключила, чтобы не дергали по пустякам. А вот уже второй день!.. Я думала...

— Ни хрена себе — пустяки! — рыкнул Шилов и снова принялся мерить кабинет шагами.

Ломакин протянул руку, взял папку и открыл ее. Женщина подошла и встала рядом, готовясь давать пояснения. Сергей Сергеевич просматривал платежки, копии счетов с резолюциями «к оплате», подколотые к ним.

— Вот это! — Ломакин ткнул пальцем в бумагу. — Кто распорядился перечислять?

— Рыбников, — прошептала одними губами побледневшая женщина. — А он не имел права? Владимир Маркович сказал, что разговаривал с вами. Мол, это ваш приказ, потому что сроки по договорам поджимают. И Валентина Геннадьевна подтвердила...

— Ладно, хватит! — оборвал Ломакин заместителя главного бухгалтера. — Здесь все платежки за этот год?

— Да, я копии подкалываю. Валентина Геннадьевна распорядилась на случай, если понадобится.

— Ладно, иди, — заявил Ломакин и поморщился: — Найдите Остросельцеву, в конце концов! Что за капризы? Телефоны она отключает, барыня!

Женщина с явным облегчением выскочила из кабинета. Ломакин некоторое время просматривал бумаги, листал их, иногда возвращался к каким-то. Шилов и Крикунов терпеливо ждали.

Наконец президент ругнулся сквозь зубы, швырнул раскрытую папку на приставной столик и заявил:

— Вот она, разгадка! В последнем счете другие реквизиты. Восемьдесят тысяч разошлись по трем настоящим счетам, а самая большая сумма ушла не туда. Только название фирмы сходится, а банк, реквизиты — все другое. Контора с московским юридическим адресом. Хотя черта с два теперь ее найдешь.

— Кто-то подделал счет? — осторожно спросил Крикунов.

— Угадай с трех раз, — прошипел Ломакин. — Кто счет подделал, поставил на нем резолюцию, официально оставшись вместо меня и имея право распоряжаться финансами? Кто обманул главбуха, сказал, что я распорядился срочно перечислить эти деньги?

— Рыбников, значит, — зло процедил сквозь зубы Шилов. — Хорош! Пригрели на груди, всех кинул, сука! Это еще надо разобраться, убили ли его в Беларуси или же там погиб другой человек, по странному стечению обстоятельств очень похожий на Рыбникова. Не исключаю, что наш дорогой Владимир Маркович сейчас уже летит через океан с новыми документами и тридцатью миллионами долларов.

— А в Беларусь деньги перечислялись? — спросил вдруг Крикунов.

Ломакин нервно дернул папку на себя и просмотрел платежки.

Потом он покусал губы, кивнул и сказал:

— Да, есть одна и туда. Но это проверенный канал. Мы часто привлекаем эту фирму к поставкам и обналичке валюты.

— Значит, была необходимость делать туда платеж? — настаивал Крикунов.

— В этот раз? Я не планировал. Нет, — Ломакин покачал головой. — Это была инициатива Рыбникова. Чтоб он два раза там подох!

— Все понятно! — Шилов рубанул воздух рукой. — Давайте так. Ты, Сергей Сергеевич, переверни всю Москву, но обязательно зацепись за липовый счет этой подставной фирмы. Подключи всех, кого только можешь, а связей у тебя хватает. Главное — не дать вывести деньги за границу. Они не будут перечислять на иностранный счет такую сумму, иначе засветятся мгновенно. Центробанк их блокирует. Дня два-три, может, четыре, у нас в запасе есть, пока они будут эти деньги разбрасывать по другим счетам, совершенно легальным! А мы с Альбертом займемся биографией твоего Рыбникова, его связями. В Беларуси искать концы поздно. Он, скорее всего, туда и не выезжал. По его билету кто-то прокатился, чтобы след оставить. Не дурак же он, в самом деле! Раз такое провернул, значит, голова варит. Или люди за ним стоят, которые тупостью не страдают.

Дверь вдруг распахнулась с такой силой, что мужчины невольно вздрогнули и резко повернулись. В дверном проеме стояли бледная секретарша Светлана и заместитель главного бухгалтера с заплаканными красными глазам. Ее губы тряслись, пальцы теребили, чуть ли не рвали носовой платок. Собеседники невольно замолчали и уставились на женщин.

— Сергей Сергеевич, беда... — сдавленным голосом произнесла бухгалтерша. — Остросельцева в больнице скончалась. Это произошло два дня назад. Полиция не могла сразу установить место ее работы. А теперь вот мне сообщили.

— Что? — прорычал Шилов и бешено выкатил глаза.

Крикунов вскочил на ноги, положил руку на локоть коллеги, чтобы усмирить его эмоции, и напряженным голосом спросил:

— Что произошло, какова причина смерти? Почему она в больницу попала?

— ДТП, говорят. На машине разбилась. Она в коме двое суток была, так и не пришла в себя.

— Так! — Крикунов повернулся к мужчинам: — Я займусь этим, есть у меня в соответствующих местах свои люди. Как только будет достоверная, подтвержденная информация, я сразу вам сообщу. А вы тут... в общем, действуйте по вашему плану.

Крикунов взял женщину за локоть и вывел из кабинета в приемную. Было слышно, как он выяснял номер больницы, спрашивал, к какому округу она относится.

— Круто получилось, да? — прохрипел Шилов, рухнув в кресло, которое жалобно заскрипело. — Внезапно расстались с жизнью те самые люди, от которых зависело перечисление денег. Нет ни исполнителей, ни свидетелей. Неплохо, товарищи генералы! Нас капитально кинули на бабки. И какая сука это учинила?

— А ты подумай, Игорь Андреевич, — тихо подсказал Ломакин и посмотрел Шилову в глаза. — Мозгами пораскинь. Кто еще вхож в наш круг, знает наши планы, схемы деятельности.

— Знал, — поправил было Шилов, но потом поймал взгляд Ломакина и приподнял брови: — Так ты намекаешь на... Дескать, он сейчас поехал заметать следы? Ну, Сергей Сергеевич! Не лишку ли ты хватил? Скорее всего, на тебя подумать можно, если кого-то из нас подозревать.

— А я вот он,— спокойно возразил Ломакин. — Тут сижу и голову ломаю. С тобой откровенно беседую. А он умчался. Две смерти, и обе важны в этом деле. Каждая может оставить улику, дать подсказку. Так кто у нас первым кинулся все выяснять?

В кабинете Орлова было накурено, и у Гурова сразу разболелась голова. Он смотрел на красного от злости генерала и мысленно жалел старого друга. Вот он сам, полковник Гуров, может реагировать на это событие так, как ему угодно, а Петр не имеет права даже на это. Он просто обязан вести себя так, как положено по его генеральской должности. Просто наступает в твоей карьере такой момент, когда кресло, в котором ты сидишь, заставляет тебя все время делать нужное лицо. Черт бы побрал эту чиновную дипломатию!

— Это не типичная уголовщина, — упрямо заявил Гуров в который уже раз. — Дело находится в ведении государственной безопасности, это очень высокий уровень, потому что генералы, даже вышедшие в отставку, не есть обычные граждане. Тут явное соотнесение с его должностью, извините, с профессиональной деятельностью. А это уже уровень предупреждения подрыва боеспособности государства. Да что я тебе, Петр, говорю, когда ты и сам все это понимаешь!

— А ты разумеешь, что мы тоже люди в погонах и обязаны выполнять приказы! — почти прокричал Орлов. — Сидит тут и рассуждает! Ах, я считаю так, полагаю эдак! А я вот не имею права считать ни так, ни эдак. Мне приходится думать так, как положено по моей должности, и так, как предписывает мне долг руководителя Главного управления уголовного розыска. А он мне подсказывает, что с начальством не спорят. Это раз. Надо учесть еще и то обстоятельство, что погибли три офицера полиции, которые отправились в Беларусь под видом журналистов, чтобы наблюдать за ходом розыскных и следственных мероприятий. Наш святой долг...

— Может, вы кончите орать, господа хорошие? — Крячко болезненно поморщился. — Стареете, что ли?

— Действительно. — Гуров понял, что тоже начал говорить на повышенных тонах, и смутился. — И вообще, Петр, ты совсем меня не понял, а начинаешь шуметь. Я хотел сказать, что как раз, исходя из того, что погибли наши товарищи, мы должны всеми силами взяться за это дело. А кому-то на самом верху показалось, что это мелочь, которой должен заниматься уголовный розыск. А ведь это не простая уголовщина, Петр. Я тебе это уже в пятый раз пытаюсь втолковать.

— Ты хочешь, чтобы наш генерал пошел к министру и заявил точно так же? — спокойно поинтересовался Крячко. — Ты видишь в этом глубокий смысл?

— Извините, ребята. — Гуров вздохнул, поднялся из кресла и подошел к окну, по пути положив руку на плечо Орлова. — Да, тут ничего не сделаешь. Я не должен был этого требовать от Петра. Считайте, что я просто негативно высказался насчет сложившейся ситуации. Мне просто до боли обидно, что ребята погибли.

— Ладно, проехали, — вытирая высокий лоб носовым платком, проворчал Орлов. — Я тоже хорош! Разошелся, как институтка. Тоже мне генерал. У нас один Станислав с железными нервами.

— Отдых расслабляет тело, — тут же вставил Крячко. — Он истончает нервную систему, снимает иммунитет перед стрессовыми ситуациями. Я вот не отдыхал, поэтому нахожусь в прекрасной форме.

— Черный завистник! — с улыбкой прокомментировал Гуров.

— А может, это я только что вернулся из отпуска? — Орлов вскинул брови. — Это я на югах пузо грел да на полуголых девок пялился?

225

— Два черных завистника! — прокомментировал Гуров. — Так нам ехать? Что скажешь, Петр?

— Не хочется мне вас отпускать, ребята, но я понимаю, что там только с вашим опытом и можно справиться. Фактически чужая страна, хотя и русскоязычная. Верить, как, впрочем, всегда и везде, нельзя будет никому и ничему, ни людям, ни документам. Любой акт экспертизы надо перепроверять, вербовать агентуру в срочном порядке. Все будут знать, что вы приехали в Беларусь из Москвы по делу об убийстве российского генерала. Вы координируете розыск преступников, ищете факты, которые приведут вас к убийцам. Вы обязаны помнить, что все это знают и что только-только погибли ваши предшественники, которые приехали в Минск по этому же поводу.

— А объясни нам, Петр, вот такую вещь, — попросил Крячко. — Сначала наше Национальное центральное бюро Интерпола посылает людей в Беларусь. Они там погибают. Теперь оказывается, что туда должны ехать оперативники из уголовного розыска. Чем это можно мотивировать? Большие начальники, которые принимали это решение, о легенде-то позаботились?

— Вообще-то об этом подумали первым делом, — ответил Орлов. — Расследуется дело о смерти российского гражданина в лесу под Пинском. Основная версия такова: гибель по неосторожности в результате ссоры в состоянии алкогольного опьянения. Никакой политики, экстремизма, национальной розни и организованной преступности. Сотрудники Интерпола и офицер Следственного комитета погибли в результате ДТП. Эта версия также активно продвигается. По крайней мере на данном этапе. И не надо рассказывать мне про ведомственную честь. Рыбников был армейским генералом, пусть и отставным. Так что, армия теперь туда ринуться должна с разборками? Танки вводить?

— Ладно-ладно! — Гуров махнул рукой. — Мы свое дело сделаем, правда, Стас? Не в первый раз нам затыкать дыры в чужих кафтанах. Только у меня есть одно предложение.

— Ну?

— Пусть официально едет один Крячко. Полковник из Главного управления уголовного розыска — персона солидная. Будет крутиться там, путаться у всех под ногами, держать руку на пульсе, участвовать в межведомственных фуршетах, без мыла лезть во все дыры и требовать ознакомления со всеми документами. Главное — вызвать побольше внимания и неприязни к себе.

— Лишние взгляды от тебя отвлекать? — ухватился за мысль Орлов. — Дело сошло с высокого уровня до простого уголовного преступления. Да, убит человек, но вовсе не потому, что он когда-то был генералом Российской армии. Подвыпил в дурной компании, слово за слово, вот и трагический результат. А группа офицеров просто попала в ДТП. Кстати, погиб и начальник уголовного розыска местного УВД. Москва покумекала и ограничилась отправкой простого наблюдателя с неопределенными полномочиями.

— Вот-вот, — согласился Гуров. — Доказывать-то особенно нечего, все же и так примерно ясно. А полковник из Москвы для проформы торчит. Его послали, он поехал. С него требуют, вот он и нудит. Вяло, сонно и не опасно. Поняли?

— А ты все-таки уверен, что там все произошло иначе? — спросил Крячко.

— А я не знаю, Стас! — проговорил Гуров. — Я пока ничего не понимаю, но уже ясно вижу целый ряд нестыковок. Российский генерал пьет и дерется с бывшими сослуживцами. Это высокий чин, Стас! Ты и сам прекрасно знаешь, что генералами люди становятся не так уж часто. Это официальное мероприятие, он там все время на виду, почетный гость. Таких в пьяных драках не убивают. Теперь второе. Прибывает группа из Российского бюро Интерпола, что само по себе уже звучит громко. Это международный статус расследования, хотя еще не доказано, что преступление имеет такую же значимость. Они прибывают на всякий случай, но все равно это важные персоны. А за ними присылают не ведомственный транспорт с мигалками и верещалками, а арендованный микроавтобус с левым водителем.

— Встречать их отправили простого начальника уголовного розыска местного УВД в чине майора, — добавил Крячко. — Хотя статус гостей требовал как минимум представителя МВД России в Беларуси. Или высокопоставленного сотрудника местного бюро Интерпола. Так сказать, по ведомственной принадлежности.

— Вот именно! Вроде бы сущие мелочи. Каждая из них сама по себе ничего особенного не значит. Любой можно найти с десяток вполне приемлемых объяснений, но вместе они выглядят слишком уж подозрительно.

— Рискуешь! — Орлов покачал головой. — Стасу-то ничего. Он приехал официально, всегда на виду. После нескольких смертей его трогать не станут, даже если он там что-то официально и обнаружит. А ты будешь частным лицом, к тому же склонным оставаться в тени. Тебя там запросто могут грохнуть, и спросить будет не с кого. Теперь о том, что касается твоего предложения. Очень не хочется отпускать тебя в темное индивидуальное плавание по тем криминальным местам. Тебе связь там понадобится, поддержка надежных людей. Хотя бы ночевать надо в безопасном месте, где есть гарантия утром проснуться. Чисто организационная помощь кого-то из местных тоже нужна.

— Ни в коем случае! Ты же сам говорил, что верить никому нельзя. Мы ведь не знаем, кто замешан в убийстве, кто его организовал. Виноват, их организовал, ведь в ДТП мы все верим только очень условно. Можно нарваться непосредственно на человека, замешанного в этом деле, возможна элементарная утечка информации. Тогда я мгновенно расшифровываюсь, и вся наша задумка летит в тартарары. Нет, ребята, нам нужна стопроцентная гарантия, только тогда будет успех и результат. Мы должны до деталей разобраться в том, что это были два убийства либо несчастных случая. И никаких «скорее всего», «наверняка», «с достаточной степенью уверенности». Либо твердое «да», либо не менее твердое «нет».

— Ладно, тут с тобой не поспоришь, — согласился Орлов.

— И еще третье условие! — Гуров снова строго потряс в воздухе указательным пальцем.

— Вот человек! — в сердцах бросил Орлов, встал с дивана и пошел к рабочему столу.

— Третье условие: чтобы Маша не знала, куда и зачем я поехал. Нечего ей опять за меня переживать. Это вы и сами понимаете!

— Официально ты поехал в Питер на межведомственное совещание по профилактике преступлений среди несовершеннолетних. А потом я тебя там попрошу задержаться, раз уж ты все равно на месте. Ты устроишь внезапную проверку в одном из районов Ленинградской области по части расходования денежных средств, выделяемых для оперативных целей. Такая легенда сгодится?

— Чудо, а не легенда, — согласился Гуров. — Ты настоящий чиновник, Петр. С лету такие отмазки придумываешь!

Глава 3

Гуров сел в поезд ночью и сразу завалился спать. Нет, не сделал вид, а лег и крепко уснул. Возможно, в ближайшее время он больше не будет иметь возможность провести несколько часов в безопасности и спокойно отдохнуть.

Дорожная сумка, набитая всяким хламом, создавала только видимость. Как, собственно, и внешний вид, тщательно продуманный Гуровым. При посадке в поезд на нем были приличные брюки, городские начищенные туфли и вполне солидная рубашка. Все это не очень вязалось с большой дорожной сумкой, но ночью его никто не разглядывал.

Гуров проснулся рано, в половине шестого утра, и сразу прислушался к себе и к жизни в вагоне. Сыщик чувствовал, что хорошо отдохнул, хотя открывать глаза ему не хотелось. Ничего, с этим можно и погодить.

В купе все спали, что называется, без задних ног. Молодой парень на верхней полке свесил руку, которая моталась туда-сюда, как у куклы. Тетка на соседней нижней полке сопела, как паровой свисток. Видимо, полипы в носу или сильный насморк.

А вот мужик на соседней верхней полке выдавал трели позабавнее. Он то клокотал горлом, то всхрапывал, то судорожно сглатывал так, как будто давился или задыхался. Жуткие звуки! Если постоянно спать в одной комнате с этим субъектом, то можно и придушить его от отчаяния.

Мужчина завозился, повернулся на бок и перестал храпеть. Прошло около минуты, и парень сверху с утробным стоном

229

втянул руку под одеяло, повернулся и блаженно засопел. Заворочалась, а потом затихла женщина. Кажется, все они не спали, а только мучились, слушая эти храпы, доносящиеся сверху.

«Если мужик не храпит на боку, а он, по идее, и не должен, то теперь, под утро, все пассажиры крепко и сладко уснут, — подумал Гуров. — Что и требуется. Спасибо тебе, мужик. Только не начни снова, дай мне сделать то, что нужно».

Лев Иванович тихо поднялся и стал доставать из дорожной сумки совсем другую одежду. Джинсы, рубашку свободного стиля, летнюю куртку. Ботинки на мягкой подошве, которые скорее выглядели как кроссовки. Все остальное он аккуратно свернул и уложил назад в сумку. По карманам куртки сыщик рассовал всякую мелочь, включая складной нож и маленький светодиодный фонарик.

Теперь лицо. Влажная салфетка, смоченная косметическим молочком, лежала в отдельном пакетике. Гуров вытащил ее и стал старательно стирать с лица грим, который ему нанесли в лаборатории управления. Легкие профессиональные штрихи вчера добавили лицу Гурова лет пятнадцать возраста, сделали его каким-то угрюмым. Если утром побриться, то он помолодеет еще лет на пять. Ведь двухдневную щетину ему тоже подкрасили, затемнили ее, что заметно изменило внешность сыщика.

Пожалуй, тот человек, который вчера видел Льва Ивановича, сегодня с трудом узнал бы его в этом моложавом, крепком, спортивном мужчине. Ведь одежда тоже создает определенное впечатление о человеке.

В купе было тихо и уютно. Гуров посмотрел на часы — вполне можно подремать еще. Он снова улегся и натянул простыню до подбородка.

«Это хорошо, — размышлял Лев Иванович, погружаясь в чуткую дремоту. — Я правильно решил, что поехал первым. Если некий субъект, заинтересованный в том, чтобы преступления, совершенные в Беларуси, не были раскрыты, отслеживает ситуацию в МВД, то он обязательно узнает о выезде новых представителей в Пинск. Проведал же этот тип об офицерах Интерпола и Следственного комитета.

Ситуацию обязательно отслеживают очень внимательно!.. Как только эти господа узнают, что в Пинск отправился некто Станислав Крячко, они сразу вспомнят о его напарнике Льве Гурове и спросят себя, а где этот полковник? Ведь они с Крячко всегда работают вдвоем.

Нет, все правильно. Выехали бы мы вместе, и нас вычислили бы мгновенно. Да и меня одного тоже, если бы я выехал вторым. А так ищи меня!

Крячко поехал в Беларусь, а Гуров? В какую-то командировку, а куда именно? Предположить можно все, а знать наверняка нельзя.

Я постарался обезопасить себя. Надеюсь, что этот ход когда-то сыграет свою положительную роль».

На железнодорожном вокзале Гуров затискал в ячейку камеры хранения свою дорожную сумку, засунул руки в карманы и с видом довольного бездельника вышел на привокзальную площадь. Полчаса блуждания по городу, которое было бесцельным только с виду, дали ему основания полагать, что слежка за ним не ведется. Потом он поймал такси и вышел из него на Партизанском проспекте.

Потолкавшись на проспекте, для вида походив по магазинам, Гуров вдруг нырнул во двор между четырьмя многоэтажками и исчез. Если за ним все же кто-то следил, то этому типу пришлось бы проделать такой же маневр и выдать себя. Появился Гуров уже среди буйной ухоженной растительности сквера имени Омара Хайяма. Он обошел канал и выбрался к Восточному автовокзалу как раз в 15.20 — за десять минут до отправления автобуса Минск—Брест, который заходил в Ивацевичи.

В 15.30 сыщик уже ехал, поглядывая в окно на пейзажи, проносившиеся мимо. За все время нахождения в Минске интереса к нему, кажется, никто не проявлял. Это обстоятельство радовало полковника Гурова.

Гуров достал свой новый мобильный телефон, который получил в управлении от технарей. Начинка его была гораздо серьезнее, чем у обычного коммуникатора. Система JPSнавигации действовала безотказно. Судя по отметке на экране, до того места, где произошло ДТП, в котором недавно погибли офицеры российской полиции, ехать оставалось минут тридцать. Точка, обозначающая самого Гурова, ползла по дороге медленно, но верно.

Гуров убедился в том, что скоро окажется в нужном месте. Дорога впереди исчезала, видимо, уже ныряла в ту самую низину. Лев Иванович поднялся с кресла, извинился перед соседкой и стал пробираться к водителю.

— Слышь, друг, останови, пожалуйста, — старательно изображая недомогание, попросил сыщик. — Тошнит меня жутко. Боюсь, весь салон тебе сейчас уделаю. Сожрал вчера чего-то не то. — При этом Гуров так натурально изобразил рвотный позыв, что водитель лихорадочно стал прижиматься к обочине и тормозить.

Сзади зашевелились любопытные пассажиры. С шипением открылась дверь автобуса, и Гуров спустился на траву, придерживаясь рукой за поручень.

Он повернул полное страданий лицо к водителю, махнул ему рукой и сказал:

— Ты езжай, а я тут в тенечке посижу, отойду маленько.

— Может, подождать? Как ты доберешься до города?

— Это не проблема! — ответил Гуров и как-то кисло улыбнулся. — Тормозну какую-нибудь попутку. Не в первый раз. Ты езжай, а то весь автобус будет смотреть, как меня выворачивает наизнанку.

— Ну, смотри, — немного нервно сказал водитель. — Телефон-то есть, если что?

— Есть-есть! Езжай, не держи людей. Из графика выбьешься.

Водитель пожал плечами, и дверь с тем же шипением закрылась. Гуров неторопливо спустился по откосу в кювет и двинулся к лесополосе, под березки. Автобус, набирая скорость, скрылся в низинке.

Все, первая часть плана была выполнена. Оглянувшись по сторонам и порадовавшись нетронутой и незагаженной природе Беларуси, Гуров пересек лесополосу и пошел краем грунтовой дороги, держась параллельно трассе.

До места аварии ему пришлось идти примерно полчаса. Когда навигатор показал, что он почти на месте, Гуров снова пересек лесополосу. Он стоял под деревьями и разглядывал местность. Впереди трасса доходила до своей низшей точки. Под дорожным полотном была видна паводковая труба.

«Слева спуск в низину длиной метров двести, справа подъем примерно такой же длины, и еще столько же машина должна проехать в самой котловине. Да, метров шестьсот открытого пространства, а все остальное за пределами видимости. Это место тоже не разглядеть со стороны прямых, ровных участков шоссе. Как специально! — Это был самый важный момент в рассуждениях Гурова. — Авария произошла случайно или же кто-то ее подстроил?

Первый вариант так вот сразу исключать нельзя. Рельеф сложный. И у огромного грузовика может что-то сломаться, если на спуске резко нажать на тормоза. Например, гидравлический шланг лопнет. Допустим, он был поврежден, изношен. Может, еще с неделю выдержал бы при обычных режимах торможения, а тут экстренное.

С другой стороны, если ты хочешь устроить аварию и не уверен в том, что со стороны все будет выглядеть естественно, то выбирать место для своей акции будешь укромное. Его-то мы тут и имеем. На всем пути от самого Минска я не видел ни единого участка трассы, столь подходящего для этого. Это раз.

Теперь второе. А что не совсем естественное нужно было скрыть от посторонних глаз, если авария спровоцирована? Наверное, то обстоятельство, что самосвал попер на встречную полосу. А еще то, что водитель выскочил из кабины самосвала до момента аварии или сразу после нее и убежал».

Гуров снова прошелся по лесополосе и осмотрел ту ее сторону, которая выходила к полям и лесу. Да, человеку нужно несколько секунд, чтобы добежать от места аварии до лесополосы. А она тут густая, с обилием кустарников. За ней его уже не видно будет со стороны дороги. А вон там уже лес. Если там его ждала машина, то концы спрятаны надежно.

Гуров вернулся к дороге и стал бродить по траве в кювете, в том самом месте, где совсем недавно стоял грузовик, расплющивший микроавтобус. Да, вот и множество мелких осколков стекла, пластмассы. Здесь же темные пятна моторного масла, технических жидкостей.

Если проследить взглядом путь от места удара на шоссе, заметного по черным полосам от резины, до кювета, в котором замерли машины, то можно представить картину аварии. Водитель микроавтобуса тянет вверх. Из-за бугра вдруг вываливается здоровенный самосвал и резко смещается на встречную полосу, прямо в лоб микроавтобусу.

Что делать? Да ты не успеешь даже ногу с педали газа убрать. Секундное дело — и удар!

Жуткое место, подумал сыщик. Наверное, потому, что оно замкнуто рельефом, давит на человека, осознающего, какая беда тут случилась. А жизнь идет своим чередом, птицы поют, люди едут на своих машинах. Многие и не знают, что тут произошло, что кто-то на этом месте убил нескольких крепких мужчин, в дома которых пришло непосильное горе. У каждого из них впереди была целая жизнь.

Гуров посмотрел за дорогу и увидел аиста, бродившего по топкой низине. Вот оно, лицо Беларуси. Бескрайние леса вперемешку с полями, озерами и болотами. С аистами в этих полях, на крышах домов в деревнях, на шестах, куда люди специально устанавливают тележные колеса. На них очень удобно вить гнезда. Жизнь продолжается.

Приглядевшись, Гуров увидел человека, сидевшего на опушке, метрах в двухстах от него. Кажется, там паслась какая-то живность. Козы, что ли.

Гуров перебежал дорогу и осторожно двинулся краем леса, выбирая места посуше. Потом ему попалась утоптанная тропинка, и он прибавил шагу. Через несколько минут сыщик уже разглядел, что человек этот был стариком с белой бородой, в старой ватной фуфайке и зимней шапке. Он сидел на пеньке, а вокруг него паслись три козы и игривый непоседа-козленок. Старик с интересом наблюдал за приближающимся незнакомцем.

— Здорово, отец! — Гуров улыбнулся как можно приветливее.

— И тебе не болеть, — бойко ответил старик.

— Вас можно порасспрашивать немного? Видно, что вы местный.

— Так спрашивай. Не заблудился случаем?

Речь у старика была слишком уж правильной для деревенского жителя, тем более коренного белоруса из сельской глубинки. Врать и изворачиваться перед старым человеком, который еще и мог оказаться вполне интеллигентным? Глупо.

— Нет, — ответил Гуров. — Не заблудился. Я специально сюда приехал. А вы всегда тут свою живность пасете?

— А трава здесь сочная да влажная. Горечи в молоко не добавляет. Оно к ней очень чувствительно.

— Издалека приходится гонять? Я вроде тут и деревень-то никаких не видел.

— Да вон, — старик махнул хворостиной влево от себя. — И километра не будет. Мозыри называется.

— Скажите, а вы аварию видели, которая тут недавно была? Вон там на дороге столкнулись микроавтобус и большой самосвал.

— Следователь, что ли? — спокойно поинтересовался старик.

— Нет, папаша, — Гуров покачал головой. — Я, как бы это сказать, близкий человек кое-кому из погибших. Меня очень беспокоит, что следствие могут завести не туда и виновных искать не будут. Спишут все на неисправность техники.

— Это да, — сразу согласился старик. — Такое у нас любят. Особенно если тот человек, которому такое дело поручено, ждет подношения или умишки у него не хватает разобраться. Сам не видел, но рассказывали у нас. Участковый говорил, да и шофера тоже. Вроде как несколько человек там погибли, в этой аварии. А водитель самосвала сразу и убежал с того места. Вроде испугался сильно. Оно и понятно. Такое сотворить!..

— Нашли?

— Кого, шофера? Да кто же его знает. Так и найти-то не сложно, если и убежал. Документы ведь есть на машину, знают в хозяйстве, кто выезжал, когда и куда. Тут беги куда хочешь, а все одно поймают. Да и разве убежишь от себя-то? Столько человеческих жизней на тебе!

— А что еще у вас в деревне про эту аварию говорят?

— Да разное. В нашей деревне ведь как: на одной околице сказали, на другой услышали, а за гумном переиначили. Одни говорят, что пьяный был шофер, другие — что задремал за рулем. Ну, а участковый, человек знающий, тот сказал, что удивительная она какая-то, эта авария.

— И что же он в ней удивительного нашел?

— Ну как же? Если, говорит, тормоза у грузовика не работали, так он же должен прямо и катиться. Чего его понесло на другую сторону дороги? А если задремал, по нечаянности такое совершил, в беспамятстве свернул и на автобус этот наехал, так там удар-то сильный был. Очень даже. Это же железо! А он, бедолага, как заяц сиганул в кусты, и хоть бы где чего заболело. Не бывает, говорит, так. Шофер от такого удара должен был себе ребра, даже ноги сломать, голову расшибить. А он вон как полетел.

— Может, он и повредил чего, — задумчиво сказал Гуров, глядя в сторону дороги. — Сгоряча всякое бывает с людьми.

— Это да, — быстро согласился старик. — Курица вон и без головы бегает так, что не поймаешь. У меня случай был на службе. На Севере я служил, пограничником. Так у нас там беглые заключенные по тундре метались. Один на парный наряд и вышел. Ребятки его хотели без стрельбы взять, а он здоровенный оказался, одного ножом пырнул и прямо в сердце попал. Второй тоже на себя понадеялся. Так он, беглый этот, ему живот финкой вспорол. Не поверишь, кишки вывалились. Но Север есть Север. Там такой холод, что и микробов никаких нет. Кишки собрали, ремнем подпоясали. Потом один другого на себе до заставы и тащил. Тот самый и нес, которому уголовник ножом до сердца достал. Выяснилось это не сразу, только в санчасти. Вот так-то. А он с раненым сердцем дружка на себе пять километров тащил.

— Значит, вы считаете, что водитель мог и раненым со страху убежать?

— Всяко в жизни бывает, мил человек, — философски заметил старик.

— Ладно. — Гуров поднялся. — Спасибо за разговор, отец. Пора мне двигаться.

236

— Бывай, сынок, — старик махнул прутом. — И нам пора восвояси.

Гуров пошел вниз, к дороге. Когда он дошагал до самого асфальта и обернулся, старика на опушке уже не было.

Выходит, все вокруг знают, что водитель сбежал. Старик вон считает, что он мог и раненый удрать, если сразу понял, что натворил, и трусоват по натуре. Но тут, как говорится, пятьдесят на пятьдесят.

А если водитель не был ранен, вовремя принял меры, готовился к аварии?.. В таком случае он и не собирался драпать до Ивацевичей или Березовичей. Да и до Минска далеко. А соваться в ближайшие деревни опасно, потому что слухи об аварии скоро разлетятся по всей округе и местные жители вспомнят описание шофера.

Следует помнить и другой момент. Если все спланировано, то организаторы этой аварии, конечно же, как-то решили проблему с тем, что личность водителя самосвала установить очень легко. Значит, либо за рулем был не тот человек, имя которого значилось во всех документах, либо водителя убрали. Должен же он исчезнуть? Обязательно!

Гуров дождался, когда поток машин поредел, и перебежал шоссе. Итак, он должен установить примерный маршрут движения водителя, который после аварии покинул кабину тяжелой машины. Лев Иванович стоял на том месте, где недавно находился самосвал, и осматривал лесополосу. Получалось, что кратчайший путь к самому густому ее участку лежал под углом градусов в шестьдесят от линии шоссе.

Двигаясь и размышляя, Гуров преодолел лесополосу, потом узкий луговой участок и вошел в смешанный лес. По его теории, здесь водителя ждала машина. Значит, тут, где-то неподалеку, должна проходить дорога, пусть и проселочная, грунтовая.

Если водителя все же убили как нежелательного свидетеля, то все равно это сделали не здесь. Тело закопали в другом месте. Тут его с собаками быстро найдут, а он должен исчезнуть.

Гуров минут пятнадцать быстро петлял по лесу и наконец выбрался на небольшую полянку, вроде бы самую обыкновенную. Трава не очень высокая, редкий кустарник, две одинокие березки посередине. Справа молодой осинник. Слева почва песчаная. Там трава реже, и растет в основном сосняк.

Гуров стоял и осматривался. Он надеялся, что опыт и интуиция подскажут ему что-нибудь дельное. Сработал слух. Неподалеку еле слышно журчал родник. Ага, там еще и кленовый подрост, значит, влажное место.

Продолжая осматриваться, Гуров двинулся вперед и вышел к еле заметной грунтовой дороге. Колея заросла травой, стало быть, в этом году по ней практически не ездили. А на траве какие следы?! Примялась, потом выпрямилась, и все.

Вот тут и стояла машина. Гуров присел на корточки, потому что отчетливо увидел черное масло на травинках. Он даже встал на четвереньки и понюхал его. Вот и следы колес. Здесь она разворачивалась.

На корточках, чтобы не испачкать зеленью колени, Гуров обследовал место стоянки машины. Окурков он не нашел, следов ног тоже, а ведь машина стояла тут относительно долго. Это умозаключение подтверждалось тем фактом, что на колее, оставшейся от колес этой машины, смятая трава поднялась почти вся, а в том месте, где она стояла, почти половина стебельков сломалась. Они даже желтизной схватились.

Звук ручейка снова напомнил о себе. Если человек долго ждет и не курит, то ему трудно будет удержаться от того, чтобы не сходить к роднику и не выпить несколько глотков чистой воды. Гурова вот просто подмывало это сделать.

Ручей лениво сбегал по камням, едва заметным в густой траве, и найти его можно было только по звуку. Чуть дальше ручеек расширялся. Вода нанесла сюда изрядное количество песка. На нем-то Гуров и увидел то, что так старательно искал. Отпечаток передней части башмака. Кто мог наследить в этой глухомани?

Сыщик присел на корточки, разглядывая след. Обувь явно не для городской жизни, широкая и мягкая. Такую каждый день носят люди, которым приходится много ходить. У Гурова сейчас были ботинки примерно такого же типа.

Заметная щербина на подошве привлекла внимание Льва Ивановича. Рисунок был нарушен каким-то повреждением треугольной формы. Это обстоятельство стоило запомнить.

Мало ли? Может, судьба сведет полковника с этим человеком. Тогда нелишним будет вспомнить, что он причастен к убийству нескольких человек.

Гуров достал блокнот, оторвал листок и осторожно приложил его к следу на земле. Потом он приподнял бумажку и посмотрел на еле заметный влажный отпечаток. Теперь, пока копия не высохла, ее стоило зафиксировать. Лев Иванович стал быстро обводить ручкой рисунок подошвы и щербины на ней.

Пока не начало темнеть, Гуров отправился к шоссе ловить попутку. Солнце склонялось к вершинам сосен, из леса потянуло сыростью и пряным запахом истлевшей хвои. Надо было заканчивать с первым этапом работы.

Представление о том, что тут произошло, у Гурова появилось. Теперь надо было дополнить его фактами, установленными официальным следствием, которые должен получить Крячко по прибытии в Пинск. Несколько вопросов и заданий Станиславу уже сложились в голове Гурова. Теперь Льву Ивановичу надо было спешить в Пинск и заниматься смертью генерала. Все остальное, видимо, оказалось последствиями этого трагического события.

Из поредевшего потока машин, текущего по трассе, Гуров выбрал обычный «МАЗ»-самосвал, который шел порожняком со стороны Минска. Такая техника обычно находится в ведении специализированных организаций. Вот сейчас у сыщика и будет возможность пообщаться с водителем. Если тот остановит, значит, общительный, разговорчивый. А если молчун, то такие попутчиков и не берут.

Машина замигала правым фонарем и стала притормаживать, съезжая одним колесом на обочину. Гуров благодарно заулыбался и побежал к «МАЗу».

— Здорово, благодетель, — встав на подножку и распахнув дверь, сказал сыщик. — Далеко пилишь? Подбрось до цивилизации.

Водитель «МАЗа», молодой мужчина, у которого под рубашкой, распахнутой на груди, виднелась полосатая тельняшка, кивнул на сиденье рядом с собой.

— Что-то ты припозднился, — заметил он.

— Да дела у меня срочные в Пинске, а автобус только утром. Я в Мозырях был. — Гуров кивнул в сторону деревни, про которую ему говорил старик. — Вот и приходится надеяться на добрых людей, которые в беде путника не бросят.

Они посмеялись, поговорили о том, что сейчас времена не те. Раньше, как старые шофера рассказывают, ни один не проезжал мимо, если видел, что у кого-то сломалась машина. Всегда останавливались, предлагали помощь. А уж попутчика, голосующего у дороги, всегда подбирали. Люди, что ли, добрее были?

Такая тема показалось Гурову подходящей. Он поддержал ее и потихоньку свернул разговор на недавнюю аварию.

— Вот ведь как бывает, — с сожалением проговорил сыщик. — У человека что-то с машиной случилось, недоглядел за техническим состоянием, и на тебе. Несколько смертей. Ясно, что перетрусил и сбежал с места аварии.

— Какое там техническое состояние! — Водитель махнул рукой. — Это же с нашей базы машину угнали. Он, скорее всего, с управлением не справился на спуске, вот и вынесло его на встречку.

— Так в том самосвале точно не было вашего водителя?

— Я же говорю, что угнали у нас «Шекман». За машинами мы следим. Быть такого не может, чтобы с тормозами проблема случилась или с управлением. Милиция там дорогу перекрывала, да он, видать, уже проскочил.

— А ты в дорожной организации, наверное, работаешь, раз у вас такие огромные машины?

— Да, в Барановичах. Там у нас дорожный трест. А ты по какой части, что по деревням мотаешься без машины?

— Мотаюсь я на машине, только бензонасос спалил. У современных иномарок они ведь электрические. Чуть не уследил, что бензин кончается, и все. Вхолостую он моментально горит. А время поджимает. Вот я и оставил машину там, а сам на попутку. В Мозырях у меня дядька живет, бывший пограничник. Заезжал вот, подарок привозил — соковыжималку. Яблок у него много, так хоть не свиньям на корм, а на сок. А ты, значит, в Барановичи едешь?

— Да, друг, извини, дальше не могу. Подброшу только до Барановичей, у меня автобаза там.

— Отлично. Может, успею на электричку до Луненца, а оттуда — до Пинска.

— Последняя идет в том направлении, по-моему, около двенадцати ночи. Успеешь. Я тебя ближе к станции Антоново подвезу. Это следующая на выезде из города. Нечего тебе на вокзал ехать.

Крячко наскоро ознакомился с тем, как продвигалось дело о гибели Рыбникова в Пинске, неторопливо поговорил со следователем, оперативниками, выезжавшими на место преступления. Зевая в голос, он почитал акт вскрытия тела российского генерала.

Вопросов по возбужденному уголовному делу о ДТП на трассе, в результате которого погибли водитель микроавтобуса, начальник уголовного розыска Пинского УВД и трое полицейских из России, Станислав не задавал вообще. Спросил только, есть ли в нем какие-то сомнительные места.

Крячко крутился в Пинске весь день, а на следующее утро отправился в Минск. Там он представился руководству уголовного розыска и следственного департамента, поинтересовался, как именно они контролируют уголовное дело, возбужденное в Пинске, а потом отправился бродить по улицам белорусской столицы.

Станислав Васильевич не особенно прятался или проверялся. Он как будто специально давал возможность всем желающим следить за собой, тщательно фиксировать все его передвижения и контакты. Полковник даже как будто позировал, входя в министерство и покидая его.

Потом Крячко купил в киоске несколько газет и еженедельников, уселся за столик в ближайшем кафе и принялся обедать. Поедая поджаренную свинину с картофелем фри, запивая все это соком, он просматривал газеты, делал какие-то записи в своем блокноте. Потом Крячко заказал чашку кофе и принялся созерцать окрестности. Он смотрел на улицы с задумчивым видом человека, который никуда не спешил.

Через час Стас вышел из такси возле делового центра на улице Максима Богдановича. Воспользовавшись своим служебным удостоверением, он прошел в офис фирмы ООО «Комплект-Ресурс». Директора на месте не оказалось, поэтому Крячко побеседовал сперва с секретаршей, а потом и со старшим менеджером, осуществлявшим поставки в Россию. Особенно его интересовало сотрудничество этой белорусской фирмы с российским фондом «Ветеран».

Крячко отдельно поинтересовался, не посетил ли на днях офис фирмы представитель «Ветерана» Рыбников. Может, он звонил и извещал о намерении посетить своих деловых партнеров?

Генерального директора «Комплект-Ресурса» Станислав Васильевич так и не дождался. Он распрощался, вышел из офиса и двинулся на железнодорожный вокзал. До отправления поезда оставалось всего два часа.

Суета перед отъездом одинакова на всех вокзалах. Спешат люди с чемоданами, целуются и обнимаются у вагонов. Скучают проводники. Иногда над перронами проносится бесстрастный голос, извещающий, что до отправления поезда остается...

Крячко не торопился. Времени у него имелось еще достаточно, а подумать нужно было о многом. Например, совпадение или нет тот факт, что у фонда «Ветеран» есть деловой партнер в Беларуси? Именно сюда приехал вице-президент фонда Рыбников, но в офис к партнерам почему-то не заглянул. Это нормально для делового человека?

Крячко считал, что вопросы у бизнесмена найдутся всегда. Никто из топ-менеджеров ни в одной стране мира не упустит возможности повстречаться с руководством компании, с которой поддерживаются тесные связи, обсудить новые проекты, возможные варианты сотрудничества. Таковых нет? Партнер мелковат? Или Рыбников собирался зайти в офис «Комплект-Ресурса» на обратном пути, когда будет возвращаться в Москву? Увы, в этой фирме никто ничего не знал о таком намерении отставного генерала, даже о том, что он находится в Беларуси?

Ладно, размышлял Крячко, подавая проводнице билет и поднимаясь в вагон поезда. Пусть это мелкий партнер фонда, пусть они обращаются к нему редко и по частным вопросам. Но как это выглядит на фоне остальных событий, которые имели место на протяжении всего нескольких дней?

Надо признать, что смотрится это весьма странно. В Москве была проведена негласная оперативная проверка. Ее результаты лучше рассматривать в хронологическом порядке.

Президент фонда «Ветеран» уходит в отпуск и уезжает на отдых в Испанию. Рыбников, исполняющий его обязанности, переводит деньги на различные счета в Москве и Беларуси. В общей сложности исчезает около тридцати миллионов долларов. Затем, всего за три дня до возвращения президента фонда, Рыбников едет в частную поездку в Беларусь и погибает там от ножевого ранения, нанесенного неизвестным лицом.

День спустя попадает в аварию на собственной машине главная бухгалтерша фонда. Она двое суток лежит в коме, потом умирает из-за повреждений, несовместимых с жизнью.

Это то, что касается фонда. Но затем события разворачиваются гораздо шире и имеют весьма зловещий оттенок. В связи с тем, что в белорусском городе Пинске убит не просто гражданин России, а бывший военный, генерал-майор в отставке, дело берется на контроль в МВД России.

В Беларусь для координации усилий по расследованию отправляется оперативно-следственная группа в составе трех человек. В момент их передвижения из аэропорта Минска в город Пинск они попадают в весьма жуткую дорожную аварию. Погибают все, включая водителя микроавтобуса, который их вез, и майора местной милиции, встречающего группу.

Случайность или нет? Понять это очень важно.

Крячко подошел к своему купе и увидел в нем пожилую женщину и девушку лет двадцати пяти с веселыми, даже какими-то задорными глазами.

Станислав широко улыбнулся и заявил:

— Здравствуйте, дамы! Принимайте попутчика в свою компанию.

Женщины тоже расплылись в улыбках при виде зрелого импозантного мужчины с явно приличными манерами. Поезд тронулся. Проводница прошла по купе и собрала билеты. Потом завязался незамысловатый разговор, плавно перетекавший с одной темы на другую.

В купе никто не спешил переодеваться и заваливаться спать. Может, вечер был каким-то особенным, но и все прочие пассажиры никак не могли угомониться. По коридору все время проходили какие-то люди, проводница с кем-то спорила.

Крячко решил, что атмосфера станет еще душевнее, если попить чайку, и вызвался сходить за ним. У пожилой женщины оказалась в запасе немалая коробка хороших шоколадных конфет, а у девушки — пирожки, напеченные бабушкой.

Беседа велась в основном между Крячко и женщиной в годах, назвавшейся Валентиной Васильевной. Девушка по имени Соня только улыбалась, иногда отпускала какие-нибудь шутки. Тогда она сама валилась на полку, покатываясь от смеха.

Девчушка была очень забавной, но многоопытному Крячко она показалась немного странной. Что-то в ней было неискренним. То ли готовность смеяться по любому поводу, при любой попытке импозантного попутчика пошутить. То ли улыбка, в которой не участвовали глаза. Нельзя сказать, чтобы они совсем не светились весельем. Нет, просто в них где-то очень глубоко притаилось что-то серьезное, внимательное, более взрослое, что ли.

Станислав Васильевич не сразу вспомнил, почему ему в Соне что-то показалось знакомым. Он видел ее среди ветеранов воинской части, в которой служил Рыбников. Она точно крутилась там. И что интересно, он почти не видел ее лица, а запомнил по некоторым манерам. Соня очень уж характерно поводила правым плечом в разговоре, когда не выражала согласия с чем-то. Она резко наклоняла голову, когда закатывалась от смеха. Все это было знакомо.

Спросить? Ладно, потом!

Крячко решил не обращать внимания на странности попутчицы. Люди бывают разными. Завтра он расстанется с ними и больше никогда не увидит. И вообще пора ложиться спать. Валентина Васильевна откровенно принялась зевать, а вот Соня предложила попутчику пойти в тамбур покурить. Но сперва она хотела переодеться.

Крячко вытащил сигареты и вышел в коридор. Ждать Соню возле двери купе было неудобно, потому что пассажиры ходили туда-сюда умываться, возвращать стаканы проводнице. И Станислав Васильевич отправился в тамбур.

Там было здорово накурено, но кто-то оставил переходную дверь открытой, и дым постепенно вытягивало потоком воздуха. Крячко решил, что лучше вонь, чем оглушающий грохот, захлопнул дверь и закурил. К его большому неудовольствию, хождение пассажиров продолжалось и здесь. Переходная дверь распахнулась, и в тамбур вошли трое молодых крепких мужчин.

Дальше все произошло до такой степени неожиданно, что несколько растерялся даже Крячко, не раз побывавший в самых крутых передрягах. Парни шагнули к Станиславу и без лишних разговоров обрушили на него град ударов руками и ногами. Они не мешали друг другу, что говорило об опыте и слаженности в таких нападениях, и не использовали никакого оружия типа ножей или кастетов. Это соображение первым пришло в голову сыщику, пока он защищался, как только мог.

Стас пропускал удар за ударом, лихорадочно пытаясь понять, что этим типам от него надо, какую цель они преследуют. Ведь пройдет еще несколько секунд, и шум драки услышат люди, находящиеся в вагоне.

Тут-то Крячко и пропустил мощный удар в голову. В глазах полковника все поплыло, пол уходил из-под его ног. Стас почувствовал, как его схватили под руки и подняли, как с шумом ворвался воздух в тамбур.

«Они открыли дверь на улицу? Хотят выкинуть меня из поезда! Значит, проворонил я ситуацию, — подумал Крячко сквозь муть в голове. — Выходит, я — новая жертва. Очень важно понять, почему они так откровенно, никого не боясь, ликвидируют сотрудников полиции, которые начинают заниматься этим делом».

Инстинкт самосохранения сработал быстро. Если его сейчас как мешок выкинут из вагона, то он разобьется насмерть. Это неизбежно. Какой выход тут можно найти? Да самый простой и неожиданный для нападающих. Главное, чтобы сил хватило. Хорошо, что свежий воздух в лицо. Очень даже неплохо, что эти люди долго копаются.

Крячко сделал единственное, что могло спасти ему жизнь в этой почти безвыходной ситуации. Когда его подтащили головой вперед к открытой двери, он напружинил тело, собрал воедино весь остаток сил и обеими ногами пнул парней, волочивших его. Это ему удалось! Один негодяй получил удар в верхнюю часть бедер, второй — в пах.

Стас на пару секунд оказался свободен, потому что один мужчина отшатнулся назад, другой упал. Крячко перевернулся на бок, встал на колени, поймал рукой поручень и перекинул тело через порог на подножку снаружи двери. Ветер рвал полы пиджака, трепал волосы, а из вагона к нему уже тянулись руки.

В голове сыщика было еще не совсем ясно, но он видел столбы, проносившиеся мимо. На них падал свет из окон вагона. Стас оттолкнулся и прыгнул в тот момент, когда подножка поравнялась с очередным столбом. Он рисковал удариться об него, но расчет оправдался.

Во время полета ноги полковника полиции за что-то зацепились. Крячко решил, что это конец: он напоролся на столб. Но удар был не сильным. Стас превозмог рефлекторный страх и понял, что это всего лишь куст. Потом он сгруппировался, плотно прижал к телу руки и колени. Сыщик упал правильно, спиной по ходу поезда. Его сразу швырнуло, покатило по земле, он давил кусты, перелетал через мелкие рытвины.

«Беречь голову, глаза!» — мелькало в его мозгу вместе с чернотой и ударами по телу.

Грохотал поезд, проносившийся мимо. Потом Станислава окутали тишина и темнота.

Крячко быстро пришел в себя и понял, что после падения прошло мало времени. Он даже не успел замерзнуть. Все-таки ночь и лес!.. Температура была ниже двадцати градусов, это точно.

Потом сознание сыщика стало пытаться оценить повреждения, которые его тело понесло в результате падения. Где самая сильная, огненная, нестерпимая боль?

Станислав с трудом разлепил глаза и посмотрел перед собой. На чем это он лежит? Песок? Ну да. Даже в лицо попал. Не на пляж же он угодил после прыжка!..

Крячко осторожно пошевелился и убедился в том, что получил только ушибы. Серьезных травм вроде бы не было. Болело все, но ноги и руки оказались целы. Да и голова, кажется, не разбита.

Стас со стоном попытался сесть и тут увидел, почему оказался на песке. Им была присыпана бетонная тумба размером со старинный шифоньер из детства. Точно, бетонный шкаф с трансформатором или какой-то другой начинкой, которые железнодорожники иногда устанавливают вдоль путей. Еще метр полета, и Крячко влепился бы в него.

«Осталось бы от меня мокрое место», — подумал он.

Несмотря на отсутствие переломов, полковник чувствовал себя отвратительно. Если быть честным перед самим собой, то надо сказать, что он не смог бы не только идти, но и стоять. А если глубоко вдохнуть? Черт, кажется, сломано ребро или даже два.

Станислав Васильевич перевернулся на спину и поудобнее улегся на песчаное покатое основание бетонной конструкции. Колено он тоже расшиб, возможно, схлопотал и сотрясение мозга, пусть и небольшое. Его чуть подташнивало.

«Теперь надо понять, как быть дальше, — думал Крячко. — В тамбуре я что-то увидел или понял, прежде чем меня выключили ударом в голову. Потом я отвлекся, постарался выжить, но вначале мелькнуло что-то важное, от чего сейчас должно зависеть мое решение.

Да, здесь оставаться нельзя ни в коем случае. Красавцы, которые напали на меня в поезде, конечно же, поняли, что я прыгнул сам. Они знают, что я мог уцелеть. А меня хотели убить, причем так, чтобы создать при этом видимость несчастного случая.

Вот это и есть тот самый важный момент».

Встать сразу у него не получилось. Крячко с кряхтеньем повернулся сначала на правый бок, подвел под себя руки, а потом стал приподниматься. Болело колено, в боку простреливало огнем, в голове шумело, а перед глазами плыли радужные круги. Однако он с грехом пополам все же встал на четвереньки, потом, хватаясь рукой за бетонную конструкцию, вытянулся в полный рост.

«Надо же, как меня качает, — удивился Крячко через какое-то время. — Штормит! Надо палку сломать какую-нибудь, чтобы было на что опереться». Он шел уже довольно долго, но понятия не имел, как далеко унес ноги от железной дороги. «Надо идти! — повторял себе сыщик. — Можешь или нет, но шагай. Утром меня будут искать именно вдоль полотна. Они представления не имеют, в каком месте я выпрыгнул. Значит, им будет не так легко. Если бы это была местная милиция, то проблем не возникло бы. Они взяли бы в купе мои вещи и дали бы их понюхать собаке. Та в два счета нашла бы сначала след, а потом и меня».

Где-то вдали отчетливо раздался жуткий вой. Может, это и не волк, а собака? Это значило бы, что жилье где-то совсем рядом.

Крячко остановился и с наслаждением перенес тяжесть тела на здоровую ногу. Больное колено тут же отозвалось благодарным горячим пульсированием. Ему хотелось рухнуть на землю... нет, не рухнуть. За сегодня он уже нападался вдоволь. Лечь и забыться. Чтобы не болели левый бок и колено, чтобы не смотреть в темноту, от чего голова начинала раскалываться, глаза вываливались из орбит и накатывала тошнота.

В прошлом году Стас побывал в Курской области. В тамошней охотинспекции ему рассказывали про волков совершенно неутешительные вещи. Эти умные животные умеют охотиться коллективно. А еще волки — единственные хищники, которые почему-то могут воспринимать людей как свою законную добычу.

Волки с одинаковым удовольствием загоняют и убивают здоровых животных, доедают падаль, которая уже с душком. Когда дичи становится слишком мало, а это может быть связано с кратковременным ростом популяции самих волков, тогда они не боятся нападать и на людей.

Сейчас Крячко ощущал себя совершенно беззащитным. Слишком уж плохо он себя чувствовал.

Глава 4

Улицу Черняховского Гуров нашел быстро. Тем более что от вокзала она была недалеко. Он шел по Пинску и никак не мог представить, что во время войны тут разворачивались весьма серьезные сражения. Пинск фигурировал во всех сводках, потому что находился на пути движения армий, как наших, так и немецких. Точно так же в древности он стоял на пути торговых караванов, что, собственно, и повлияло на его зарождение и рост.

Вот улица Черняховского, а вон и школа. В музей Гурова пропустили без разговоров и расспросов. Наверное, потому, что в дни праздника сюда свободно проходили все желающие. В отдельном классе, в прошлом году выделенном школой под экспозицию, Гуров походил среди фотографий, развешанных на стенах, постоял напротив знамени части. Потом он решил подойти к молодой высокой женщине в строгих очках и с таким же взглядом и поговорить с ней о музее.

Наверное, завуч или учительница этой школы, подумал Лев Иванович.

— А вы, простите, откуда к нам приехали? — первым делом спросила женщина.

— Я из Сибири, — очень убедительно проговорил Гуров. — У меня друзья в Бресте и Минске. Служили вместе. Вот, заинтересовался опытом офицеров этой части по созданию музея. Нашу тоже расформировали в те же годы, по той же международной программе.

Такая легенда показалась женщине очень убедительной. Она принялась рассказывать о том, что часть базировалась в лесу, в нескольких десятках километров от Пинска. Там имелось несколько стартовых площадок, на которых располагались батареи, сведенные в два дивизиона, хранилище боеголовок. Только один этот полк мог своими ракетами утопить в водах океана такое государство, как Великобритания. Когда было подписано очередное соглашение о сокращении ядерных наступательных вооружений, этот полк был расформирован, а ракеты — уничтожены.

Офицеры, долгие годы прослужившие в этой части, собрались и создали этот музей. Городские власти пошли им навстречу, в результате возник этот музей. Теперь, в основном в сентябре, сюда приезжают сослуживцы. Как солдаты, так и офицеры. В лесу практически ничего уже не осталось, но ветераны все равно ездят каждый год. Они-то помнят, как там все было.

Гуров долго ходил, прислушивался к разговорам и наконец-то услышал ту фамилию, ради которой он сюда и пришел. Двое мужчин за пятьдесят лет явно с подозрением допытывались чего-то от третьего, высокого, смуглого, с тонкими чертами лица и заметным украинским выговором.

— Носок, ты не темни, — неприязненно проговорил невысокий лысый мужчина. — Если что было, то расскажи честно. Рыбников тут тридцать лет не появлялся. Ссориться ему у нас не с кем.

— Сдурели? — процедил сквозь зубы высокий мужик. — Вы там, в деревне, разберитесь с местными. Устроили гостиницу у одинокой бабы. А может, у нее хахаль был из своих, сельских? Мне делать больше нечего? У меня семья, уже внуки, а я буду такой фигней заниматься!

— А забыл, как ты в день его приезда напомнил ему про Ольгу? А сам-то к ней даже и не поехал. Да и нас сторонился, как будто не на одном узле связи служили.

Потом мужчины огляделись по сторонам, поняли, что они тут не одни, и заговорили тише. Гуров делал вид, что старательно рассматривает экспонаты маленького музея, и все время поворачивался к троице спиной.

«Интересные ребята, с ними стоит познакомиться поближе, — рассудил сыщик. — Этого вот высокого мужика явно подозревают чуть ли не в убийстве. Значит, есть основания? И что-то про бабу говорили. Глупо подозревать, что московского генерала, приехавшего в белорусский райцентр, потянет на местных деревенских красавиц и что из-за этой пассии его убьют в лесу. Это сюжет о российской глубинке тридцатых годов прошлого века».

Выйдя из школы, Гуров увидел, что высокий дядька, на которого наезжали двое ветеранов, садится в микроавтобус вместе с другими людьми. Двое его собеседников остались на улице. Они спокойно закурили, стояли и тихо переговаривались.

Сыщику нужен был повод не просто для знакомства, но и для того, чтобы провести с этими людьми значительное время, завести доверительную беседу. Гуров понимал, что на любой легенде долго не продержишься. Ему рано или поздно придется объяснять свой интерес к ветеранам расформированной воинской части и погибшему Рыбникову. Но лучше бы эту необходимость отложить как можно дальше.

Лев Иванович подошел к мужчинам, широко и открыто улыбнулся и протянул руку:

— Здравствуйте! Вы из ветеранов этой части?

— Да какие мы ветераны! — отвечая на рукопожатие, проговорил седовласый человек. — Мы все срочную тут служили в разные годы. Мы с Мухой дембельнулись в семьдесят восьмом. Вот приехали молодость вспомнить, с сослуживцами повидаться.

— А вы что, — поинтересовался второй мужчина, которого его седой приятель назвал Мухой, — к нашей части какое-то отношение имеете?

И тут Гурова осенило. А ведь легенду, придуманную на скорую руку и изложенную в музее, можно усовершенствовать. Эврика! Вот оно, решение!

— И прямое, и косвенное, — Лев Иванович опять улыбнулся. — Я в Сибири служил, во внутренних войсках, в части, которую с распадом СССР расформировали. Можно сказать, что за ненадобностью. Растерялись сослуживцы, а хотелось бы, чтобы память осталась. Вот как тут, у вас. Я проездом в Минск и Брест. Навещал старых друзей. Услышал о вашем музее, вот и решил заехать да посмотреть. Так сказать, перенять опыт и, может, у нас такое сделать. Хотя вообще-то у меня задумка иная. Я хочу книгу написать про армию, в которой мы с вами служили. Еще советскую и современную. Как изменилась армия, люди, в чем причина. Что мы потеряли, а что, может быть, и приобрели за эти тридцать лет.

— А вы писатель?

— В какой-то мере, — Гуров развел руками. — По большей части я журналист, хотя и внештатный. Но мои статьи с удовольствием берут различные российские издания. Сборник рассказов готовится к выходу, еще кое-где удавалось понемногу печататься. Одним словом, готовлюсь к выходу на пенсию, чтобы вплотную заняться литературным трудом.

Гуров специально так много и пространно философствовал. Он был уверен в том, что эти два человека далеки и от литературы, и от журналистики. Не тот типаж, слишком уж простой лексикон. А значит, можно им запудрить голову этой темой. Главное, чтобы теперь у него появилась возможность расспрашивать их со всеми вытекающими отсюда последствиями.

— А чего же мы не познакомились-то? — спохватился мужчина с седыми волосами и такими же усами. — Меня зовут Алексей Богомазов. Думаю, проще будет общаться без отчеств и на «ты». Мы вроде примерно одного возраста. А это Муха, как мы его тогда звали, Сашка Мухин.

— Гуров, Лев. — Сыщик снова протянул руку для пожатий. — Так где поговорим? Я, честно говоря, даже в гостиницу еще не устроился. Может, успею, как вы считаете? Вы ведь не в первый раз в этом городе.

— Слушайте, мужики! — вдруг завелся Мухин. — А чего это мы? Может, поехали все к Ольге в Оброво? Нам-то все равно там ночевать, мы у нее на постое, а тебе, Лев, место тоже найдем.

— Неудобно как-то, — замялся Гуров. — Вы двое, а тут еще я. А где это Оброво?

— Это как раз в тех местах, где наша часть была. Можно сказать, прямо за проволокой. Ничего, Ольга будет только рада. Невесело ей там одной в четырех стенах. А мы, кстати, не стесняем ее в хате, живем и ночуем в летней кухне. Есть у нее такая пристройка. Вполне комфортабельная!

Мужчины громко засмеялись, видимо, вспомнили что-то, связанное с этой самой комфортабельностью. Гуров сделал вид, что его покидают сомнения и он готов уже согласиться. Долго изображать скромность и стеснительность не стоило. Во-первых, какой ты журналист, если обладаешь таким незавидным качеством, как стеснительность. Во-вторых, ночевка вместе с этими людьми как нельзя лучше отвечала его планам.

— Ладно, уломали, — Гуров хмыкнул и махнул рукой. — Если уж становиться писателем, так надо влезать в эту шкуру окончательно. Спать там, где положат, пить с теми, с кем познакомишься, да и слушать их же.

— Наслушаешься, — пообещал низкорослый грузный Мухин. — Это мы тебе обещаем.

Друзья подвели нового знакомого к старенькім синим «Жигулям» пятой модели с местными номерами. Гуров удивленно посмотрел на эту машину, потом на мужчин.

— Вы на ней приехали из другого города? — спросил он с нескрываемым сомнением.

— Спокойно, солдат, — Богомазов похлопал его по плечу. — Эта таратайка принадлежит Ольге Синицкой. Муха там покопался немного, и теперь эта ласточка летает как моло-денькая. В благодарность Ольга разрешает нам на ней кататься.

Гуров уселся сзади и всю дорогу расспрашивал своих новых знакомых о том, как сложилась их судьба после армии. Он преследовал этими разговорами несколько целей. Во-первых, не стоило сразу, с первых минут знакомства, начинать расспрашивать этих мужчин об убийстве их сослуживца. Это подозрительно. Во-вторых, он должен был убедиться в том, что эти двое непричастны к убийству, что они те, за кого себя выдают.

Нельзя забывать о гибели членов московской оперативно-следственной группы. Некие люди вполне могут отслеживать тут любые контакты с МВД России и вполне решительно пресекать их.

Мужики рассказывали складно, не врали, пускались в такие тонкости, упоминали про такие мелочи своего послеар-мейского бытия, что заподозрить их в том, что они пытаются что-то утаить или врут, было бы глупо. Муха приехал в Пинск из Краснодарского края, Богомазов — из Самары. До прошлого года они даже не поддерживали контактов, пока не нашли друг друга на сайте «Однополчане». Потом один бывший офицер части, принимавший самое активное участие в создании музея полка, разместил в Интернете информацию об этом и фотографии. Так вот и нашлись бывшие сослуживцы. Они списались в социальных сетях, договорились встретиться в Пинске. Вот и вся предыстория.

Гуров слушал, поддакивал, шутил, а сам посматривал по сторонам и прикидывал, сколько времени осталось до поворота с трассы на деревню Оброво. Он хотел провести еще одну проверку своих новых знакомых. Чисто психологическую. А заодно, если удастся, и познакомиться с местом преступления.

— Слушайте, а давайте заскочим на место, где ваша часть располагалась, — предложил Лев Иванович, когда отметил по часам, что они едут уже тридцать минут. — Еще светло, до сумерек далеко. А то получится, что вечером вы мне рассказывать будете, а иллюстрировать все придется на пальцах. Так я хоть представление получу, где, что и как было. Это ведь не трудно, все части в СССР были однотипными: казармы, плац с трибуной для командования, столовая, КПП, чистые дорожки с побеленными бордюрами, газоны с покрашенной травой.

Мужики посмеялись этому старому анекдоту, в котором командир части велел солдатам красить траву перед приездом проверяющих из дивизии. Оказалось, что многие еще помнят все эти байки советских времен.

— А это не забыли? — Мухин энергично размахивал одной рукой, сидя на водительском месте. — Старшина говорит, что температура кипения воды составляет девяносто градусов, а солдат его поправляет, что сто. На следующий день старшина признается, что он, черт возьми, с прямым углом перепутал.

Мужики снова посмеялись. Потом Гуров увидел табличку с названием деревни, и Мухин сбросил скорость. Лес обступил их стеной. В некоторых местах он отходил от грунтовки, и вдоль дороги тянулись солнечные полянки. Кругом надрывались птицы, через опущенное стекло машины в салон тянуло прелой хвоей, шалфеем и вереском. Иногда взору открывались участки сосняка. Ровные прямые деревья утыкались кронами в небо. Между ними не было зарослей кустарника. Почву обильно устилала опавшая хвоя. Тогда лес казался весь пронизанным красноватыми лучами низко опустившегося солнца.

— Вот он, родной! — Богомазов кивнул на старенький одноэтажный домик.

Это был деревенский магазин, какой-то типичный, с решеткой на двух окнах. Казалось, зайди в него сейчас и тут же окунешься в семидесятые годы прошлого, советского века. Масло в коричневой оберточной бумаге, запах хлеба. На прилавках карамель, водка. Что еще было в этих деревенских магазинчиках? Вместе с продуктами там продавалось мыло, спички, свечки, детские сандалии, взрослые босоножки, домашние халаты и резиновые сапоги. И все были счастливы. Все как у всех, по цене доступно, и ничего большего не надо.

— В самоволки сюда бегали? — догадался Гуров.

— Ближайший магазин, — заявил Мухин и усмехнулся. — Особенно к первому дивизиону.

— А вот и Ольгин дом, — Богомазов ткнул рукой налево, когда они подъезжали к небольшому мостку. — Яблок море в этом году. Мировая закуска... Сидишь на лавке, пятьдесят капель плеснешь и яблочком с дерева закусишь. Сказка!

— А дом у нее ухоженный, — отметил Гуров, оборачиваясь и глядя сквозь заднее стекло.

— Она пока в части работала, ей командир дивизиона помогал кое-чем, выписывал. Как и всем вольнонаемным, кто у нас служил. У нее дочка болела часто, мужа не было. Вот и заботились. А потом, когда дочь подросла и замуж вышла, зять помогал. Летнюю кухню он ей выстроил.

— Заросла дорога.

— Эх, Лев, ты не представляешь, какая она была в те годы!.. Широкая, ровная, мягкая. Почва-то песчаная, ни бугров, ни ям. Машина катится как по ковру. По утрам здорово было на зарядке бегать. Вывалим все ротой за ворота и айда по ней под лесные запахи. Я после армии долго не мог к городскому воздуху привыкнуть. Не хватало чего-то.

— А грибы помнишь? — задумчиво спросил Богомазов.

— Это да! Отдельная песня, — согласился Мухин. — Представляешь, как здесь служили офицеры? Они за час из города на дежурной машине выезжали, чтобы в часть к восьми попасть. Да и отсюда точно так же. Машины в те времена совсем не у всех были.

— Прапорщик Прожерин на мотороллере ездил, — напомнил Богомазов.

— Не только сюда. Он рассказывал, что и до Москвы на нем добирался. Так вот, про грибы. Обидно же в лесу служить, а возвращаться в город без грибов. А их тут!.. Вот офицеры и прапора, особенно те, которые оставались ответственными по роте, разрешали паре-тройке ребят утром вместо зарядки сходить за проволоку за грибами. Ради этого мы не ленились и пораньше встать. Лисички помню, белые, черные грузди по осени. Только успевай нагибаться. Иногда заказывали лишь один вид грибов, например, те же самые лисички. И без проблем. Час — и ведро полно.

— А белые грузди!.. — Богомазов даже обернулся к Гурову с переднего сиденья. — Они тут вырастают до таких размеров, что мы глазам поначалу не верили. Во! — Он показал руками колесо перед своим животом. — Два гриба в вещмешок не помещались. Идешь после дождя, а тут груздь. В шляпке вода, аж литров пять, и несколько лягушек.

— А черника? Как в баню старшина нас ведет с четвертой площадки во второй дивизион, так человек десять потеряются. Потом приходят. Он их ругать, а они говорят, мол, мы тут давно, просто в туалет отлучались, короче, всякие причины придумывают. Он просит зубы показать и колени. У них то и другое черное. Ягоды этой в траве столько, что не оторваться.

— Вот и приехали.

Машина свернула налево и уперлась капотом в кустарник и молодой древесный подрост. Гуров увидел, что из травы виднеется что-то вроде бетонного рассыпавшегося фундамента и остатков кирпичной кладки. Когда-то тут стояло какое-то небольшое квадратное строение.

— КПП, — вылезая из машины, пояснил Богомазов. — Вот сюда нас и привезли с вокзала с Вовкой Рыбниковым. Мы с ним в учебке вместе были, это в Павлограде, на Украине.

— Здесь его нашли? — спросил Гуров.

— Да, вон там, чуть дальше. Сейчас покажем. Так что заходи, ворот теперь нет. Под этими самыми деревьями мы прослужили полтора года.

Они втроем протиснулись сквозь заросли и пошли по густой траве, обходя кое-где куски бетона, вросшего в землю, какие-то ошметки проржавевшего металла. Мухин молчал.

Богомазов шагал впереди, показывал руками то направо, то налево и говорил:

— Вот тут справа сразу была наша казарма. Да, узла связи «Сенатор». Слева подальше — санчасть. Вот эти две стены и куча мусора — все, что осталось от финчасти и строевого отдела. Справа дорожка уходила к большому общему туалету. Тут столовая была, тут спортзал. Но больше мы на улице занимались, там сзади футбольное поле было. Слева вон клуб стоял, а за ним автопарк. Кучу справа дальше видишь? Это был штаб полка, а мы сейчас стоим на бывшем плацу.

— А это что за холм? — Гуров ткнул пальцем вперед.

— Это, приятель, и есть бункер командного пункта полка. Тут находился «пятьсот пятый», как называли командира дежурных сил. Наверху при нас еще бронеколпак устанавливали, да, Санек? Это хреновина такая в виде полусферической бронированной башни с прорезью для пулемета. Помню, лежал он тут на асфальте, а мы залазили и удивлялись, как легко эта штуковина крутится по горизонтали при своем немалом весе. Подшипники хорошие были.

— Вон главный выход из бункера, — Мухин показал рукой и тихо засмеялся. — Помнишь, Леха, в семьдесят седьмом, что ли, было, когда пакет вскрывать пришлось?

— Да!.. — Богомазов закрутил головой. — Представляешь, Лева, сидим мы на дежурстве, и вдруг приходит по связи приказ вскрыть пакет номер три. У командира в сейфе есть такие пакеты, в которых... в общем, он догадывается, что там. Да и мы представление имеем. Только никто не знает, в каком пакете какие приказы, потому что их из штаба дивизии запечатанными привозят и с грифом секретности, естественно. Ну, думаем, учения начинаются. Спят сейчас наши парни и в ус не дуют, а через несколько минут подъем, учебная тревога, и пошло-поехало. А времени, между прочим, часа два ночи. Вскрывают на командном пункте этот самый пакет номер три, а там сказано, что по сигналу такому-то, полученному по радио, вскрыть пакет номер один. А вот это хана, Лева! Это все на командном пункте знают. В пакете номер один координаты реальных целей на Западе, вводятся перед пуском. А еще там приказ срочно подготовить ракеты к боевому применению. Это значит, что и ядерные боеголовки должны быть присоединены. Там же указание, по какому кодовому сигналу, переданному по радио, произвести по этим координатам боевой пуск. — Богомазов выдержал эффектную паузу, глядя больше на реакцию Гурова, нежели своего сослуживца. — Короче, минут тридцать на командном пункте стояла гробовая тишина. А потом пришел приказ «Отбой». Я вот, например, видел, как один из наших офицеров вышел вот к этой двери с сигаретой. Рубашка у него была мокрая во всю спину. А у нас там, между прочим, прилично вентиляция работала. Да, пережили тогда за эти полчаса.

Гурову показалось, что мужики специально рассказывают ему эти истории, чтобы не идти в бункер. Сами себя отвлекают от неприятного воспоминания о том, как там, в темноте, на грязном бетоне, в луже крови лежал их сослуживец с раной в груди. Они, конечно, подзабыли друг друга за тридцать лет, отвыкли. Но все равно неприятно и грустно.

Надо брать инициативу в свои руки, решил Гуров.

Стараясь не показывать поспешности или нетерпеливости, он пошел к входу в бункер. За его спиной кто-то из мужиков отчетливо вздохнул. Полковник достал фонарик, стал светить под ноги и на стены. Пыль, старая паутина, следы протечек воды с поверхности, на полу глубокие желоба, в которых когда-то были проложены кабели. Проемы, которые запирались массивными дверями. Тут стояли столы, гудела аппаратура, сидели люди в военной форме с наушниками.

В нескольких километрах по команде, поступившей из этого бункера, солдаты могли начать поднимать ракеты на стартовые столы. Парни в костюмах химзащиты заправляли их, а они, здоровенные, темные и зловещие, высились среди деревьев, готовые ударить громом и пламенем, с ревом уйти в ночное небо, испаряя по пути облака.

— Здесь, да? — спросил Гуров, не оборачиваясь и водя лучом фонарика по полу бункера.

— Здесь, — гулко ответил кто-то за его спиной. — Полтора года просидеть под этими потолками, вернуться домой, дослужиться до генерала и приехать сюда, чтобы...

— Чтобы закончить свою жизнь там, где прошли лучшие годы, — добавил Гуров.

— Если разобраться, то так оно и было, — проговорил Мухин, подошел и встал рядом. — Чего нам не хватало? Все было, в войнушку играли по-серьезному. С реальным оружием, с настоящими ракетами. У нас сержант был на узле связи, фельдъегерь. Он три раза в неделю с автоматом и боевыми патронами ездил в город на узел спецсвязи и по дивизионам развозил секретную почту. Представляешь, Лева? Полтора года с заряженным автоматом три раза в неделю. Вот это ощущается, а то, что там ракеты со смертью в нескольких километрах, это мы и в голову не брали. В дивизионах, наверное, все было иначе. А тут!.. Сопляки мы были, хотя и стояли на боевом дежурстве. Нам бы в город вырваться, сфоткаться. Или на танцы. Нас в Березовичи раз возили.

— Поехали, — проворчал где-то сзади Богомазов. — Мне от всего этого напиться хочется. Мы же с ним в одной казарме, из одного котла в столовке!..

Гуров слушал, даже издавал звуки, приличествующие теме, и отпускал нужные междометия. Но он сейчас был не писателем, а сыщиком, занятым своей работой, к совести и профессионализму которого взывали трое его коллег, убитых в Беларуси. Так каков же был тот человек, который лежал тут недавно? Почему с ним так обошлись? Что за всем этим стоит?

Пытаясь представить картину преступления, Гуров подошел вплотную к потемневшему пятну крови. Судя по следам, которое оставило тело, оно лежало на боку, вот сюда головой. Если его ударили точно в сердце, причем неожиданно, а так, скорее всего, и было, то он должен был рухнуть как подкошенный. Значит, отставной генерал стоял лицом вот к этой стене. Почему?

— Мужики! — позвал Гуров и услышал, что шаги за его спиной враз затихли. — Скажите-ка, что в ваше время стояло возле вот этой стены?

Мухин вернулся, постоял немного рядом, глядя на стену, по которой Лев Иванович водил лучом фонарика.

— Ничего не стояло, — ответил он. — Вдоль этой стены был проход. Как раз за спинами дежурной смены. А что?

— Да так, пытаюсь представить, как выглядел действующий командный пункт тех времен. Я-то служил во внутренних войсках. У нас такого не водилось. А у вас все было круто.

«Значит, он стоял лицом к стене, — размышлял Гуров. — Это немного меняет дело. Не стопроцентный факт, но если бы Рыбников здесь с бывшим однополчанином ходил, то они стояли бы во время разговора лицом к тому месту, где, скажем, сидели во время боевого дежурства. Воспоминания ведь об этом, а не о стене, которая была за спиной.

Значит, убил не сослуживец? Не факт, но похоже. Например, был с Рыбниковым человек, которому он так же, как и эти двое мне, рассказывал и показывал, как тут все было. Вот тут, мол, сидели мы. Вот проход, а по стене шли кабели освещения, электрооборудования.

Возможен и второй вариант. Все уже вышли на улицу, а Рыбников остался. Он смотрел уже не на то место, где сидел за аппаратурой с товарищами, а просто водил взглядом по стенам, потолку. Пытался вспомнить ту атмосферу, которая тут была в его годы. Это очень естественное состояние и поведение.

Тут кто-то вошел, нанес неожиданный точный удар и сразу унес ноги из бункера. Кстати, вон и второй выход. Скорее всего, как-то так и было. Искать преступника нужно не среди тех людей, которые тут служили. Зачем вообще убили Рыбникова? Мотив дайте, без него никак!»

Через час они, уже умытые, сидели за столом, заставленным бутылками, тарелками с соленьями. Под потолком красовался очень уютный старомодный абажур.

Мужики познакомили Гурова с Ольгой Синицкой. Это оказалась миловидная женщина, лет на пять постарше Мухина и Богомазова. Была она какая-то плотненькая, опрятненькая, а вот глаза выдавали бесконечную грусть. Они были большими, круглыми. Сыщику все время казалось, что из них вот-вот хлынут слезы. Да и волосы женщина все время поправляла под домашней косынкой как-то нервно. Хорошие они у нее были, красивые, только вот седины в них оказалось много.

«Это хорошо, что Ольга ушла к себе, оставив мужиков пировать в своем кругу, — подумал Гуров. — С ней нужно будет поговорить обязательно. Но не сегодня. Нынче мне предстоит услышать версию этих мужиков. Причем без допроса, а по их желанию, по потребности выговориться».

Гуров услышал эту историю.

В те годы Оля Синицкая была молодой привлекательной женщиной. Поглядывая на нее, слюну пускали многие, не исключая и офицеров, и прапорщиков. Бывали случаи, когда она в полночь спускала с порога своего дома особо ретивых ухажеров. Солдаты тоже кружились вокруг нее в магазинчике второго дивизиона, где она работала.

А вот с Володей Рыбниковым у нее сложились какие-то особые отношения. Точнее сказать, с Володей Рыбниковым и Николаем Носковым.

Оказалось, что Носков откровенно ухаживал за Ольгой, даже предлагал ехать после дембеля к нему на Украину, обещал принять как свою ее малолетнюю дочь. А вот с Рыбниковым было немного иначе. Тот вел себя загадочно, ничего не обещал и не предлагал, зато уделял Ольге много внимания. Причем не нахального и циничного, а совсем другого. Женщины быстро такое замечают. Они тают от этих взглядов, недоговоренности, неожиданных встреч.

Получилось, что Ольга стала к Рыбникову тяготеть больше, чем к Носкову. Богомазов и Мухин вообще сомневались в том, что у Ольги что-то было к Носкову. Может, она просто задумывалась о том, что стоит пересилить себя и согласиться выйти за этого солдатика. Пусть он чуть моложе, зато у девочки будет отец. Он увезет ее из сырого климата в городскую квартиру, где у малышки перестанут гноиться глазки.

Носков быстро заметил угрозу соперничества, только повел себя как-то странно. Наверное, характер у него был такой, что напрямую выяснять он ничего не стал, а принялся вредить из-за спины. Носков начал всем наушничать, что Рыбников его заложил, когда он был в самоволке, что тот стучит командирам на сослуживцев. Более мерзкое поведение себе трудно представить в мужском коллективе. Но надо отдать должное солдатам. Носкову мало кто верил, потому что Рыбникова все знали с другой стороны. Да многие и понимали причину этой скрытой вражды.

— А закончилось чем? — разливая остатки водки по стаканам, спросил Гуров.

— Ты не думай! — Мухин повысил голос и выставил вверх указательный палец. — Тут и гадать нечего. Носок, каким бы он там ни был, а убить не мог. Да и за что теперь? Если между нами, мужиками, то он должен был спасибо сказать Рыбе. За то, что не женился на деревенской бабе старше себя, да еще и с чужим ребенком.

— Ты бы это, полегче! — Богомазов нахмурился. — Ты все-таки сейчас в ее доме. Да и переживает она, неужто не видишь?

— Ну, извини. — Мухин пьяно развел руками и чуть не свалил пустую бутылку со стола.

Подумав немного, он ее снял и поставил, как полагается, на пол у ножки стола.

Гуров прикинул степень опьянения обоих мужиков. Кажется, никто не играет, не притворяется. Можно попробовать спросить в лоб. Пьяный разговор, что с него взять!

— А кто же его тогда?.. — проговорил сыщик, изображая горечь на лице. — Ведь зачем-то убили.

— Эх, спросил бы ты чего полегче, — закуривая двадцатую за вечер сигарету, ответил Мухин. — Сами голову ломаем который день. И к следователю подкатываться пробовали.

— А следователь что? Не отвечает. У них там какая-то версия-то есть? Неужели верят, что один сослуживец другого убил из-за старой любви?

— Чш-ш! — Мухин приложил толстый указательный палец к губам. — А следователь этой версии и не знает. Да и не надо ему знать, потому что это чушь, бред и глупость несусветная! Сейчас только заикнись, и они Кольку захомутают за неимением иной версии.

В этот вечер Гуров ничего больше от Богомазова и Мухина не добился. Они опьянели окончательно и принялись вспоминать какие-то случаи. За этим занятием мужики и уснули, где сидели. Сыщик растащил друзей по лежанкам, накрыл старенькими одеялами и решил, что утром у них не будет на него обиды из-за того, что он мог перепутать постели.

Еще пару часов Лев Иванович бродил по саду, смотрел на звезды и размышлял. Наконец и его сморил сон. Но до этого Гуров успел решить, что мужики не врут. Носков, скорее всего, никакого отношения к смерти Рыбникова не имеет. Причину трагедии надо искать в ином. Однако работа есть работа. Поговорить с Ольгой ему было необходимо.

Сделать это Льву Ивановичу удалось только ближе к обеду. Сослуживцы нещадно храпели в летней кухне, а Ольга что-то готовила на плите в доме. Сохла на тыне половая тряпка, сушилось на веревке белье, на огороде уже что-то было выкопано, а земля на том месте разборонована.

— Можно к вам? — вежливо спросил Гуров, подойдя к двери.

— Лев Иванович, заходите, конечно. Может, вам рассолу налить? Вы, видать, вчера засиделись допоздна и не одну бутылочку уговорили.

— Да я не очень много и принял, — сказал Гуров. — Да и не болею я с этого дела. А вот чайку выпить не отказался бы. Тут, признаюсь, я любитель большой. Особенно когда спешить некуда да в приятной компании. Ребята о вас, Ольга... — Гуров сделал паузу, ожидая, что женщина подскажет ему свое отчество.

— Просто Оля, чего уж там. Я и помоложе вас буду, да и не привыкла как-то к отчеству.

— Очень люблю называть женщин по именам, — заявил Гуров и улыбнулся. — Это их очень молодит. И в моих глазах, и в их собственных.

— Ой, ну вас! — Ольга усмехнулась. — А вы кто же будете? Служили у нас или каким другим ветром вас сюда занесло? С этими орлами как познакомились?

— С этими-то... — Гуров улыбнулся, оглянувшись на звуки раскатистого мужского храпа, доносящегося со стороны летней кухни. — Случайно, как и все, что происходит с нами в этой жизни.

— Да вы философ! — не то с иронией, не то с уважением сказала женщина.

— Стараюсь, Оля, ибо претендую на лавры начинающего писателя.

— Да вы что? Прямо настоящий?..

— В какой-то мере. — Лев Иванович принялся на полном серьезе излагать свою легенду. — Писать потихоньку начал давно, а сейчас, в связи с выходом на пенсию, времени появилось много, вот и решил реализовать кое-какие свои задумки. У меня есть знакомые в Минске, в Бресте. Я у вас тут, собственно, проездом. А заинтересовал меня ваш музей ракетного полка, который создали в школе.

— Да. — Женщина сразу погрустнела. — Есть такой. Вот и все, что осталось у сотен людей от прошлой жизни. Как могилка.

Гуров поперхнулся. Он прекрасно понял, что Ольга сейчас говорила о воинской части, в которой проработала много лет, с которой была связана жизнь множества ее знакомых и друзей. Но перед глазами женщины, наверное, стоял сейчас Владимир Рыбников, погибший тут совсем недавно. С ним у нее связаны воспоминания молодости, может, и любовь, которая так и осталась в мечтах, а теперь и в воспоминаниях. И правда как могилка.

— Я когда-то срочную служил в Сибири, — продолжил Гуров. — Нашу часть, когда рухнул Советский Союз, тоже расформировали. Вот я и решил завернуть в Пинск, посмотреть, послушать ветеранов, перенять, так сказать, ваш опыт по сохранению памяти о части, о сослуживцах, о страничке истории, о судьбах людей и той эпохе.

— Как вы хорошо говорите, — с уважением сказала Ольга. — Наверное, вы хороший писатель. Смотрю я туда вон, за окно. Сколько лет отдано!.. Я тысячи раз выходила к мостику, где садилась в дежурную машину и ехала на работу в первый дивизион. Вот она, вся моя жизнь. А потом дочь выросла, часть расформировали, друзья и знакомые разлетелись. Остался у меня только этот дом и воспоминания.

Гуров догадался, что сейчас из глаз женщины брызнут слезы. Ему стало очень неприятно, что он стоит и разыгрывает свою роль, будоражит нервы, память человека, для которого это и в самом деле вся жизнь. А что делать? Признаться, что он из российской полиции, что приехал разобраться в причинах смерти человека, который был частью ее воспоминаний? Так Ольгу уже, наверное, десятки раз тут расспрашивали. Тогда между ними сразу же неизбежно и закономерно встанет железобетонная стена неприязни, недоверия, а может, и ненависти.

«Нельзя, надо терпеть, делать свою работу, — подумал Гуров. — Да, иногда мне приходится причинять неприятности ни в чем не повинным людям. Я чем-то похож на хирурга. Мне часто приходится делать людям больно, чтобы им потом жилось лучше.

Так вот и в данном случае. Раскрытие этого преступления сделает лучше жизнь многих людей, ибо очистит землю от присутствия еще одного негодяя, убийцы, потенциально опасной личности. Или нескольких, потому что организаторы и заказчики — это тоже весьма зловещие персоны. Только вот есть ли они или Рыбников убит исключительно на бытовой почве?»

— Я вас понимаю, Оля. — Голос Гурова прозвучал слишком участливо, с какими-то неестественными интонациями, откровенно противными для него самого. — Ребята тут немного рассказали мне. Вы уж их извините. Они по доброте и исключительно из чувства симпатии к вам это сделали.

— Про Володю Рыбникова? — догадалась женщина.

— Да, про него. У вас была любовь?

— Как вам сказать... — тихо ответила Ольга.

«Сработало! — понял Гуров. — Мне удалось вызвать у женщины чувство доверия к себе, желание выговориться, поделиться. Теперь не порвать бы эту тонкую нить взаимопонимания, не сорваться на типичный допрос. Люди эти интонации быстро чувствуют и тут же замыкаются в себе».

— Теперь уже не знаю. — Ольга повела плечом, глядя куда-то вдаль, за кроны сосен. — Тогда, наверное, казалось, что увлечена. А теперь я понимаю, что просто мечтала наконец-то выйти замуж за достойного человека, который любил бы меня и мою дочь, выдернул бы меня отсюда, из этой серой жизни. Это я сейчас так говорю, а тогда была наивная, по молодости родила ребенка, верила, что... Нет, не особенно уже верила. Очень часто меня заставляли разуверяться. Слишком много было вокруг мужчин, желавших лишь затащить меня в постель.

— Рыбников был другим?

— Рыбников тоже пытался меня поцеловать. — Ольга усмехнулась. — Был такой момент, когда мы шли с ним вдвоем по лесу. Да, он не сдержался и поцеловал меня. Я тогда была в замешательстве. С одной стороны, мне было приятно, а с другой... Одним словом, я ему сказала, что и он такой же, как и все прочие. Парень так огорчился из-за моих слов, что я невольно поверила, что он не такой. Но Володя ведь почти не говорил о любви, не обещал чего-то. А Носков был другим. Наглее, что ли, самоувереннее, решительнее. Одиноким женщинам с ребенком на руках такие мужчины нравятся больше. Тем более что он звал уехать с ним, выйти за него.

— Сейчас вы скажете, что они подрались из-за вас, — с уважением произнес Гуров.

— Не знаю. Наверное, нет. Скорее, каждый подумал, что другой ему конкурент и что ловить тут больше нечего. Уехали оба, и все закончилось.

— А этой осенью вы с ними виделись?

— С Колей Носковым нет. Боюсь, что ему было бы неприятно смотреть мне в глаза. А Володя приезжал ко мне, две ночи ночевал с мужиками вон в кухне.

Гурову показалось, что в голосе женщины проскользнули какие-то загадочные нотки. Стоит ли спрашивать хоть намеком? Ольга хорошо выглядит, но ей все-таки за пятьдесят. Да и деревенская жизнь отнюдь не молодит, не способствует тому, чтобы смотреться хотя бы на свои годы.

Так переспали они по старой памяти или нет?

Тут Оля сама ответила на все вопросы. Наверное, женщине хотелось выговориться. А писатель — это как-то располагает к откровенности. Он вроде как существо без пола и возраста.

— В первый же день они его привезли. Не прямо с вокзала, конечно. Сначала в музей, потом на остатки своей площадки. Для меня было главным, что он не испугался, не постеснялся и приехал с ними. Мы ведь какое-то время после его увольнения в запас еще переписывались. А потом...

— А кто первый перестал писать?

— Теперь уже не смогу ответить. Тогда мне казалось, что он вдруг оборвал переписку, а теперь не знаю. Может, я охладела, когда поняла, что, кроме этих писем и воспоминаний о том поцелуе в лесу, мне ничего не светит.

— А Носков, значит, и не стал бороться за вас? — осторожно спросил Гуров.

— Кто ж его знает? Я в последние дни думала только о том, что вот скрипнет калитка, откроется дверь и войдет Володя. Что задержится хоть на денек, прежде чем ехать домой. Где-то очень глубоко мне сделалось больно от того, что он так и не зашел попрощаться. Я и ждала, и боялась этого. Но он так и не появился.

— А почему боялись?

Ольга посмотрела на Гурова, опустила глаза и стала теребить полотенце, висевшее на ее плече.

Потом она, видимо, решилась и ответила:

— Не удержалась бы. Наверное, вы меня поймете. Столько лет одна, а тут молодой красивый парень. Да еще...

«Все ясно, — подумал Лев Иванович. — Она боялась, что сама ляжет к нему в постель, а он все равно уедет и не вернется. Появится еще одна ошибка в жизни, новая зарубка на сердце, которая будет ныть до старости. Хотя, видимо, так оно и вышло».

— Ребята мне рассказывали, что Носков хотел Рыбникова побить перед отъездом.

Ольга не отреагировала на эти слова Гурова, думая о чем-то другом. Надо было решаться на что-то. Не вспугнуть бы ее, не сломать этот наладившийся контакт.

— Они, кстати, так и не верят, что Рыбникова мог убить Носков, — решился сыщик бросить фразу.

— Да, — Ольга махнула рукой. — Коля парень хороший, но были и у него свои тараканы в голове. Говорил он много, а когда до дела доходило, сразу пасовал. И с собой меня не взял в свою Украину тогда, и Володю побить не решился. Думаете, что за тридцать лет он стал решительнее? Нет, еще ленивее. Он ведь даже не захотел со мной увидеться. Старая любовь!..

Глава 5

То, что Крячко до сих пор не позвонил, было удивительно. Гуров старался гнать от себя мысли о том, что негодяи, пока, к сожалению, неизвестные, могли и со Стасом расправиться точно так же, как и с той оперативно-следственной группой, которая погибла на трассе. Вечером Лев Иванович вернулся в дом Ольги из Пинска, где для видимости побеседовал с офицерами, когда-то служившими в этой воинской части. Вот уже три дня он ходил в музей, надеясь увидеть там Крячко.

Глупо и непонятно. Почему преступники с таким маниакальным упорством стараются не подпускать к делу Рыбникова российскую полицию? И как долго они будут этим заниматься? Ведь в этом кровавом занятии нет абсолютно никакой логики. Понятно, что это групповое убийство нужно было для демонстрации чего-то. Гуров догадывался, чего именно. Кто-то очень хотел подчеркнуть, что причина убийства Рыбникова лежит только здесь, и нигде больше.

Утром уехали Мухин и Богомазов. Гуров остался один в летней кухне и вздохнул свободнее. Теперь не надо было пить каждый вечер, ломать комедию и играть в писателя. Да и с Ольгой можно спокойно беседовать за чаем на любые темы. Она, кажется, прониклась каким-то странным уважением к неожиданному гостю.

Он на всякий случай рассказал ей о Марии. Полковнику почему-то не хотелось, чтобы в женской голове на старости лет забродили нелепые мысли о том, что этот московский гость вдруг воспылает страстью к деревенской жизни или, наоборот, решит осчастливить белорусскую крестьянку и возьмет ее к себе в столицу. Причин ожидать таких изменений в отношениях с Ольгой у него вроде бы не было, но и рисковать не хотелось.

Сыщик решил, что через пару деньков ему придется съезжать из Оброво и перебираться в Пинск. Вся его работа будет проходить там, потому что почти все ветераны воинской части разъехались, а следствие ведут местные службы. Да и Крячко надо найти. С ним легче встретиться, живя в Пинске, а не в деревне, расположенной в нескольких десятках километров от него.

Гуров хотел было вернуться в летнюю кухню, потом передумал и уселся на лавку под яблоней. Уж очень душистый тут воздух в конце сентября. Он потянулся, сорвал с нижней ветки темно-красную орловку, потер в ладонях и с хрустом откусил.

«Надо позвонить Маше, — решил Гуров. — Еще нет и одиннадцати. Вот и пусть думает, что я тут вовремя ложусь спать, не переутомляюсь и вообще веду скромный образ жизни. Ведь когда я уезжал в командировку, то сказал ей, что отправляюсь на конференцию по обмену опытом с белорусскими товарищами».

Звук автомобильного мотора сначала не привлек внимания сыщика. Проехала машина, ну и ладно. Она даже, кажется, остановилась где-то рядом. Сыщик уже достал мобильный телефон, чтобы позвонить жене, как вдруг его внимание привлек шум иного рода. Резкие грубые возгласы перемежались с тонким женским голоском. А еще там кто-то постоянно топал ногами. Подобная суета в сознании полковника полиции сразу стала ассоциироваться с началом драки. Или с тем, что кто-то грубо приставал к женщине.

Здесь, в тихой белорусской деревне? Но этот вопрос быстро отошел на второй план. Его решительно отодвинула плечом привычка быть ответственным за все, что происходит вокруг. Десятки лет работы в полиции очень хорошо вырабатывают подобные привычки, если ты, конечно, служишь ради того, чтобы приносить пользу людям, а не ради карьеры, званий, высокой пенсии.

Гуров мгновенно оказался у калитки, отодвинул металлическую задвижку и выбежал на улицу. Слева у самого мостка стояла легковая машина. Кажется, «Лада» пятнадцатой модели. В свете включенных габаритных огней там происходило нечто очень даже нехорошее. Трое мужчин тащили куда-то женщину. Она отбивалась, пыталась закричать, но ей, кажется, зажимали рот.

Размышлять о том, что тут происходит, грабеж или насилие, Гуров не стал.

Он вышел на середину деревенской улицы, где его хорошо было видно, и гаркнул как можно громче:

— А ну, стоять всем на месте! Это полиция! Отпустить ее! Живо!

Рука сыщика дернулась было вдоль туловища влево, но это был не более чем рефлекс. Пистолета в кобуре на поясном ремне у него, естественно, не было. Как и самой кобуры, ни на поясе, ни под мышкой. Оружия он не имел, но главного добился. Полковник поубавил решимости субъектам, нападавшим на женщину. Теперь они будут думать, а не услышал ли еще кто-то этого громкого крика. Теперь важно не терять инициативу и продолжать давить на психику.

— Что за дела? Я приказал отпустить ее! — угрожающе рыкнул Гуров и смело пошел на трех мужчин, в руках которых извивалась худенькая молодая женщина.

— Разберись с ним, — не очень громко, но вполне внятно сказал один из мужчин.

Перед Гуровым мгновенно возник плечистый тип с выпяченным подбородком и лихорадочно блестящими глазами. Лев Иванович понял, что парень в запале, он уже не мог контролировать себя. Какой-то неизвестный правдолюбец помешал им совершить задуманное, когда цель была уже близка. Тут будешь, пожалуй, лихорадочно блестеть глазами и шевелить челюстью. Облом называется.

— Я предупреждаю, что вы оказываете неповиновение работнику... — Гуров не договорил.

До него вдруг дошло, что он в состоянии возбуждения, беспокоясь за эту женщину, поторопился и брякнул слово «полиция». А в Беларуси ведь не полиция, а милиция. Его выходка выглядела сейчас всего-навсего позерством человека, насмотревшегося американских полицейских боевиков. Эти ребята сейчас именно так его и воспринимали.

Об этом лучше всего сказал кулак мужчины, просвистевший в воздухе и едва не врезавшийся Гурову в челюсть. Это был мощный крюк справа. Хорошо поставленный и сокрушительный. Если бы сыщик не ждал его, то отклониться в последний момент точно не сумел бы.

Ощутив на лице легкий ветерок, сыщик сместился влево, стараясь не дать своему противнику быстро изготовиться к новой атаке. Но, к его огромному удивлению, тот не стал готовиться, а тут же выбросил правую ногу в сторону, нанося удар в грудь боковой частью стопы.

Это было уже совсем неожиданно, и только рефлексы спасли Гурова от травмы. Все-таки хорошее дело — обязательная физическая подготовка, которая была поставлена как надо и в МУРе, которому Гуров отдал много лет, и Главном управлении уголовного розыска, где он работал теперь. Оперативник должен быть готов ко всему, даже к рукопашной схватке с несколькими преступниками.

В настоящее время действуют новые правила. В них сказано, что оперативники не должны сами задерживать преступников. Есть профессионалы именно в этом деле. Но на практике вызывать ОМОН по каждой мелочи не будешь, а то, что кажется пустяком, не всегда таковым является. Сейчас вот троица хулиганов превратилась в преступников, которые готовы не останавливаться ни перед чем.

Нога мужчины только скользнула по рубашке на груди Гурова. Теперь полковнику стало совершенно ясно, что надо держать ухо востро. Сыщик старательно уходил с линии атаки и смещался к машине. Если он доберется до нее, то можно будет попытаться включить ближний, а лучше дальний свет. Это вместе с шумом драки привлечет внимание людей. А если еще нажать и заклинить чем-нибудь сигнал на руле, то шум поднимется на всю округу. Так и самому можно будет без ущерба выпутаться из переделки, и женщину спасти.

«Какого им черта от нее надо? Это насильники, которые втроем останавливают машины на дороге? Нелепая ситуация.

Женщина подвозила незнакомцев, и они напали на нее вот тут, прямо на окраине деревни? Еще большая глупость. Они остановили ее потому, что им нужна или машина, или именно эта женщина. То есть это грабеж или выполнение чьего-то заказа». Все это машинально, на полном автомате прокручивалось в голове Гурова, который даже в этом положении продолжал анализировать ситуацию.

А вот его противник, кажется, понял намерения ночного героя-спасителя. Он бросился вперед, уже не осторожничая, лишь бы не подпустить этого прыткого деревенского жителя к машине. Но теперь Гуров уже не стал уворачиваться. Он вполне удачно отбил два удара рукой в голову, успешно блокировал атаку ногой сбоку и умудрился относительно точно попасть пяткой противнику в коленный сустав.

Мужчина ахнул, согнулся и схватился рукой за колено. Он прошептал что-то не совсем цензурное и скривился то ли от боли, то ли от ненависти. Гуров полагал второе, потому что совсем не был уверен в том, что смог провести свой удар настолько точно.

Но главного он добился. Двое других негодяев не торопились что-то сделать с женщиной или утащить ее куда-то в темноту. Они удерживали ее, старались не дать ей закричать. Гуров мельком увидел, как она отчаянно вырывалась. Двум крепким мужикам с трудом удавалось справляться с ней.

«Молодец, не сдается и от страха в обморок не падает», — успел подумать полковник и тут же прозевал бросок своего противника.

Тот схватил сыщика за плечи и сжал их как в тисках. В какой-то миг Гуров успел понять, что захват получился слишком высоким. Не теряя времени на борьбу и попытки разжать мощный захват, Гуров свел плечи к груди и мгновенно ужом выскользнул из цепких вражеских рук. Он успел врезать гаду локтем в область солнечного сплетения и отскочил в сторону.

Но удар не произвел особого впечатления на противника сыщика. Он тут ринулся за ним, изрыгая проклятия и матерную ругань. Гуров тут же понял, что его дела плохи. В этом мужчине оставалось еще столько энергии, что вымотать его обманными движениями и другими финтами не удастся. Свалить с ног такого бугая сможет, наверное, только второй такой же здоровяк. А деревня спит!

Что-то огромное и темное вдруг мелькнуло рядом в тот момент, когда Гуров споткнулся и упал. Сыщик не успел подумать о том, что это падение в его положении равносильно полному проигрышу, как вдруг рядом с бандитом возник какой-то человек. Последовала серия крепких ударов, и бывший противник Гурова полетел на землю.

Темная фигура мгновенно очутилась рядом с двумя другими бандитами, которые держали женщину. В темноте послышались хриплые резкие выдохи и глухие удары.

Потом женщина звонко крикнула:

— Получи, козел!

Послышался топот. Негодяи исчезли в темноте.

Гуров не спеша поднялся с земли и отряхнул брюки. Мужчина-освободитель и бывшая жертва о чем-то тихо переговаривались, потом подошли к машине. Кажется, спаситель рассматривал ссадины на ее лице. Лев Иванович почувствовал себя лишним в этом действии спектакля и даже чуть обиделся. Все-таки он приложил кое-какие усилия для спасения женщины. Этот герой с бицепсами без действий Гурова мог прийти на помощь слишком поздно. Не столько самолюбие, сколько желание понять, что же здесь сейчас произошло, заставило сыщика подойти к машине.

— Я дико извиняюсь, — послюнявив ободранные костяшки пальцев, с иронией сказал Лев Иванович. — Но, может быть, мне кто-то расскажет, что это было?..

Мужчина обернулся на голос и проговорил:

— Это вы? Зря вы вмешались. Они могли вас покалечить.

— Да вы что? — Гуров изобразил на лице несказанное удивление. — А я как-то и не подумал об этом. Знаете ли, дурная привычка приходить на помощь женщинам, когда на них в ночи нападают сразу трое неизвестных кавалеров и тащат в темноту.

— Вы, по-моему, обиделись. — Мужчина хорошо, по-доброму улыбнулся, хотя его лицо никак нельзя было назвать милым и ласковым.

Улыбка и лицо как-то не подходили друг другу.

Только теперь Гуров рассмотрел этого человека. Не столько высокий, сколько хорошо сложенный. Была в его фигуре какая-то гармония. А джинсы и летняя куртка лишь добавляли облику что-то кошачье. Движения у незнакомца плавные, перетекающие как ртуть. Так и кажется, что он сейчас взорвется бурей движения. Или это остаток восприятия от предыдущей схватки?

Гуров попытался вспомнить этот рукопашный бой в полутьме. Единственные его впечатления сводились к тому, что незнакомец появился из ниоткуда, а потом просто как вихрь, без остановки и задержки прошелся по открытому пространству, от Гурова до двух бандитов, которые удерживали женщину.

Сколько ему лет? Наверное, около сорока. Значит, очень хорошая подготовка. А женщина?.. Нет, даже девушка.

— И чего вас носит в этих местах на машине ночами? — поинтересовался Гуров.

Этот вопрос показался ему очень даже резонным, вполне уместным и своевременным.

— Мы договорились встретиться здесь, — вместо девушки ответил мужчина, снимая куртку и набрасывая ей на плечи. — Только вот моя знакомая не отличается пунктуальностью. Она приехала на пять минут раньше. Как видите, в этих местах по ночам от всяких уродов спасу нет. Кстати, меня Михаилом зовут. А это непоседливое создание — Маруся.

— Маша, — поправила его девушка и недовольно шмыгнула носом.

— А меня зовут Лев Иванович. Я так полагаю, вы местные? А эти негодяи откуда взялись? На деревенских пацанов-хулиганов они не похожи.

— И чем же не похожи? — тут же спросил Михаил. — Вы знаток хулиганов, Лев Иванович? Откуда, позвольте полюбопытствовать?

— Детство тяжелое, — проворчал Гуров, понимая, что Михаил толково уходит от ответов. — Ладно, если все уладилось, то желаю вам больше не попадать в неприятности на улице. Спокойной ночи!

Он совсем уже повернулся, чтобы уйти в дом, но Михаил вдруг шагнул вперед, протянул руку и заявил:

— Спасибо вам, Лев Иванович. Извините за невоспитанность. Это надо было сделать сразу. Если бы не вы, я мог бы и не успеть.

— Пожалуйста. — Гуров хмыкнул. — Только, знаете, ваше напоминание подсказало мне, что это я вас должен благодарить. Еще немного, и мне навешали бы тут по первое число.

— Это вряд ли, — с усмешкой заметил Михаил. — С вашим-то тяжелым детством! Вы были молодцом, честно скажу. Так что мы с вами в расчете.

— Спасибо, — пискнула из-за его спины девушка. — Не всякий бы вот так отважился выскочить в темноту и кинуться спасать незнакомого человека, не задумываясь, с кем он столкнется.

Гуров нахмурился. Он только теперь вспомнил, что на всю улицу орал про полицию, приказывал бандюгам стоять и отпустить женщину. Не очень хорошо получилось про тяжелое детство, если он сам недавно заявил, что является работником полиции. Может, эти двое — дилетанты? Вдруг они посчитали Гурова просто поклонником американских боевиков? Тем более что он вполне мог оказаться не местным, а приезжим из России. Да, нелепостей много, но они его не касаются. Никто не пострадал, вот и славно.

Полковник помахал рукой и вернулся к калитке, вошел во двор и задвинул запор.

— Лев Иванович! — послышался голос Ольги. — А что там за шум был? Дрался вроде кто?

— Ага, сцепились какие-то. Местные, наверное. Напились и между собой что-то не поделили.

— Какие местные? У нас тут и молодежи-то нет совсем.

— Серьезно? — Гуров подошел к женщине. — Что, совсем не дерутся? Не бывает такого даже между мужиками?

— Не бывает. А что делить между своими? Тут все всех знают. Деревня наша маленькая. Да, стоит недалеко от шоссе, но если кто и приезжает, то только свои. Дети и внуки к старикам.

— Ну, не знаю. Пойду я, Оля, спать, — заявил Гуров.

В свете замечаний, которые отпустила Ольга Синицкая, это происшествие стало выглядеть в глазах Гурова еще более странным. Надо будет поинтересоваться этой машиной с номером 408. Крячко теперь очень нужен. И где его черти носят? Неужели в Минске застрял, нащупал что-то интересное?

У Гурова было время присмотреться к Николаю Носкову. За несколько дней, в течение которых сыщик находился в Пинске, он раз пять наблюдал этого высокого человека с чуть смуглым лицом и насмешливыми глазами. Лев Иванович оценивал его внешность, голос, манеру поведения, жестикуляцию, мимику. Все это могло быть всего лишь маской, которую Носков весьма умело носил. А что собой представлял этот человек на самом деле?

Вчера Гуров умудрился подслушать разговор Носкова с одним из сослуживцев — бывшим прапорщиком той самой части. Носков насмешливо и зло рассказал, что уехать ему не разрешает следователь, который ведет дело о гибели Рыбникова. Старый прапорщик попробовал было намекнуть, что не зря же ходят слухи о том, что Носков с Рыбниковым не ладили во время службы. Носков только покрутил пальцем у виска, показывая свое отношение к этим слухам.

Разговор был неприятным, потому что теперь следователь неминуемо вызовет на допрос и Ольгу Синицкую. Жаль, что эти сплетни всплыли. Теперь следователь узнает, что у Синицкой некоторое время жили двое сослуживцев Рыбникова и еще один человек, называющий себя Львом Ивановичем.

Следователь не заинтересуется этим человеком? Это очень даже маловероятно. Не стоит полагать, что в тутошнем следственном управлении работают дураки. В общем-то, сыщик съехал от Синицкой очень вовремя.

В свете новых факторов Лев Иванович решил отказаться от откровенного разговора с Носковым. Тот теперь просто может взбелениться от внимания такого количества людей и выложить на допросе про Гурова. Тогда сыщик второй раз попадет в сферу внимания следователя. Это много, это прямые подозрения. Тогда вся их операция с Крячко рухнет. Не будет больше тайной миссии Гурова. Они ничего толком так и не узнают, не считая официальных сведений, которыми с ними пожелает поделиться следствие.

«Как же нужен сейчас Крячко! — в сотый уже раз думал Гуров, выходя из помещения музея ракетного полка на улицу. — Почему он не выходит на связь?»

— Здравствуйте, Лев Иванович! — звонко прозвучал рядом женский голос.

Гуров повернулся и с удивлением увидел перед собой девушку в короткой, но довольно широкой юбке, задорно развевающейся на ветерке. Он с трудом узнал в ней именно ту самую особу, которую позавчера пытался спасти в деревне Оброво от троих неизвестных негодяев.

В ту ночь Маша, как она представилась Гурову, показалась ему несколько старше. Теперь он рассматривал смеющиеся глаза, ямочки на щеках, две короткие непослушные косички. Странная девочка. Ей, наверное, лет двадцать пять, а носит какие-то немыслимые косички, прямо как школьница.

— Здравствуйте, Маша, — вежливо ответил Гуров. — Какими судьбами вы здесь? А-а, догадываюсь! Вы тоже имеете отношение к этой части или к музею. Кто-то из родственников служил в ней или вы из группы активистов?

— Я? — Девушка округлила глаза, как будто вопрос прозвучал неуместно или нелепо. — Я по делам. Я свободный журналист и появляюсь всюду, где есть возможность получить интересный материал.

— Свободный журналист? — удивился Гуров. — Интересная профессия. Или это временное состояние? Есть еще журналист под следствием, журналист осужденный?

— Смешно, — без тени обиды на иронию заявила Маша. — Я просто нигде не числюсь в штате. Если материал интересный, то у меня его возьмут в нескольких изданиях, с которыми я таким вот образом и сотрудничаю. Вольный стрелок!

— Вольная стрельчиха, — снова пошутил Гуров, ощущая какое-то странное неудобство от этой беседы.

— Смешно, — снова констатировала девушка и немедленно начала допрос: — А вы тут по каким делам? Вы же вроде в этой части не служили?..

Врать смысла не было. Заниматься этим вообще опасно. В самый неожиданный момент твое вранье вскроется, и выглядеть ты будешь не в лучшем свете. Да, иногда профессия Гурова диктовала такой стиль поведения, но на этот случай лучше пользоваться одной продуманной универсальной легендой.

Лев Иванович с готовностью стал ее демонстрировать. Сыщик рассказал девушке о своей идее написать книгу, о том, что услышал о музее ракетного полка, открытом в здешней школе. О том, что, будучи проездом в Минске, решил заехать в Пинск, увидеть музей, поговорить с людьми, которые его создавали.

— Так мы с вами почти коллеги, — обрадовалась девушка.

— Да что вы, Маша, какой я вам коллега?! — вполне правдоподобно смутился Гуров. — Я начинающий писатель. Все, что создано до этого, — мелочь, проба пера. А все грандиозное, как обычно, впереди, в будущем.

— Говорите вы довольно убедительно, — произнес рядом знакомый голос. — Писать у вас наверняка получится.

Гуров вздохнул.

«Как же тесен этот мир! Вроде бы Пинск не очень маленький город, а встречаться мне постоянно приходится с одними и теми же людьми, — подумал он. — Даже с теми, с кем не особенно хочется. С Машей я заговорил чисто из-за приличия. Неудобно было сразу откланяться, когда девушка первой завела разговор. Теперь придется из вежливости немного побеседовать с ее спасителем. Точнее, нашим. Если бы вчера не Михаил, то мне досталось бы довольно прилично. Ну что же. Надо поговорить и с ним. Не хочется, времени нет? А интуиция тебе что подсказывает, господин полковник? Да, именно так, с этой парочкой не все просто и ясно. Вот почему ты с ними будешь разговаривать, а не отделываться холодным кивком!»

— Михаил! — Гуров расплылся в улыбке, не особенно стараясь, чтобы она выглядела искренней. — Спаситель наш! А я вот Машу еле узнал. Не успел как следует разглядеть в прошлый раз.

— Понятно, — резюмировал Михаил. — Приличия, я так понимаю, соблюдены. Теперь вы, по идее, должны будете спросить, что мы с Машей делаем возле этого музея. Отвечу сразу, честно и искренне: мы ждем вас, Лев Иванович.

— Меня? — Гуров сделал вид, что удивился. — А зачем, если не секрет?

— Настало время поговорить откровенно.

— Звучит несколько странно для человека, с которым я знаком не так давно. Нас связывают всего пять минут ночной драки, произошедшей в десятках километров отсюда. У меня и у вас как бы и интересов общих нет, чтобы их обсудить.

— А вот тут вы заблуждаетесь, Лев Иванович, — заявил Михаил. — Общие интересы у нас есть. Один точно — убийство Рыбникова.

Гуров смотрел в лицо собеседнику спокойно, даже равнодушно. Но это безразличие давалось ему очень нелегко. Заявление Михаила оказалось довольно неожиданным.

— Чего это? — театральным голосом осведомился сыщик. — Разжуйте мне, слабоумному, Христа ради. Откуда такие мысли-то?

Маша засмеялась и с каким-то торжеством посмотрела на Михаила. Тот только покивал в ответ.

— Видите ли, Лев Иванович, — неторопливо начал объяснять Михаил, — я с самого начала предполагал, что кто-то из российского МВД приедет обязательно. Для координации следствия. Человек погиб. Не просто гражданин России, а отставной генерал, весьма важная персона. Зная методы работы уголовного розыска, я понимал, что должен объявиться некто, кто станет крутиться вокруг этого дела, так сказать, скрытно. Тут-то и возникли вы.

— Здесь толпы народа появились, — напомнил Гуров. — Некоторые еще не разъехались по домам. Чем я вас заинтересовал, если не секрет?

— Не секрет. Мы с Машкой вас раскусили. Вы думаете, что эта ночная сцена с нападением на нее была настоящей? Нет, она постановочная, рассчитанная на проверку вашей реакции. Вы повели себя профессионально, то есть глупо, с точки зрения простого обывателя.

— Я еще ночью понял, что тут не все чисто. Дурдомом каким-то попахивало, это точно.

— На что-то изысканное у меня фантазии не хватило, — заявил Михаил и улыбнулся. — Тем не менее все сработало. Теперь мы предлагаем вам действовать в команде. Попытаюсь предупредить ваш следующий вопрос. Машка — та, за кого себя и выдает. Она в самом деле профессиональный репортер. Ездит, ищет жареные факты и иные события, на которых можно заработать деньги. Не говорите, что это цинично, потому что кто-то же должен освещать события в средствах массовой информации.

— Это понятно, а вы?

— Я бывший сотрудник органов внутренних дел. Нынче на свободных хлебах.

— Еще один профессиональный репортер? Не смешите, ребята.

— Ни боже мой! — Михаил со смехом прижал руки к груди. — Я частный детектив. Некое лицо, имеющее право оставаться инкогнито, поручило мне параллельное расследование гибели генерала Рыбникова. Хотите, я документы покажу? И Машка свои предъявит.

— Ребята! — с укоризной в голосе сказал Гуров. — Как говорит один мой знакомый, двадцать первый век на дворе. Кого вы хотите удивить? В наше время изготовить любой документ не проблема, было бы желание. Я так понимаю, что спрашивать о гражданстве каждого из вас глупо?

— Никакого смысла, — весело заверил его Михаил. — Все люди — братья!

— Ладно, согласен, — кивнул Гуров. — Давайте играть по вашим правилам. У вас, Михаил, связи-то какие-нибудь в этих краях есть?

— У меня есть отработанная методика и чертовское обаяние, Лев Иванович. С такими данными я обрасту полезными связями даже на необитаемом острове.

— Да, в самомнении вам не откажешь. Ну, допустим. И чего вы достигли в этом деле? Каков, по-вашему, мотив убийства Рыбникова, кто заказчик, исполнитель? Или это убийство на бытовой почве, результат неприязненных личных отношений?

— Вот этого мы пока сказать не можем, — честно признался Михаил. — Ясно одно: действовал профессионал.

— Неприязненные отношения могли сложиться и с профессионалом, — ворчливо заметил Гуров. — Конкретное что-то есть, казаки-разбойники?

— Может, обсудим конкретику не здесь, а на месте совершения преступления? — предложил Михаил.

Лев Иванович посмотрел на него с недоумением. Интересный поворот! Если его раскусили, поняли, что он полицейский из России, то почему не продолжить тенденцию, не убрать и его тоже?

Только Гуров не верил, что негодяи, стоящие за этим делом, так и будут до бесконечности убивать всех полицейских, приезжающих из России. Глупо даже предполагать такое. Эти ребята в самом деле те, за кого выдают себя? Есть ли смысл врать?

Это Гурову всегда помогало. Стоит только задуматься о том, а есть ли твоему собеседнику смысл врать, найти ответ на это вопрос, и многое сразу становится ясным. Вот и сейчас. Они убедились, что перед ними полицейский, вычислили его. Так зачем церемониться? Быстро и эффективно убили Рыбникова, не задумываясь, убрали всю оперативно-следственную группу МВД России. И чего с ним канителиться? Могли убить прямо ночью на улице в Оброво, когда он выскочил на шум.

Но в таких делах практически всегда имеется и другая сторона. Допустим, Гурова пока не тронули намеренно и вошли с ним в контакт с определенной целью. Скорее всего, они хотят выяснить, один ли он приехал, где находятся сейчас его коллеги. Чтобы потом всех сразу...

Значит, именно теперь ему в любом случае ничего не грозит. Более того, продолжая поддерживать этот контакт, он может попытаться приблизиться к истине, узнать намерения, силы тех, кто за всем этим стоит. Ну а уж в том случае, если Михаил и Маша говорят правду и являются теми, за кого себя выдают, то тем более нет смысла их опасаться.

— Поехали, — Гуров равнодушно пожал плечами и указал на серую «Ладу» с номером 408. — Сюда, кажется?

— Уважаю! — Михаил улыбнулся. — А вы профессионал высокого уровня.

Маша уверенно вела машину по трассе. Лес то подступал прямо к асфальту, сдерживаемый лишь узкой полосой отчуждения, то отступал, и вдоль дороги раскидывались поля. Очень часто по ним расхаживали важные аисты. Один раз Гуров увидел трактор, увязший правым боком на переувлажненном участке почвы. После поворота на Якшу дорога завиляла уже прямо под кронами деревьев.

Спутники Гурова молчали. Маша, сжав губки и чуть вытянув шею, внимательно следила за дорогой. Михаил на переднем сиденье задумчиво смотрел куда-то в сторону.

«Интересная у меня компания, — подумал Гуров. — Я не знаю, кто они такие, могу лишь догадываться или верить. Они не в курсе, кто я. А может, это странный Михаил все-таки в курсе насчет меня? Да, любопытная у нас компания».

Маша сбавила скорость и посмотрела в зеркало заднего вида, хотя движения на этой лесной дороге не было никакого. Девушка энергично повернула руль и прижала машину к молодым кленам.

— Вот это и есть и та самая четвертая площадка, как они ее называли, — сказал Михаил и открыл дверцу.

Гуров выбрался из машины и незаметно огляделся. Если кто-то имел целью хитро заманить его в ловушку, то такая затея бесспорно удалась. Ему пришлось прогонять эти глупые мысли и настраиваться на работу. Михаил явно что-то знал. Лев Иванович зачем-то был ему очень нужен. Не просто же так он разыграл такой спектакль ночью.

Зачем ему требуется журналистка Маша, предположить можно. У нее машина и официальная легенда. Она может профессионально и вполне легально добывать информацию.

А вот зачем Михаилу нужен Гуров? Придется искать ответ на этот вопрос и постоянно помнить о нем. Ведь Михаил ясно дал понять, что не намерен отвечать на вопросы сыщика.

— Я знаю, — сказал Гуров. — Это площадка, на которой располагался штаб полка и основные органы управления, включая узел связи. Рыбников служил именно там. Вы лучше поведайте то, чего я не знаю.

— Мне хотелось бы услышать ваши рассуждения на этот счет, — уклончиво ответил Михаил и повел своих спутников через остатки фундамента КПП на поляну, видневшуюся среди зарослей.

Гуров уже знал, что на этом месте когда-то располагался строевой плац. Знал он и назначение зданий и сооружений, от которых еще кое-что осталось. Куча строительного мусора, даже пара стен, где-то просто холм, обильно поросший травой и кустарником.

— Давайте еще раз сходим на то место, где нашли тело, — предложил Михаил. — У вас, Лев Иванович, есть сомнения в том, что это убийство?

— Если десяток людей видит тело человека с кровоточащей раной в груди, то я склонен верить их мнению.

— Это да, — согласился Михаил, идя впереди и не оборачиваясь к собеседнику. — Но вот насчет кровоточащей раны я не уверен. Есть у меня основания полагать, что смерть наступила задолго до прихода группы ветеранов в бункер бывшего командного пункта.

— И что это за основания? — Гуров остановился у входа в бункер и посмотрел Михаилу в глаза.

— Со мной поделился информацией человек, многое знающий о ходе следствия. А еще я перестраховался и взял на анализ частички крови, оставшиеся на полу. Эксперты сказали, сколько времени прошло, прежде чем она начала сворачиваться. Получается, что убили Рыбникова глубокой ночью, а нашли его ветераны уже утром. Даже ближе к обеду.

— Он жил в Оброво с двумя бывшими сослуживцами, — напомнил Гуров. — Как и куда Рыбников ушел ночью, почему его не хватились?

— Вы тоже с ними жили в Оброво, — проговорил Михаил и хмыкнул.

— Вы к тому, что я не ушел ночью и меня не убили? — спросил Гуров и улыбнулся одними губами. — Так я напомню, что попытка выманить меня ночью из дома удалась. До моей смерти, при желании кого-либо из участников тех ночных событий, оставались буквально секунды. Так что вас удивляет? То, что я не стал в открытую допрашивать Богомазова и Мухина?

— Уверен, что они ничего не знают, — примирительно ответил Михаил. — А за ночное приключение я готов извиниться еще раз.

— Еще раз? Я не помню, чтобы вы это сделали хотя бы однажды.

— Прошу простить, — тут же сказал Михаил и посмотрел на Гурова невинными глазами.

— О чем вы тут? — спросил Маша, подойдя к мужчинам.

— Я делюсь со Львом Ивановичем своим мнением о том, что убийца оставлял машину не там, где мы сейчас. Даже ночью поступать так было бы глупо. Ведь в темноте, на лесной дороге, в глухом месте любая машина привлечет гораздо больше внимания, чем та, которая стоит в городе у тротуара. Согласитесь.

— Если убийца привез сюда Рыбникова, то как он мог объяснить ему тот факт, что они остановились не там, где всегда? Почему возникла необходимость дать крюк, обходить площадку стороной, да еще ночью?

— Вы еще спросите, что он ему предложил такого завлекательного, чтобы Рыбников сел в машину и поехал добровольно.

— Спрашиваю, — кивнул Гуров.

— Ну, всех ответов я вам не дам, Лев Иванович, но кое-какие фактики у меня в запасе есть. — Михаил подошел ко второму входу в бункер, который находился со стороны разрушенного здания штаба полка.

Заходить в бункер он не стал, даже, наоборот, повернулся к проему спиной.

— Понятно, что толпа ветеранов затоптала все следы внутри и у входа, — сказал Михаил. — Не исключаю, что это было частью плана убийцы. Допускаю, что убийство именно в бункере тоже было совершено намеренно, чтобы запутать следствие и пустить его по заведомо ложному следу. Предполагаю, что сама смерть Рыбникова не имеет никакого отношения к его бывшей службе и к приезду отставного генерала в Пинск.

— Смело, — констатировал Гуров.

— А Миша вообще смелый парень, — заявила Маша и заулыбалась.

— Это даже я заметил, — проворчал Гуров. — И что же дальше?

— А дальше я прикинул примерное направление отхода убийцы с места преступления. Учтите, что была ночь. Так вот, за этими развалинами, которые раньше были штабом, есть участок приличного размера, заросший не очень сильно. Чуть правее у солдат было что-то вроде летнего стадиона. Турники там стояли, брусья, располагалось футбольное поле и тому подобное. Все это десятилетиями вытаптывалось, и до сих пор там почти пустырь, поляна.

Михаил двинулся, стал обходить стороной развалины здания и поманил за собой Гурова.

Он шел и рассказывал, внимательно глядя себе под ноги:

— Дальше идет полоса относительно чистого пространства, что в лесу довольно большая редкость. А знаете, что за полоса? Это ряд бетонных столбов, на которые была намотана колючая проволока. Их выкорчевали, а проволоку отсюда сняли местные жители, когда часть закрылась. Боюсь, что и на тракторах заезжали, выворачивая столбы. Вот вам и просека. А есть еще утоптанная десятилетиями тропа, идущая в сторону второго дивизиона. Я вам ее покажу. По ней солдаты с этой площадки ходили каждую субботу в баню. Своей здесь не было.

— А это почти две сотни людей каждую неделю, — вставила девушка, идущая за спиной Льва Ивановича.

— То есть даже ночью от бункера можно пройти до дороги иным путем. А там есть место, где можно оставить машину, да? — спросил Гуров.

— При наличии фонаря — легко!

— Ладно, пошли, — согласился сыщик.

Полковнику все это было интересно. Неужели этот умник нашел что-то такое, что прошло мимо внимания полиции и следователя? Гуров шел за Михаилом, иногда оглядываясь на Машу, которая то и дело присаживалась на корточки и собирала в кулачок чернику. Они обошли развалины здания штаба, миновали холмики, которые остались от столовой и казармы батареи боевого обеспечения.

— Вот тут у них была открытая спортивная площадка, — Михаил показал рукой. — Вон там — общий туалет. Видите? Здесь можно спокойно пройти с фонарем даже ночью. А теперь пойдемте вот сюда. Осторожнее, Лев Иванович, тут остатки колючей проволоки в траве встречаются. Машка, не зевай, а то опять будешь пищать, что из-за меня колготки порвала!

Гуров остановился и внимательно посмотрел на кусок проволоки, который сплелся с кустом и торчал вертикально на высоте почти полутора метров. Пожалуй, если в темноте его не заметить, то можно оставить на проволоке не только часть колготок, но и кожи. Он поймал взгляд Михаила. Частный детектив смотрел на полковника полиции с интересом и каким-то непонятным удовольствием.

— Дальше куда? — спросил Гуров.

— А дальше не важно куда, Лев Иванович. Можно вдоль бывшей линии столбов пройти или вот по этой тропе, а через двадцать метров снова принять вправо. Мы все равно выйдем к одному и тому же месту. Пойдемте лучше здесь. Так ближе, только держитесь левее. Там проволоки нет.

Они прошли метров тридцать, и Гуров в самом деле увидел прогал между деревьями, в который была видна лесная дорога, некогда связывающая между собой дивизионы ракетного полка и штабную площадку. Михаил, который шел впереди, вдруг поднял руку, потом сделал два осторожных шага влево и присел на корточки. Гуров воспринял это как призыв и тоже осторожно приблизился к тому месту, которое разглядывал его провожатый.

Это был участок рыхлого грунта. Видимо, здесь что-то вывернули из земли. Может, металлический столб или какую-то иную железяку, которую можно сдать как лом. На краю пятна этой самой рыхлой земли Гуров увидел отпечаток подошвы ботинка.

— Обратите внимание, Лев Иванович, — тихо сказал Михаил. — След сухой, а дождей не было примерно неделю. Если быть точным, то последний из них прошел в этих местах ровно за два дня до убийства Рыбникова. Я специально справлялся на гидрометеорологической станции.

— Значит, след появился тут в ночь убийства, за сутки-двое до него или в любой другой день после.

— Именно. Можно было бы предположить, что след принадлежит не преступнику, а тому человеку, который тут добывал железо. Но эта земля испытала на себе действие атмосферных осадков, а отпечаток на ней появился позже, когда она немного подсохла. Видите вот тут проломленную корочку? А как долго подсыхает земля после дождя в этом сыром климате? Что вы думаете?

— Хитер ты, разведчик, — заявил Гуров. — Пожалуй, ты прав. Минимум пару дней. Цены бы тебе, Михаил, не было, если бы ты тогда же, когда и нашел этот след, еще и снял бы с него слепок.

Михаил молча полез в карман куртки и вытащил листок обычной белой бумаги для оргтехники, сложенный вчетверо. Он медленно развернул его и протянул Гурову. Это был след мягкого полуспортивного ботинка, каким-то образом скопированный с отпечатка, оставленного на земле. Картинка потом уже была размножена на ксероксе. Значит, копия не единственная.

Лев Иванович смотрел на отпечаток следа и отчетливо видел повреждение рисунка подошвы в виде небольшого треугольника или латинской буквы «Y». Он вытащил из кармана свой листок с изображением следа, снятого возле ручья, неподалеку от места аварии на трассе Минск — Пинск. Отпечатки совпадали. Это было видно даже невооруженным глазом.

Гуров протянул оба листка Михаилу и с большим интересом смотрел, как менялось лицо мужчины.

Потом тот внимательно поглядел на Гурова и наконец-то произнес:

— Не ожидал. Что ж, давайте делиться информацией. Где вы нарыли этот след?

— Тоже, знаешь ли, не на площади в центре города. И отметь себе, Михаил, что все ветераны части, приехавшие на встречу, одеты были вполне цивильно. Костюмы или классические брюки и летние куртки, джемпера. А на ногах у всех классические ботинки. А здесь? Это обувь иного рода.

— А это еще не все, Лев Иванович! — Михаил хитро улыбнулся, потом извлек из кармана бумажник, а из него — маленький полиэтиленовый пакетик.

Он чуть потряс пакетиком в воздухе, а потом протянул его Гурову. Там лежала светло-синяя нитка, явно хлопчатобумажная. В памяти сыщика сразу всплыли самые обычные джинсы.

— Откуда это?

— Это, Лев Иванович, я снял с одного из шипов ржавой колючей проволоки на той тропе, по которой мы с вами только что прошли. Кто-то там пропорол себе штанину на уровне бедра. Я прикинул. Получается, что человек моего роста оцарапал бы себе ногу на пару сантиметров выше колена. Невысокий субъект получил бы отметину в районе середины бедра.

Глава 6

Олег Николаевич Чуриков закончил составлять план допроса свидетеля, просмотрел его еще раз на экране компьютера, повел мышкой, но распечатывать не стал. Очень уж сыро, не доведено до ума. Опытный следователь понимал, что одним непродуманным, неподготовленным вопросом можно отодвинуть расследование преступления очень далеко назад. Во-первых, ты не добьешься никакого результата. Во-вторых, допрашиваемый субъект, особенно если он вот-вот перейдет у тебя в категорию подозреваемых, поймет, чего ты от него хочешь и что уже установил. Тогда дни, целые недели работы вылетят в трубу.

Нет, нельзя с этим идти на допрос. Это процесс обоюдный, хитрая игра между следователем и тем типом, который запросто может оказаться преступником. Нужно четко представлять, что ты ему предъявишь, какими фактами и уликами будешь оперировать. Допрос — это сложная многоуровневая конструкция. Если он правильно построен и своевременно проведен, то результатом станет шаг к победе, к раскрытию. Иногда последний и решающий.

Телефон на столе затрещал, заставив следователя недовольно поморщиться. Сколько он уже просил заменить ему этот аппарат или хотя бы починить его!.. Вместо мелодичных трелей данное чудо техники выдавало хриплый треск, больше похожий на кашель простуженного астматика.

— Слушаю.

— Олег Николаевич, зайдите ко мне, — приказал шеф, и тут же в трубке раздались короткие гудки.

Чуриков понял, что злость снова начинает закипать в нем и заполнять все внутри. Что за манера вот так, без вопросов, требовать к себе?! А если у него сейчас допрос, к нему вот-вот должны прийти эксперты, вызванные заранее?.. Да мало ли у следователя такой работы, которую прерывать не просто нежелательно, а категорически нельзя. А тут вот такие звонки!

Неужели везде начальство только так себя и ведет? Все нормальные, очень толковые следователи со временем превращаются вот в таких надутых индюков? А ведь шеф был классным профессионалом. Он именно из тех редких людей, которые занимают начальственное кресло не по блату, а по деловым качествам.

«Шефа можно понять, — поднимаясь из рабочего кресла, думал Чуриков, стараясь бороться с волной раздражения при помощи логических рассуждений. — Мы оба на государственной службе, носим погоны. Приказ для нас — дело святое. Правда, если это распоряжение нарушает закон государства, то думать о последствиях должен прежде всего тот человек, который его получил, а вовсе не отдал. Почему? Потому что в наше время все еще прав тот, кто имеет больше прав. Он начальник, поэтому его не так-то просто сковырнуть с места. А от рядового следователя, пусть даже старшего, избавиться легко. Да и нельзя иначе, если ты тут работаешь. Это тоже закон. Здесь остаются только те люди, которые выполняют приказы. Других нет и быть не может. Все они уже ушли».

Чуриков вышел в коридор, запер дверь кабинета. Сейчас он получит приказ, причем неприятный. Почему? Да потому, что налицо такая вот срочность. Шеф сам недоволен такой вот ситуацией, поэтому и ведет себя соответственно. Он брюзгливо вызывает следователя и тут же швыряет трубку. Ему самому противно, на него тоже все время давят, да еще как.

— Разрешите, Сергей Александрович? — Чуриков замер у двери, глядя на широкие плечи человека с погонами подполковника юстиции, сидевшего за столом.

Он видел только эти плечи и большую проплешину на макушке. Чуриков привычно стал вспоминать, а не забыл ли он выполнить какое-то поручение или приказ.

— Проходи, — пробурчал шеф и кивнул на кресло у приставного столика.

Он терпеливо дождался, пока следователь усядется, прокашлялся и спросил, не поднимая глаз:

— Как у тебя движется дело с убийством генерала Рыбникова?

— Обычным порядком. Убийцу мы не найдем, потому что это типичный заказ.

— Ну! — Подполковник наконец-то поднял глаза на подчиненного. — Чего это у тебя такой настрой? Если так заранее думать, то, конечно, никого не найдешь.

— Сергей Александрович, вы меня знаете не первый день. Я, кажется, никогда просто так словами не бросался. Да и висяков у меня практически нет. Тут работал профессионал. Он не оставляет следов, знает, как от них избавляться. Этот фрукт умело подсунул нам версию об убийстве на бытовой почве. Единственная зацепка возможна, если начать крутить ДТП, в результате которого погибла оперативно-следственная группа, прибывшая из Москвы.

— Я же сказал уже, что ДТП не трогать! — повысил голос шеф. — Что вы все как дети, что за подростковый максимализм! Они такие умные, такие правильные, один начальник злодей! Он только и ищет, как бы всех преступников на свободе оставить, да еще спасибо им хочет сказать.

— Что-то случилось? — догадался Чуриков.

— Да все то же! — рыкнул шеф, потом махнул рукой и передразнил кого-то из вышестоящего руководства: — «Как идет расследование? Почему так долго возитесь? Вы лучшие кадры бросили на это дело? Вы отдаете отчет, что убит высокопоставленный чиновник из Москвы? Это политическое дело, оно выходит за рамки обычного уголовного расследования. Это вопрос взаимоотношений двух стран, двух братских народов!»

— Умеют они правильные слова в цирк превращать, — согласился Чуриков. — Значит, и заикаться нельзя о том, что это ДТП откровенно смахивает на убийство?

— Да боже упаси! Забудь! И вообще, отдам-ка я его милицейским дознавателям. А ты готовь постановление о выделении из уголовного дела в отдельное производство. Я подпишу. Там все вполне логично и объяснимо. Кто-то угнал самосвал со стройки, на крутом спуске не справился с управлением тяжелой машиной, допустил столкновение и сбежал с места происшествия. Просто замечательно все складывается. Ты только представь, Олег Николаевич, что будет, если мы с тобой сейчас заявим, что это хорошо подготовленное и спланированное преступление. Убийство членов оперативно-следственной группы, которая прилетела к нам специально, для помощи в расследовании гибели российского генерала. Фактически это можно будет все подать как нежелание каких-то мощных, даже всемогущих сил допустить расследование покушения на генерала Рыбникова. Ты понимаешь, на что это будет похоже? Да Батька одним махом за такие дела и погоны, и головы поснимает многим чинам из МВД. — Шеф повернул большую голову и посмотрел на портрет Лукашенко, висящий над его креслом.

Это выглядело весьма комично, но усмехаться не стоило, и Чуриков сдержался. Да и шеф был, по большому счету, прав. Головы и погоны полетят и там, и здесь. Насчет шефа до конца точно сказать нельзя, а вот сам Чуриков запросто может отправляться на все четыре стороны. Не стоит говорить и о других новостях, которые вскрылись буквально сегодня.

— Я понял, — поднявшись на ноги и одернув китель, сказал Чуриков. — Максимум материалов, полное исполнение УПК и тому подобное. Дело должно быть таким, чтобы комар носа не подточил. У меня еще две недели есть, прежде чем истечет срок, и мы его сможем закрыть по одной из статей.

— Вот и работай, — не столько приказал, сколько попросил шеф.

Чуриков вернулся в свой кабинет, постоял у окна, потом сел за стол и открыл сейф. Он вытащил оттуда папку, стал перебирать подшитые листы бумаги и нашел между ними ксерокопию отпечатка мужского ботинка. Следователь сидел некоторое время, рассматривая рисунок подошвы, потом, не глядя, нашарил в верхнем ящике стола лупу. Чуриков включил настольную лампу и склонился над листком. Рисунок подошвы очень характерный. Наверное, стоило бы выяснить, что это за модель, кто производитель, поставлялась ли она в Пинск. Если эта обувь вообще белорусского производства. Очень характерное повреждение рисунка подошвы. Похоже на перевернутый треугольник или латинскую заглавную букву «Y».

Гуров попросил девушку загнать машину за лесополосу, чтобы она не была видна с дороги. Маша, умело маневрируя на проселке, проехала метров двадцать, потом остановилась и вопрошающе посмотрела на Михаила.

— Валяй, рассказывай, — разрешил тот.

— Так вот, Лев Иванович. Информацию я получила из трех различных источников, так что в объективность можете верить.

— Что за источники? Если бабушка на базаре — это один уровень информированности, если глава администрации района — то другой. Конкретнее, Маша.

— Ну, вы даете!.. — Девушка всплеснула руками. — Я же журналист, умею разговаривать с людьми. Во-первых, водители, которые постоянно ездят по этому участку трассы. Это первая и самая надежная категория. Потом инспектора дорожно-патрульной службы, которые дежурят на этом участке. Я давно уже завела с ними дружбу.

— Это внушает доверие. — Гуров едва сдержал улыбку. — И что же они говорят?

— Движение на этом участке дороги перекрывалось в обе стороны в тот же промежуток времени, в который и произошла эта авария с самосвалом и микроавтобусом. С севера на юг всех заворачивали через развязку у Борисова. Патрульная милицейская машина стояла как раз у развилки, в десяти километрах отсюда. А в направлении с юга на север именно в этот момент произошла авария с участием трех автомашин, которые и перекрыли обе полосы. Милиция прибыла быстро, минут через пятнадцать, но по обочинам место аварии объехать все равно было нельзя. Там мостик небольшой, аварийные машины перекрыли въезд на него. А какие здесь кюветы, вы сами видели. Болотистая почва, местами даже вода стоит, лягушки квакают.

— И как скоро было открыто движение с южного направления?

— Пятнадцать минут ждали милицию с ближайшего поста. Столько же ушло на замеры и составление схемы. Потом милиционеры убрали машины с проезжей части и занялись протоколом. Значит, прошло всего полчаса.

— Вы мне сейчас пытаетесь намекнуть, что авария с российской следственно-оперативной группой была спланирована, да? Даже движение на этом участке дороги было перекрыто намеренно?

— Увы, Лев Иванович, — проговорил Михаил. — Это действительно так. Можно попытаться разыскать участников аварии, которые двигались с южного направления. А вот в журнале приказов дежурного подразделения дорожной службы нет никаких упоминаний о необходимости перекрывать шоссе и пускать машины в объезд.

— Это точно?

— Точно, Лев Иванович. Я сам журнал смотрел.

— Ну, раз у тебя, Михаил, такие связи и возможности, то найди участников ДТП у мостика, о котором рассказывала Маша. Мы должны убедиться в том, что они там столкнулись не случайно, а были наняты для организации затора на дороге. Обязательно нужны фамилии инспекторов, которые выезжали на место аварии. Если все происходило так, как мы сейчас предположили, то это второе и очень важное доказательство того, что группа российских полицейских погибла не в результате несчастного случая, а была убита.

— Я понял. Сделаю, — заявил Михаил.

Гуров откашлялся и посмотрел на своих новоявленных коллег. Он почувствовал, что начинает брать бразды правления в свои руки, и задумался, как к этому отнесутся Михаил и Маша. С этим надо было что-то делать и вовремя расставлять все точки над соответствующими буквами.

— Михаил! — Гуров сделал паузу. — Я не очень вольно веду себя, иногда обращаясь к вам на «ты»? Если вас это задевает, то скажите. Привычка, знаете ли, да и разница в возрасте...

— Да бросьте вы, Лев Иванович! — заявил Михаил. — Если вам так удобнее, то обращайтесь, пожалуйста, на «ты». Мы тут дилетанты, а вы — профессионал. Маша — журналист без определенного места работы. Я бывший... одним словом, еле до майора дотянул. А вы, наверное, полковник, да?

— Спасибо, — сказал Гуров. — А то дискомфорт какой-то. Надо о деле думать, а я все гадаю, обидел человека или нет.

— Лев Иванович, вы, конечно, ас, мэтр и профессионал высочайшего класса, но не надо так откровенно. Вы не ответили на вопрос о вашем звании.

— О звании?.. — Гуров помедлил, задумался и решил, что врать не стоит. — Я бы не хотел обсуждать эти глубоко интимные вопросы, касающиеся моей биографии.

— Отдаю должное вашей скромности, — медленно проговорил Михаил. — Но мой вопрос не праздный. Краем уха я уловил информацию из недр нашей милиции о том, что неподалеку при странном стечении обстоятельств пропал полковник российской полиции. Меня интересует, а не вы ли тот самый полковник, которому удобно числиться пропавшим? Больно уж круто вы шифруетесь.

— Та-ак, — Гуров нахмурился. — Что за информация? — Сыщик посмотрел на Михаила, потом поймал взгляд Маши, которая сейчас стала очень серьезной и какой-то повзрослевшей.

Кажется, наступил пресловутый момент истины. Надо прекращать врать своим помощникам в этой стихийно возникшей группе или сворачивать сотрудничество. Иначе действительно все выглядит довольно глупо. Если ты веришь людям, то есть смысл работать вместе. Если нет, то и все остальное ни к чему.

А можно ли верить этому Михаилу, который умудрился до сих пор ничего о себе не рассказать? И этой инфантильной девушке Маше тоже? Наверное, можно, потому что они ничем не подтвердили злого умысла. Подозревать их в сообщничестве с преступниками, убившими здесь нескольких российских граждан? Уже глупо.

— Ладно, я в самом деле полковник Главного управления уголовного розыска МВД России и нахожусь здесь со специальной миссией. Она, разумеется, связана с гибелью генерала Рыбникова и группы российских полицейских. Я не пропадал, просто приехал будто бы частным образом, не афишируя свою принадлежность к полиции. Так что за информация?

— И вы ни дня, ни часа не выходили за рамки этой легенды? — продолжил настаивать Михаил. — Вы ни разу не контактировали с белорусской милицией на официальном уровне?

— Черт, Михаил! — взорвался Гуров. — Кончишь ты из меня жилы тянуть? Что за информация, что за полковник?

— Значит, вы нам все еще не верите, — с откровенной грустью в голосе заключила Маша, и Гурову даже показалось, что она сейчас шмыгнет носом. — Я считала, что мы вполне доверительно начали работать, многого достигли, между нами появилось взаимное доверие. А вы вот как, да? Не понимаю. Если сомневаетесь в нас, то так и скажите. Тогда мы уйдем, будем до всего докапываться сами, вдвоем.

— Ладно, ребята. Черт с вами. Только давайте без личных обид и капризов. Тут столько жизней человеческих, трагедий в семьях, а вы о личном. Да, был второй полковник. Это мой коллега и напарник. Он прибыл по тому же делу, что и я, только, по нашему плану, должен был работать официально, в отличие от меня. Ему было поручено отвлекать на себя тех негодяев, которые имели отношение ко всем смертям наших соотечественников.

— Вот как, значит... — Михаил нахмурился. — Серьезные дела получаются. Ладно, рискну. Попробую получить подробную информацию. Вы хорошо его знали?

— Миша!.. — Гуров еле выдавил имя сквозь стиснутые зубы, настолько ему свело скулы. — Ты мне прекрати эти намеки. Не надо говорить в прошедшем времени! Это не только мой напарник, но и друг, понимаешь? Такие люди, как он, просто так не пропадают.

— Извините, Лев Иванович. — Михаил сосредоточенно потер пальцами виски. — Найдем, не переживайте.

Михаил настоял на том, чтобы Гуров и не думал селиться в гостиницу. У людей, которые рискуют проворачивать такие дела, легко поднимаются руки на генералов, на представителей Следственного комитета России и Национального бюро

Интерпола, обычно очень хорошие связи и информированность. Узнав фамилию Крячко и выяснив, из какой он структуры, они обязательно вычислят и Гурова. На такие задания по одному не ездят, а кто мог отправиться вместе с полковником Крячко?

Идею с поддельными документами Михаил тоже отмел. Он полагал, что не стоит рисковать и дразнить местную милицию. В результате Гуров поселился в съемной квартире, где жила Маша. Где обитал сам Михаил, Лев Иванович расспрашивать не стал.

Ноутбук Маша выдала Гурову безропотно, стоило ему только заикнуться. Потом она сослалась на какие-то дела, договорилась с сыщиком об условных сигналах, по которым он должен будет открыть ей дверь, и куда-то умчалась.

Гуров позвонил Орлову и сказал, что надо бы основательно поговорить. Через полчаса генерал свернул какое-то небольшое совещание, и они связались по скайпу. Полковник видел за спиной своего начальника спинку дивана в комнате отдыха, уголок репродукции с пейзажем. Орлов выглядел уставшим, но собранным. В его глазах мелькнула радость, когда он увидел физиономию Гурова.

— Ну, наконец-то, — проворчал Орлов, улыбнувшись одними уголками губ. — Пропадущие! Давай докладывай. Как там у вас дела продвигаются?

— Хреново, Петр, — буркнул Гуров. — Где Стас, почему он не выходит на связь?

Лицо Орлова заметно побледнело. Сыщик испугался, что слишком откровенно задал свой вопрос. Может, Гуров просто чего-то не знает? Вдруг у Крячко с Орловым были какие-то свои планы? Но, судя по лицу Орлова, Лев Иванович попал в точку.

— И с тобой не выходит, значит, — хрипло сказал Орлов. — А я-то надеялся, думал, что сейчас по скайпу поболтаем, расскажешь. Вот этого я и боялся. Черт, как мне не хотелось вас посылать!

— Петр, перестань, — зло сказал Гуров. — Какая разница, кого посылать?! Тебе других не так жалко, что ли? Работать кому-то надо, а ты послал лучших.

— Лучших, — машинально и с горечью в голосе повторил Орлов.

Обычно он иронизировал по поводу скромности Гурова, но сегодня ему было не до шуток.

— Конечно, разницы нет. Я просто надеялся, что он с тобой связался и вы молчите, потому что у вас там работы невпроворот. А оно вот как случилось...

— Петр, давай без паники. Я и сам бояться умею. Ничего еще не известно! Что значит «случилось»? Ты давай аккуратно там запроси по официальным каналам о работе твоего офицера-координатора. А я тут начну разведывать. Есть у меня информация, что местная милиция знает о пропаже российского полковника. Буду искать.

— Трудно одному. Может, тебе прислать кого-нибудь из надежных ребят?

— Нет, Петр, тут количеством не возьмешь. Лишний шум сейчас не нужен. А команда у меня тут сформировалась. — Гуров усмехнулся. — Есть небольшой партизанский отряд. Давай-ка о делах. Ты можешь вкратце посвятить меня в дела фирмы, в которой работал Рыбников?

— Могу. Фонд «Ветеран» имел деловые связи с несколькими фирмами в России. У него был и партнер в Беларуси. Мелкий, конечно, но все-таки. Фонд перечислял туда деньги не часто и в не очень большом количестве. Так, мелкий поставщик медицинского оборудования, лекарств. Фирма называется «Комплект-Ресурс», располагается в Минске на улице Максима Богдановича. Генеральный директор — некто Клименко Павел Алексеевич. Это все, что следует из платежных документов и официальных договоров.

Гуров быстро сделал записи в блокноте. Получалось, что Крячко мог наведываться и в Минск. Иначе почему его так долго не было в Пинске?

— Больше ничего интересного по белорусскому партнеру нет?

— Как тебе сказать?.. Сейчас трудно отделить зерна от плевел. По оперативным данным, со счетов фонда «Ветеран» перед самым отъездом Рыбникова в Беларусь были перечислены бешеные суммы денег. Более восьмисот миллионов рублей. Не одним переводом, а несколькими. Один кусок, чуть меньше ста тысяч, упал именно в «Комплект-Ресурс».

— Ладно, учту. Знаешь, Петр, пришли-ка ты мне максимум информации по этому фонду. Меня интересует руководство, окружение, чем занимался сам фонд, кто его создавал и зачем. Ну, сам понимаешь. Побольше информации, а уж что мне тут понадобится, пригодится, это дело покажет.

— Хочешь прощупать эту фирму в Минске?

— Обязательно. Сдается мне, что у Станислава проблемы начались именно после того, как он попытался ковырнуть эту контору.

— Слишком просто, — возразил Орлов. — До идиотизма!.. Перегнали из фонда деньги, вице-президент уехал в Беларусь, где его тут же убили. И ладно бы, если основную часть денег тоже слили бы в Беларусь. Так нет, они растворились в Москве. А вот когда из России в Беларусь поехали координаторы для совместного расследования, их убили и не особенно заметали при этом следы. Потом пропал еще один полковник из российского МВД, который был отправлен по этим же делам. Нелепо же!

— Я с тобой согласен по всем пунктам. Оно не просто нелепо. Это не имеет никакого смысла, кроме одного — заставить нас искать там, где ничего нет.

— Это очень смелое замечание. Я бы на твоем месте, Лев Иванович, поостерегся.

— А я и не говорю, что собираюсь бросаться в омут головой. Но если кто-то строит нам ловушки здесь, то этих ушлых ребят надо найти. А через них мы выйдем и на организаторов всего дела. Ведь что-то все это должно означать!.. Кстати, фонд делал заявления по поводу хищения денег?

— Нет, и это весьма интересно. Возможно, что это плановые платежи или же какая-то долгосрочная закупка. Мы пока не суемся, чтобы не засветить своего интереса. Вспугнуть можем. Мы сейчас придерживаемся двух версий. Первая: убийство связано с деятельностью фонда. Вторая: причину преступления надо искать в частной жизни Рыбникова.

— Ты имеешь в виду версию белорусской милиции? Убийство бывшим сослуживцем из-за старой любви? Забудь.

— Есть варианты. Могли убить там, а причины в частной жизни — в Москве. Но этот вопрос мы изучаем.

— Хорошо, Петр. Значит, я жду информацию по фонду. Держи меня в курсе вашего московского расследования.

Ночью Маша так и не появилась. Гурову было неуютно от мысли, что он не до конца владеет информацией и не знает, чем точно занимаются его помощники. Однако с таким положением дел предстояло мириться.

Утром, уже около восьми, позвонил Михаил. Он попросил разрешения прийти, чтобы поделиться новостями.

Вошел он, как всегда, выбритый, пахнущий хорошим лосьоном. Возможно, что эту ночь Михаил не спал совсем, раздобывая информацию для Гурова, но никакой усталости заметно не было.

Вот что значит молодой сильный организм, в который уже раз с завистью подумал Гуров.

— Кофе будешь?

— Не откажусь, — сказал Михаил и прошел на кухню.

От Гурова не укрылся быстрый и цепкий взгляд гостя, брошенный в комнату.

«Интересно, что ответит Михаил, если спросить про Машу? Ладно, не стоит, — решил Гуров. — Надо будет — сам скажет. А вообще-то это их личное дело. Это всего лишь добровольное временное сотрудничество. Они же не мои подчиненные, чтобы все время ставить меня в известность о своих поступках и намерениях».

— Может, позавтракаешь? — снова спросил Гуров, наблюдая за реакцией гостя.

— Нет, спасибо, — отделался короткой фразой Михаил и принялся сам готовить кофе.

«Он тут все знает. Ему известно, что и где стоит, — догадался Гуров. — Ничего удивительного, если он не раз приходил к Маше. А долго ли она тут живет, сколько они вообще знакомы? Ладно, пока это не важно, — оборвал себя сыщик. — Что я все время любопытствую попусту?»

— Значит, информация такая, Лев Иванович, — насыпая в чашки растворимый кофе и заливая его кипятком, начал рассказывать Михаил. — История началась с того, что в Пинске проводница вагона обнаружила, что один пассажир исчез из купе. Соседи ничего вразумительного сказать не могли, и это понятно. Может, человек ушел в вагон-ресторан? Вдруг в соседнем вагоне у него едут знакомые или родственники? Пришлось вызывать транспортную милицию и официально изымать вещи пропавшего пассажира. Никто ничего не возбуждал, потому что факта исчезновения нет, если он просто отстал от поезда. Да и заявление родственников тоже отсутствует. Документы нашли в кармане пиджака. Пропавший пассажир и есть Станислав Васильевич Крячко. Дело находится в юрисдикции транспортной милиции, документы там же. Пока они никем не востребованы.

— На каком участке пути он пропал?

Михаил отпил кофе, пожевал губами, потом поставил чашку на стол и извлек из кармана обычную туристическую карту Беларуси.

Он развернул ее, обвел чайной ложкой участок железнодорожного пути и заявил:

— Примерно здесь.

— Откуда такая уверенность? — тут же спросил Гуров, прикинув, что указанный участок поезд может пройти за пару часов.

Михаил внимательно посмотрел на сыщика, потом хмыкнул и опустил голову. Эти несколько секунд замешательства сказали Гурову многое. Например, Михаил не все ему рассказывает. Наверняка пытается не раскрывать источник информации. Что ж, это понятно.

— Лев Иванович, есть основания полагать, что именно на этом участке он пропал. Поверьте на слово.

— Ладно, поверю. А в какое время суток это произошло?

— Поздним вечером. Ближе к двенадцати часам. Может, с полуночи до часу, если он уходил в другой вагон. К сожалению, это установить не удалось.

— Иного выхода, как прочесать местность вдоль железнодорожного полотна, я не вижу, — хмуро сказал Гуров. — А еще он ехал из Минска.

— Да, можно предположить, что какие-то минские дела могли послужить причиной его исчезновения, — сказал Михаил. — Вы имеете хоть какое-то представление о том, чем он мог заниматься в Минске?

— Имею. Он интересовался там одной фирмой. ООО «Комплект-Ресурс».

— Зачем?

— Эта фирма является мелким деловым партнером того фонда в Москве, в котором Рыбников был вице-президентом. У нас есть основания полагать, что в фонде произошло хищение большого количества денег. Безналичным путем. Часть, правда, небольшая, пришла в эту фирму, в Минск. Но мы не уверены даже в том, что деньги похищены. Ведь руководство фонда не делало заявлений об этом.

— Значит, надо ехать в Минск? — опрокинув остатки кофе в рот, спросил Михаил.

— Думаю, что надо. Как у нас с Машей? Извещать ее будешь?

— Нет, — коротко и лаконично ответил Михаил. — У меня машина под окном. Можем выехать прямо сейчас.

— Машина?..

— Если вы имеете в виду безопасность, то я на ней выезжаю сегодня впервые. Она не примелькалась, да и вообще не моя, я сел за руль по доверенности. Кстати, об аварии. Я уточнил, что никакого выезда дорожной полиции на ДТП у того мостика не было. Уверен, что одна группа переодетых преступников разыграла из себя полицию, другая, тоже в форме, перекрывала дорогу севернее.

Гуров отметил, что Михаил тоже оговорился, впервые назвал белорусскую милицию полицией. Да и еще кое-какие признаки выдавали в Михаиле жителя России. У него не было типичного здешнего говора, белорусским языком он совсем не владел. А теперь это словечко — «полиция».

«А ведь ты, парень, как и я, из России приехал, — подумал Гуров. — Только вот от кого? По чьему заданию? Если ты в самом деле частный детектив, то кто же тебя сюда послал?»

— Я думаю, Миша, что людей, пострадавших в той аварии у мостика, нам тоже искать не стоит. По-моему, там все было постановкой. Потерпевшие такие же актеры, как и служители закона.

Гуров умышленно не стал произносить слов «дорожная милиция», чтобы Михаил не сообразил, что ошибся в наименовании. До самого Минска они рассуждали вслух о тех или иных причинах гибели Рыбникова и странной необходимости, которая заставила преступников убивать еще и группу российских полицейских.

Гуров сидел в кафе и ждал Михаила. Здание районной налоговой инспекции было видно как на ладони. Лев Иванович пил второй стакан сока и думал о Михаиле: «Что у него за особенности такие, что за талант? Судя по его словам, да и по кое-каким действиям, он запросто может войти в любое учреждение и отыскать там людей, у которых можно что-то узнать, получить какую-то информацию. Вряд ли у него действительно есть связи везде и всюду. Это просто невероятно. А возможно ли, вот как сейчас, войти в здание районной налоговой инспекции не просто в другом городе, а в ином государстве и получить информацию. А ведь он ее добудет. Иначе бы не пошел. Либо талант, либо кто-то снабдил его большой суммой денег для взяток».

Наконец-то Михаил появился на пороге инспекции. Он лениво посмотрел на наручные часы и пошел по улице в сторону своей серой «Хонды». Этот загадочный тип неторопливо сел за руль, завел мотор, потом плавно развернулся и по большой дуге проехал мимо кафе, где сидел Гуров. Сыщик уже расплатился за сок и стоял у входа. Через секунду он сидел в машине, которая уносила их в сторону улицы Максима Богдановича.

— Порядок, — сказал Михаил без тени хвастовства и протянул Гурову флешку. — Здесь информация по вашей фирме. На словах сообщаю, что компания на хорошем счету, в должниках по налогам и сборам никогда не состояла, отчеты сдает вовремя. Последнюю камеральную проверку там проводили год назад. По акту пара мелких штрафов по совершенно незначительным нарушениям. Короче, ничего необычного.

— Давай приткнемся в каком-нибудь местечке, где народу поменьше, — предложил Гуров, достал с заднего сиденья ноутбук, положил его на колени и включил. — Смотрите на ходу. Я покручусь пока по городу. У вас на это уйдет всего-то минут двадцать.

Гуров просмотрел карточку предприятия, выписку из государственного реестра, акт камеральной выездной проверки, документы по финансово-хозяйственной деятельности, отчет по численности работников. Ничего криминального, все в пределах нормы. Никаких страшных нарушений, скандалов, штрафных санкций. Контора не очень большая.

Лев Иванович вернулся к предыдущему разделу в акте камеральной проверки. Он стал читать заключение инспектора, в котором тот излагал суть мелкого нарушения в связи с неправильным определением налогооблагаемой базы. Тут перечислялись контрагенты фирмы. Среди них фигурировал российский фонд «Ветеран».

За три истекших года «Комплект-Ресурс» действительно получал от «Ветерана» заказы на поставку товаров медицинского профиля, хотя и довольно редко, примерно раз в квартал. Суммы поставок были различными.

Гуров вытащил блокнот и стал записывать. Получилась таблица. В первый год проверки из «Ветерана» поступило пять платежей, во второй — четыре, в третий — шесть. Если сложить суммы всех платежей и разделить на их количество, то получалось, что «Ветеран» отправлял в Минск строго 240 тысяч рублей каждый квартал.

Ровно столько же, хотя нет, на девять процентов больше фирма отправляла в Минск, на счета трех разных фирм. Они каждый год менялись, но их было всегда три. Обналичка? Похоже. Под девять процентов. Неплохо по московским меркам. А как принято здесь?

— Что черкаете? — осведомился Михаил.

— Скажи, ты в бизнесе что-нибудь понимаешь?

— Не совсем тупой. Пара дел, связанных с бизнесом, была в моей детективной практике. Пришлось кое-какой ликбез закончить. А что?

— У меня сложилось впечатление, что «Ветеран» завуалированно платил минской фирме. Не знаю, за что именно. Договоры поставок вроде вполне конкретные. Но если разбить платежи по кварталам, то выходит, что «Комплект-Ресурс» тупо получал из Москвы по двести сорок тысяч рублей. Прямо как зарплату, но прикрытую договорами поставок. Три фирмы в год. Их названия постоянно меняются и больше ни в одной сделке не фигурируют. Всегда разница в девять процентов — как ставка за обналичку. Любопытно, правда? И за что «Ветеран» мог платить белорусской фирме так аккуратно и стабильно?

— Надеюсь, не за убийства, — задумчиво произнес Михаил. — А если так, то нам стоит поискать еще факты насильственной смерти высокопоставленных приезжих из России. Получится, что мы вскрыли киллерское агентство. Выйдет так, что «Ветеран» еще и клиентов ему поставлял.

— Да, нелепо. Но похоже. Так, а кто у нас учредитель белорусской фирмы? Ну, неудивительно, что генеральный директор является еще и собственником. Ладно, Миша, поехали на улицу Максима Богдановича. Посмотрим на контору со стороны, покрутимся.

— У меня микрокамера есть. Можем фотографии сделать. Вы же хотите иметь лица персонала, самого генерального директора?

— А ты предусмотрительный парень, Миша.

— Профессия, Лев Иванович. Я же частный детектив, привык иметь при себе разумный минимум снаряжения и оборудования.

Пройти в офисный центр оказалось не совсем уж просто. Суровый охранник, торчавший у входа, спрашивал у всех пропуска. Тех, у кого их не было, он заставлял звонить по внутреннему телефону и договариваться с арендаторами. Те заказывали пропуска на визитеров. Впрочем, выписывал их тот же самый охранник. При выходе людей из здания он отбирал у них эти бумажки и складывал на столе аккуратной стопочкой. Видимо, для отчетности.

— Надо что-то придумывать, — сказал Гуров, кивнув на охранника.

— Это мы легко, — заверил его Михаил и подошел к списку фирм-арендаторов, висевшему на стене. — Так, что у нас тут интересного есть? Названия, названия... Как будто они нам что-то говорят. А вот рекламные плакатики, это уже лучше.

304

Смотрите, Лев Иванович, фирма «Константа» занимается поставкой хозяйственного инвентаря, оборудования и спецодежды. Звоним и договариваемся о визите с целью знакомства и изучения возможности заключения договоров поставки.

Чрез пять минут Гуров и Михаил вошли в здание вполне легальным образом. Примерно два часа понадобилось им для того, чтобы убедиться в том, что в двери «Комплект-Ресурса» почти никто не заходит. Правда, привозили воду для кулера, да еще вышли молодые женщина и мужчина.

Судя по разговору, это были бухгалтерша и водитель генерального директора. Мужчина спешил. Он должен был успеть отвезти бухгалтершу в банк, а потом где-то забрать своего босса и доставить его в офис.

— Есть смысл подождать, потоптаться тут, — предложил Гуров. — Можем этого директора сфотографировать для полного комплекта.

— Для полного комплекта я могу войти в их офис, извиниться и заявить, что ошибся этажом. Будут вам лица и других сотрудников. Годится план?

— Так пошли вместе. Фотографии нужны, но увидеть своими глазами тоже хочется. Тем более что генерального директора нет на месте.

— А как вам водитель, Лев Иванович?

— В каком смысле?

— В физиономическом. Неприятный тип, держится независимо, даже нагловато.

— Согласен, но не забывай, что он ведь личный водитель генерального директора. Тут есть от чего держать себя нагло с остальным персоналом. Такое частенько случается.

— Ладно, пусть будет по-вашему. Пошли в гости. Надо фотографировать!

Глава 7

Маша позвонила, когда Гуров и Михаил уже садились в машину, намереваясь где-нибудь перекусить. Планов на день у них было много. Например, выяснить, где и как живет руководитель и собственник «Комплект-Ресурса» — Павел Клименко. Если повезет, то, может, удастся понаблюдать за его вечерним времяпрепровождением. А это новый круг знакомых. В машине у Михаила оказался и микрофон направленного действия, и видеокамера с мощным объективом.

Михаил не успел повернуть ключ зажигания и поднес телефон к уху. Разговор был коротким. Со стороны самого Михаила он состоял из одних только междометий.

Зато потом, отключив телефон, он огорошил Гурова вполне конкретными словами:

— Лев Иванович, Машка нашла вашего Крячко.

— Что?.. Как, где? Живой?

— Да что вы в самом деле! — Михаил вежливо отодрал от себя пальцы Гурова, вцепившиеся в его руку. — Живой, конечно. Насчет здоровья не совсем понятно. Он лежит без документов в Ивановской районной больнице. У него множественные ушибы, включая и сотрясение мозга, но выглядит, как сказала Маша, хорошо. Одна беда, он потерял память. Может, просто амнезия после сотрясения, а может, и нет.

— А почему Маша уверена, что это Крячко, если нет документов и этот человек потерял память?

— Фотография. Простите, что не сказал вам сразу. Я стянул в транспортной милиции распечатку с его паспорта. Они такие увеличенные фото делают для розыска, знаете? Вот я одно такое и увел, а потом Маше отдал. Вы ей верьте, она в лицах разбирается, журналист же.

— Поехали! — решительно сказал Гуров. — Остальное потом. Сейчас важнее всего найти Крячко, убедиться, что он вне опасности. Может, организовать его отправку в Москву.

Через два часа Михаил, в соответствии с показаниями навигатора, уже сворачивал на нужную улицу райцентра Иваново. Этот полезный прибор тоже оказался среди оборудования, которое он имел в машине. У входа в больницу они тут же увидели знакомую «пятнашку» Маши с номером 408.

— Поставь машину подальше, чтобы они вместе не мозолили глаза, — посоветовал Гуров. — А еще лучше вообще не подъезжай к больнице. Вон туда, к магазину припаркуйся.

Маша появилась почти сразу, как только Михаил выключил зажигание. Она, видимо, поняла, что означают эти маневры, и пришла сама. Девушка плюхнулась на заднее сиденье «Хонды» и сразу полезла за сигаретами. Салон наполнился душистым запахом «Салема».

— Здесь ваш коллега, Лев Иванович, точно он. Вот, — она протянула Гурову листок бумаги с черной неопрятной увеличенной копией паспортной фотографии Крячко. — Я даже с главврачом к нему в палату заходила. Перевязанный весь, держится хорошо, но не помнит ни черта. Он как меня увидел, так сразу начал тараторить. Мол, девушка, мы с вами знакомы? Может, вы моя родственница? Помогите мне вспомнить, где я живу.

— Что-то он слишком активен для такой травмы головы, — проговорил Михаил, повернувшись к девушке.

— Это нормально. Бывает. Посттравматическое возбуждение.

Гуров слушал все это, стиснув зубы. Представлять себе таким Стаса, старого друга, было больно. Но и в том, что обсуждали его помощники, никакого цинизма тоже не было. Они просто пытались оценить состояние человека, которого Маша нашла в районной больнице, понять, его ли ищет Гуров.

— Маша, как ты нас, меня по крайней мере, хочешь представить главврачу? — спросил Гуров. — Ты что-то уже говорила ему?

— Говорила, что привезу людей, которые могут опознать раненого. Не волнуйтесь, Лев Иванович, он даже обрадовался. Ему ведь выписывать вашего товарища некуда, а держать его на восстановительном режиме бюджет больницы не позволяет. Главврач голову ломает, куда девать больного.

— Как представляться будем? — поинтересовался Михаил. — Даже из побуждений экономии нам его просто так не отдадут. Мы не родственники, документов больного предъявить не можем.

— Так, слушайте меня! — прервал эти разговоры Гуров. — Никто ничего не предпринимает. Ты, Михаил, вообще лучше останься здесь, в машине. Нечего нам толпой туда идти. Ты, Маша, представляешь меня просто как человека, который может знать больного. А остальное я сделаю сам. Главное, никаких реплик и абстрактных разговоров, вообще ничего. Это понятно?

— Да, конечно, — заявила Маша. — Вы боитесь, что у вашего товарища может быть стресс. Надо как-то осторожно пытаться восстановить его память.

Гуров хмуро посмотрел на девушку, потом решил, что для нее такого объяснения вполне достаточно. Пусть считает так, как ей удобнее, насколько фантазия позволяет. А вот ему самому предстоит тяжелая работа. Он должен определить, в каком состоянии на самом деле находится Станислав. Если это вообще Крячко, а не другой человек, очень похожий на него.

Контакт со Стасом нужно налаживать обязательно, независимо от его состояния. Еще нужна легенда для персонала больницы. Впрочем, на первых порах она сгодится и для Стаса, если он и в самом деле ничего не помнит.

— Маша, ты не сказала, что этот человек — полицейский из России? — спросил Гуров, прежде чем выбраться из машины.

— Нет, конечно. Я ничего не говорила, просто предположила, что, возможно, знаю человека, который ищет знакомого, пропавшего примерно в этом районе. Врач обрадовался и попросил поскорее привести этого знакомого. Вот и все.

— Хорошо, молодец. Значит, так! Это вам для информации. Я представлюсь адвокатом. Скажу, что этот человек мой коллега, мы из Минска, работаем в одной конторе. Теперь еще одна часть легенды. Я скажу, что это не несчастный случай. Мол, на моего коллегу совершено нападение, связанное с его профессиональной деятельностью. Милиция бездействует. Обращаться к ней не только бесполезно, но и опасно для потерпевшего. Думаю, что врач все поймет и будет вести себя соответственно. С деньгами решим. Главное, чтобы он там полежал пока. Никто не должен знать, что Станислав выжил. Ясно?

Они с Машей шли чистенькими коридорами, мимо дверей, аккуратно выкрашенных в белый цвет. Гуров ожидал, что районная больница будет выглядеть точно так же, как и в российской глубинке. Но здесь все отличалось в лучшую сторону. Не очень богато, зато никаких ободранных стен, следов дешевой штукатурки и допотопной мебели, которая сохранилась с советских времен.

Главный врач легенде Гурова поверил. По крайней мере, он согласно и вполне серьезно кивал и даже не спросил у Льва Ивановича документов, удостоверяющих личность.

На это сыщик и рассчитывал. Зачем смотреть документы, если человек не собирается забирать пациента из больницы, а, наоборот, просит подержать подольше и обещает за это заплатить? Наличными.

Главврач шел рядом с Гуровым и рассказывал о состоянии больного. По его словам, тот получил множественные ушибы, у него трещина лучевой кости и два сломанных ребра. Сотрясение мозга, видимо, есть. Это определяется по характерным симптомам, а они налицо.

То обстоятельство, что пациент находится в активном состоянии, не удивляет. Собственно, периоды активности или возбуждения у него кратковременные. Например, когда появляются новые люди. Он просто обеспокоен потерей памяти и пытается что-то вспомнить, в остальное время апатичен, вял и много спит. Это очень хорошо в его состоянии. Поэтому врач настаивал, чтобы визит был кратким. Пациент не должен перевозбуждаться.

Гуров кивал, соглашался, обещал и пытался сдержать возбуждение внутри себя самого. Только бы не случилась беда, которая оставит Стаса инвалидом на всю жизнь! Все можно поправить, устроить хорошее лечение дома. Орлов поможет, это не обсуждается.

Гуров был намерен прямо сейчас выбить из Орлова деньги для оплаты лечения Крячко. Кстати, эти затраты тоже должны оставаться тайными. Нельзя, чтобы всплыла настоящая профессия пациента. Его хотели убить. Если тот негодяй, который собирался это сделать, узнает, что Станислав жив, то может последовать вторая попытка. А чудеса до бесконечности не происходят. Они случаются редко. Как подарок судьбы.

Врач повернулся к Гурову, как будто оценивая, насколько тот готов к встрече, потом тихо открыл дверь палаты.

— Он спит, — заявил доктор и повернулся к своим спутникам. — Это даже хорошо. Зайдите потихоньку и посмотрите. Девушка, вам, наверное, не стоит заходить. Только шуму наделаете.

Гуров мысленно поблагодарил врача за эту идею. Он вошел в палату и еле сдержался, чтобы не скривить лицо в болезненной гримасе. Старый друг Стас лежал с забинтованной головой, с гипсом на руке. Его грудь была плотно перетянута бинтами. Лицо Крячко покрывали ссадины и царапины, уже заживающие, а под левым глазом желтели остатки приличного синяка.

Дрался? Когда, с кем? Как он исчез с поезда, в котором нашли его вещи? И самое главное, зачем?

Гурову захотелось подойти к другу, присесть на край больничной койки, положить руку ему на грудь и тихо сказать что-нибудь обнадеживающее, успокаивающее. Главное, что жив, что нет особенно страшных ранений. С сотрясением мозга и потерей памяти доктора как-нибудь разберутся. Лишь бы выжил. Бедный Стас, как ему досталось! Как спокойно его лицо. Вообще-то Крячко всегда отличался выдержкой и философским спокойствием. Поможет это ему сейчас?

— Ну и что скажете? — тихо спросил врач, наклонившись к Гурову. — Он?

— Да, он, — подтвердил Лев Иванович. — Пойдемте отсюда. Там поговорим... — Гуров хотел было выйти из палаты, но резко повернулся и уставился на Крячко.

Ему показалось, что Стас подсматривает за ними сквозь чуть опущенные веки. Тут глаза Крячко открылись. Он смотрел на гостя, на врача спокойно, выжидающе.

— Это кто? — потом спросил Стас чуть хрипловатым голосом. — Откуда? Из милиции?

Гуров опешил, уставился на раненого товарища. Что?.. Милиция? Почему он так сказал?

Крячко едва ли не всю свою жизнь проработал в милиции. Только несколько лет назад ее в России переименовали в полицию. Из-за травмы головы сработала давняя привычка? Вообще-то все сотрудники управления давно уже привыкли к словам «полиция», «полицейский».

Это было первое, о чем подумал Гуров. Только потом он с горечью осознал, что Стас его не узнает. Крячко смотрел на старого друга. В его глазах было ожидание, надежда, множество вопросов, но никак не радость от встречи.

Лев Иванович вздохнул, вернулся к кровати, решительно пододвинул стул и уселся на него. Гуров очень беспокоился, что врач начнет его сейчас выгонять или останется рядом и примется слушать их разговор. Так и случилось. Врач уселся на второй стул рядом с сыщиком.

— Значит, вы ничего не помните? — спросил Гуров, начиная разыгрывать свою партию. — И меня не узнаете?

— А вы кто? Я знал вас? Как меня хоть зовут? — Крячко стал кряхтеть и приподниматься на подушках, чтобы сесть. — Хоть что-нибудь из моей жизни мне расскажите. Может, это послужит толчком для воспоминаний. Вы не представляете, как это страшно — не помнить вообще ничего!

— Редкий случай. Я пытался даже поискать такое в медицинской литературе, — сказал врач. — Обычно в подобных случаях выпадает из памяти определенный кусок воспоминаний, очень четко локализованный по времени. А тут полная потеря при внешне нормальном состоянии. Относительно, конечно. Ни комы, ни операции на черепе.

— Типун вам на язык, — проворчал Крячко и поморщился. — Головная боль просто вымотала.

Гуров размышлял. От его решения сейчас зависело многое. Легче всего назвать вымышленные имя и фамилию, сказать Стасу, что он всю жизнь прожил в Беларуси, что они коллеги по адвокатской деятельности. Но есть ли в этом смысл, не помешает ли такое сообщение восстановлению памяти?

А ведь Крячко сейчас чуть ли не узловая фигура. На него напали. Он, настоящий профессионал, понимал, кто и почему это сделал. Осталось лишь вернуть ему память, и он все расскажет. Тогда появятся ответы на многие вопросы.

«А ведь он все еще жив лишь потому, что ничего не помнит, — думал Гуров. — Наверное, в этой ситуации преступники не станут его трогать. Даже при таком развитии событий лишние трупы никому не нужны. А вот если я начну врать, тогда кто-то через доктора, по другим каналам, может, через «жучки», установленные преступниками в палате, это поймет. Негодяи сообразят, что им морочат голову, и решат, что проще все-таки довести дело до конца. Странное дело, но бывает и такое в оперативной работе, когда, разыгрывая какую-то роль, приходится прибегать к чистейшей правде. Нет, не всегда, конечно».

— Вас зовут Станислав, — спокойно сказал Гуров, наблюдая за другом. — Станислав Васильевич Крячко.

— Станисла-ав, — произнес больной, как будто прислушиваясь к звуку, пробуя его на вкус. — Крячко-о. Вот зараза, не радует слух!

Гуров молча пожевал губами. Прогресс есть. Сейчас Станислав выдал одно из своих самых любимых словечек: «зараза».

— Вы не расстраивайтесь, — попросил Гуров. — Полежите, полечитесь. Постепенно все вспомните. Никто вас не торопит.

Крячко понимающе смотрел на Гурова, но вопросов больше не задавал. Это было как-то странно. Ведь врач только что рассказывал, что его пациент всех замучил расспросами о себе. А тут пришел человек, который его явно хорошо знает, а вопросов нет. Успокоился, почувствовал надежду?

Врач поднялся со стула, положил Гурову руку на плечо и заявил:

— Я думаю, что вашего товарища не стоит переутомлять. Сейчас он испытал своего рода стресс, связанный с вашим появлением. У него возникла надежда на восстановление воспоминаний, а это сильные эмоции. Я даже вижу заметную разницу в его поведении. Будем дозировать ваши встречи и беседы. Скажем, по два раза в день. Утром и вечером. Но не очень поздно. Больной не должен перевозбуждаться перед сном. Не позже шести вечера. Хорошо?

— Да, конечно, — согласился Гуров и сказал Стасу: — Я приду завтра утром, и мы пообщаемся.

— Хорошо бы, — со странной интонацией проговорил Станислав. — Не представляете, как тоскливо тут лежать одному. Эх, а еще видения всякие во сне, воспоминания... Кто мне подскажет, какие из них ложные, а какие истинные?

— Я подскажу, — пообещал Гуров. — Я хорошо знаю ваше прошлое, Станислав Васильевич. Разберемся.

Гуров и врач вышли из палаты, где к ним сразу в кильватер пристроилась Маша.

312

Лев Иванович принялся громко рассуждать, стараясь делать вид, что скрывать ему совершенно нечего:

— Насколько я помню, доктор, чаще всего выпадают как раз последние воспоминания. Я прав?

— Да, ретроградная амнезия как раз этим и отличается.

— Но это не главное, — продолжил Гуров. — Важно остальное вспомнить. А что предшествовало травме, куда он упал, это не самое существенное в жизни. Надо, чтобы он себя вспомнил, потихоньку возвращался к нормальной жизни. А то ведь он и в магазин сам не сможет ходить. Да, беда!..

Гуров и Маша вернулись в машину. Девушка тут же забралась на заднее сиденье и полезла за сигаретами.

— Сделали дело, — доложила она, опередив Гурова. — Друг опознан, но с памятью у него пока беда. Наверное, он и маму родную сейчас не узнает. Вот ведь загадка какая — мозг человека.

— Помолчи, Маша, — попросил Гуров и стал рассказывать сам: — Значит, так. Я решил попытаться вызвать у него воспоминания, выложив часть правды. Я сказал, как его зовут, но не стал распространяться о нашей работе в полиции и о том, что он тут на задании, полученном в Москве.

Михаил очень внимательно выслушал Льва Ивановича, потом спросил:

— Почему? А вдруг он что-то интересное, очень важное уже узнал? А это нам в работе еще как пригодится!

— Вот как раз поэтому. Видите ли, ребята, его хотели убить, это очевидно. Люди так просто из поезда не пропадают, а мой друг, с которым я не один десяток лет проработал вместе, никогда не был малахольным. Его спасло только то, что он потерял память. Учтите это. Еще я думаю, что за ним будут наблюдать. Может, санитарку свою подставят или аппаратуру в палату воткнут, чтобы слушать наши разговоры. Как только он вспомнит, кем на самом деле является, ему конец. Учтите это.

— Я могу достать машинку, которая определяет наличие «жучков», — предложил Михаил. — Будете, по крайней мере, точно знать, есть они в палате или их там нет.

— Хорошо, привези. Это сделать надо обязательно. Наличие «жучков» нам скажет о многом. Теперь мы свою работу на время приостановим, чтобы заняться моим другом. Единственное, что можно себе позволить, это последить за генеральным директором «Комплект-Ресурса». Нужно получить представление о его окружении, образе жизни. Вот вы этим с Машей и займитесь. А я найду какое-нибудь жилье в городе и поработаю со Стасом.

«Жучков» в палате не оказалось. Михаил, изображавший личного водителя Гурова, внес туда свертки и пакеты с фруктами и кое-какими средствами индивидуальной гигиены. Пока Гуров топтался посреди помещения, пространно расписывая, что и зачем он привез, Михаил успел пройтись с прибором вдоль стен и не уловил никаких сигналов. Немолодая женщина-санитарка помогала Станиславу распаковывать продукты и не видела, чем занят Михаил. Да она все равно не поняла бы смысла его действий, даже если обратила бы на них внимание.

Гуров вчера вечером связался с Орловым и обрадовал его тем, что Стас найден, жив, но находится в непонятном состоянии. Вопрос с деньгами генерал-лейтенант решил за пять минут. Идею восстановления памяти Крячко прямо в белорусской больнице он поначалу не одобрил, но потом согласился с доводами Гурова. Любая попытка срочно вывезти Стаса в Москву могла навести преступников на мысль о том, что он начал вспоминать. Нарываться на бомбу в самолете, подвергать опасности жизнь пассажиров поезда или других видов транспорта, разумеется, не стоило.

Санитарка уселась в углу и принялась вязать.

Гуров подсел к Стасу и стал задавать вопросы:

— Ну и какие у тебя появились воспоминания, Станислав Васильевич?

— Да никаких. — Крячко поморщился, глядя почему-то не на Гурова, а на санитарку. — Видения какие-то во сне бывают. С чем связано — не понимаю, вспомнить о том, что они имеют какое-то отношение к моей прошлой жизни, не могу. Чертовщина самая настоящая!

— И что за сны или видения?

— Кладбище, например, — закинув здоровую руку за голову и не сводя взгляда с санитарки, стал рассказывать Кряч-

314

ко. — Запущенная могилка, на которую давно никто не приходил. Главное, я хорошо знаю, что мне звонили по телефону, просили навестить, убраться. Вдруг в моей жизни и вправду есть такая могилка, а? Может, там мать лежит, а какая-то женщина мне напоминает? Знакомая матери, родственница? В офис названивает, когда там посторонние люди находятся. А водитель Аллочке говорит, чтобы трубку повесила, вроде ее это не касается.

Гуров нахмурился, пытаясь понять, что за бред вдруг стал нести Крячко. Аллочка какая-то, водитель. Он оглянулся на санитарку, а та только скорбно покачала головой.

— Больница мне чаще снится, — продолжал Крячко. — Вроде у меня друг был, а у него жена. У нее плохо с сердцем...

Гуров насторожился. Другом вполне мог быть он сам, а женой — Мария Строева. Недавно Лев Иванович отправлял ее в частную клинику по подозрению в заболевании сердца. А потом выяснилось, что ничего страшного нет.

Зато Гуров выхлопотал семейную путевку в санаторий МВД и летом уехал с женой на отдых. Хотел подлечить ее. Многие тогда шутили, что любимчик генерала Орлова заслужил полноценный отдых с семьей, чего давно уже не могли позволить себе другие офицеры управления.

Даже Стас тогда завидовал другу. Не это ли он стал вспоминать? Но почему?..

— А потом вдруг с сердцем оказалось все хорошо, — делился Стас своими снами. — Это же только во сне такое бывает. Друг с женой уехал в санаторий, а я вижу, как по волнам плывет китель с погонами. Это потом я вспомнил, что такие кадры в кино мелькали. Не помню в каком. Или в театре? Вот бы в театр попасть, соскучился даже. А про могилку часто вижу. И вроде с Украиной как-то связано. Вот вы мне скажите, Богдан — это украинское имя? Отчество от него ясно какое — Богданович. А вот если фамилия такая же, то где в ней ударение ставить? Мысли путаются, наверное, отдохнуть надо. — Стас чуть помолчал и добавил совсем тихо: — Мне бы такую зарплату! Двести сорок тысяч в квартал.

— Шли бы вы, уважаемый, — проговорила санитарка, торопливо подойдя к Гурову. — Видите, опять заговариваться начал. Ох, прав доктор! Все это — только видимость улучшения. У него и в самом деле какие-то центры в мозгу задеты.

— Да-да, конечно. — Ошарашенный Гуров поднялся со стула и стал пятиться к двери.

Крячко с закрытыми глазами поудобнее устраивался на кровати. При этом он старательно постанывал и кряхтел.

Гуров вышел в коридор. Потом из палаты выскочила санитарка и побежала в ординаторскую. Она вышла оттуда вместе с дежурным врачом, который поспешил в палату. Санитарка только сердито махнула Гурову, чтобы он уходил. Лицо у женщины было очень озабоченное. Гуров уловил слово «опять», брошенное ею. Значит, Стас часто заговаривается. Вот как...

Гуров вышел из больницы, свернул за угол и нашел в сквере пустую лавку, на которую попадали солнечные лучи, пробивающиеся через кроны деревьев. Он уселся на нее и закрыл глаза. Приятное осеннее тепло пригревало кожу, аромат прелой листвы щекотал ноздри.

Дословно вспомнить все, что в палате молол Крячко, было не сложно. Могилка — какая, чья, где? Потом Стас вдруг стал распинаться про отчество или фамилию Богданович. Перед этим он упомянул какую-то Аллочку.

До Гурова наконец-то дошло! Офис «Комплект-Ресурса» находится на улице Максима Богдановича. Аллочкой, как вчера удалось установить им с Михаилом, звали тамошнюю секретаршу. Они намеренно ошиблись офисом, долго извинялись и флиртовали именно с этой особой.

Важными оказались и последние слова Крячко про желаемую зарплату в двести сорок тысяч в квартал. Эти слова Стас добавил уже почти шепотом, когда стал имитировать, что состояние его ухудшается. Он намекал на ту самую фирму.

Да, Крячко именно имитировал потерю памяти! Стас сразу узнал Гурова, когда тот впервые заявился в палату. Он откровенно и талантливо валял дурака второй день подряд, а теперь поделился оперативной информацией про «Комплект-Ресурс».

Свою роль он играет уже не первый день. Санитарка ведь сказала «опять»!.. Значит, Крячко лежал в больнице и отшлифовывал симптомы, ждал Гурова. Выходит, Стас понимает, что гарантия его жизни — невозможность что-то рассказать. Способ самый простой — отсутствие памяти. Ай да Станислав Васильевич!

«Ладно, это мы выяснили, — рассудил Гуров. — Он мне показывал, что помнит меня, рассказывал про Марию, как она лежала в клинике в кардиологии. Намекал на ведомственный санаторий МВД — китель, плывущий по воде! Стас сказал достаточно, чтобы я, посвященный человек, все понял. Друг прикидывается, это ясно. Теперь надо разобраться, о чем он мне говорил. — Гуров потер ладонями лицо, осторожно посмотрел по сторонам. — Главное, радости не показывать. Я сосредоточен, я угрюм, у меня масса проблем».

Гуров поднялся и тяжелым усталым шагом пошел по аллее. Он загребал ногами опавшие листья и снова вспоминал слова Крячко, произнесенные недавно в палате.

«Могилка, звонит женщина, которая является родственницей или подругой покойной матери. Аллочка. Что он про нее? Какой-то водитель советует ей не брать трубку и не говорить шефу.

Водителя мы с Михаилом в офисе видели, оба сошлись, что тип неприятный. Персонала в конторе мало. Водитель генерального директора, который еще и бухгалтера возит. Значит, там нет других водителей. Выходит, Станислав имел в виду именно этого человека.

А почему Аллочка должна была трубку повесить? Значит, тот звонок предназначался не ей. А кому? Наверное, шефу? А кто у Аллочки и водителя шеф? Сам генеральный директор. Клименко!»

Маша с Михаилом приехали в два часа ночи. Гуров не спал. Он все это время лежал на диване в одежде с закрытыми глазами и думал. Потом мобильный телефон коротко пропиликал рядом на стуле о том, что поступило СМС-сообщение. Лев Иванович прочитал на экране условный код из трех слов и пошел открывать.

Первой в квартиру ввалилась Маша, довольная и шумная. На ее коленке багровела царапина. Колготки в этом месте были порваны. Гуров спросил, что случилось, но девушка только отмахнулась и кинулась в ванную. Оттуда был слышен ее голос. Маша умывалась и пыталась рассказывать, как они сегодня следили за Клименко.

Михаил только устало улыбнулся, прошел на кухню, вымыл там руки, а потом нагнулся и стал шумно пить прямо из-под крана. После этого он вытер рот, уселся на кухонный табурет и прижался спиной к стене.

— Человек он, прямо скажем, нелюдимый, — заговорил Михаил. — Вторую половину дня просидел в офисе. В семь вечера отправился домой, причем на такси. Машка проводила его до квартиры. Через час он потушил свет.

— А вы не подумали, что Клименко мог покинуть квартиру иным способом, чтобы сбросить хвост?

— Подумали. Точнее, предположили, что такие варианты могут нас ждать. Но к семи вечера я уже имел на руках его автобиографию и знал домашний адрес. А Машка прицепила ему на ботинок маячок. Не факт, что он не поменял обувь, но из подъезда дома напротив я через оптику наблюдал за окнами три часа. Он сидел за компьютером в темноте. Потом все же включил свет, поужинал, врубил телевизор и повалился на диван перед ним. В одних трусах. Я так понял, что он уснул.

— Тоскливо живет генеральный директор, — заметил Гуров. — Одна надежда, что этот день был не типичным для него. Я только одного не понял. Почему он из офиса поехал домой на такси?

— А это отдельная песня, Лев Иванович. Его персональный водитель в вечернее время ездил по городу, разговаривал с людьми. Некоторые из них приезжали на встречу с ним на не очень дешевых машинах. Если время терпит, то снимки, которые умудрился сделать, я покажу утром. Они у меня на карте памяти фотокамеры. Там лица, крупные планы, номера машин.

— А коленку Маша где ободрала?

— Эта подруга слишком близко подобралась к водителю господина Клименко и его собеседникам. Вот они и воспылали к ней симпатией по причине состояния алкогольного, а может, и наркотического опьянения. Пришлось отбивать.

— Засветились вы с ней, — Гуров покачал головой.

— Ничего подобного, — устало заметил Михаил. — Они даже не поняли, кто их бил, в темноте рассмотреть лица девушки тоже не успели.

— Ладно, убедили. А имя и фамилия у водителя есть?

— Есть. Его зовут Лукин Владимир Никандрович. Белорус, уроженец Минска. Судим за разбой, но прошел вторыми ролями, поэтому получил мало.

— Про самого Клименко вы что конкретно узнали?

— Павел Александрович Клименко родился в Пинске, там окончил школу, оттуда ушел в армию.

Гурову удалось даже бровью не повести, узнав место рождения Клименко. Он слушал с постным, равнодушным лицом, как будто ему излагали дежурную информацию, которая вряд ли когда пригодится и просто не может иметь никакого отношения к их делу.

— После службы в армии он ввязался в аферы, умудрился не сесть, но криминальных дел не бросил. Второй раз попался уже в конце девяностых фактически на рэкете и подделке документов. Отсидел пять лет, а потом осел в Минске. Фирму открыл, я полагаю, на те деньги, которые у него не смогли конфисковать. Теперь он законопослушная сволочь.

— Почему сволочь?

— Потому что им заинтересовались вы. У вас есть что-то на его фирму. Вы работаете по нескольким убийствам, специально для этого приехали сюда из России. И не из районного УВД, а из Главного управления уголовного розыска.

— Убедительно, — согласился Гуров. — Что-нибудь есть на родителей Клименко?

— Отец умер еще в начале девяностых. Кажется, несчастный случай в состоянии алкогольного опьянения. Мать тоже, но гораздо позже. Лет на десять.

— Оба похоронены в Пинске? — равнодушным голосом спросил Гуров.

— Да, на одном кладбище, но в разных могилах.

— Сын навещает могилки? Как часто он ездит в Пинск?

— Вы от меня слишком многого хотите, Лев Иванович. — Михаил улыбнулся. — Даже у моих возможностей есть пределы. Чего не знаю, того не знаю. Но по распечаткам ясно, что с его сотового телефона ни одного звонка на проводную сеть Пинска не было, и на мобильные, зарегистрированные в этом городе, тоже.

— А это как ты выяснил?

— Программа такая есть для компьютеров. Она сама выбирает заказанные категории. Кстати, проводного телефона у него дома нет.

— А данные на родителей Клименко есть?

Михаил вытащил из кармашка маленькую черную флешку, протянул ее Гурову и сказал:

— Здесь все о нем. Детский садик, школа, армия, судимость, родители. Даже на каком кладбище они похоронены.

— А в Пинске не одно кладбище? — Гуров сделал удивленное лицо.

— Конечно, не одно. В городе есть несколько старых, давно закрытых. В том числе даже кладбище немецких солдат времен Первой мировой войны.

— Хорошо. Слушай, Михаил. Если это не идет вразрез с твоими личными планами розыска, то, может, вы с Машей еще пару-тройку деньков поводите Клименко? Первый день ничего не дал. Активность водителя вполне может быть связана с его личными делами.

— Я и сам думал, что одним днем тут не обойтись. А вы чем займетесь?

— Мне придется понянчиться с моим другом. Надеюсь, что какие-то просветления у него начнутся после моего появления. Надо поработать с ним. Если он вспомнит, что случилось, кто и как на него напал, это будет самым большим прорывом в нашем деле.

— Пожалуй, — согласился Михаил. — По крайней мере, мы узнаем об исполнителях одного преступления, через них сможем выйти на заказчиков и на организаторов. Это уже зацепка.

Гуров кивнул, демонстративно зевнул и отправился в комнату. Ему, самому старшему и уважаемому, выделили диван в единственной комнате. Маша спала на раскладушке, которую принес Михаил. А сам таинственный субъект ночевал в неизвестном месте, о котором предпочитал не распространяться.

Утром, самым первым автобусом, Гуров уехал из Иваново в Пинск. Он ничего не сказал помощникам о своих планах, догадках и подозрениях. Казалось бы, совместная работа с Михаилом и Машей приносила свои плоды, польза была налицо.

С другой стороны, Гуров ничего о Маше не знал, а о Михаиле — тем более. Верить этим людям безоглядно, целиком и полностью не намеревался. Мало ли какие цели они преследуют? Возможно, что это лишь временные союзники. А что будет потом, когда они добьются своего?

Гуров выбрал для себя ту же роль временного союзника, никак не более. Рисковать исходом розыска еще как-то можно, если ты все время держишь руку на пульсе. А вот ставить под угрозу жизнь друга Гуров даже и не думал. Все, что касалось Крячко, он предпочитал держать в глубочайшей тайне. За исключением видимой стороны его состояния. А полную безнадежность Станислав изображал мастерски.

Крячко тоже никому не верил. Не зря во время их разговора он не сводил глаз с санитарки, находившейся в палате. Стас смотрел на нее лишь ради того, чтобы дать понять Гурову, что она мешает, что при ней нельзя откровенничать. Лев Иванович это понял и принял правила игры. Сегодня он намеревался проверить информацию по Пинску, полученную от Стаса.

Через полтора часа Гуров уже стоял на остановке в Вишевичах. Так называется окраина Пинска, где располагается кладбище, на котором когда-то была похоронена мать господина Клименко.

Лев Иванович шел по старому асфальту и рассматривал могилки, покосившиеся оградки, кресты, часто большие, каменные. Вот и участок под нужным номером. Гуров свернул на утоптанную тропинку. В конторе кладбища сказали, что идти нужно до самого конца.

Лев Иванович искал могилу Ольги Юнгеровой — матери Павла Клименко. Это была удача. После стольких дней напряженной работы, беспокойств, поисков, раздумий Гуров наконец-то получил подарок судьбы. Та женщина, которая звонила в офис «Комплект-Ресурса» в Минске, наверняка была близка с матерью генерального директора. Она даже знала, где он работает. Ей многое известно о прошлом этой семьи. Возможно, что и о настоящем.

Вот! Пробегая глазами по надписям на памятниках, Гуров мельком уловил нужную. Здесь похоронена Ольга Юнгерова. И дата смерти совпадает. А памятник не дешевый. Искусственный, но все же мрамор. Качество надписи хорошее, и портрет выполнен совсем неплохо. Значит, сын любил мать, раз отгрохал такой памятник. Только вот потом он охладел, перестал ездить сюда, следить за могилкой. Такое часто бывает. С годами многое забывается.

Гуров рассматривал могилу и думал. Женщина приятной внешности, умерла рано, ей не было и пятидесяти, фамилии с сыном разные. Выходит, его отцом был некто Клименко?

Когда вчера Михаил принес сведения биографического характера на главу «Комплект-Ресурса», Гуров сразу обратил внимание на то, что у отца и у матери разные фамилии. Что это означает? Они жили не расписанными или женщина не поменяла фамилию, когда вышла замуж?

Ольга Юнгерова воспитывалась в советские времена, когда на людей давила идеология и навязчивая хрестоматийная мораль. Мужчина и женщина очень редко тогда жили в так называемом гражданском браке. В те годы такое было редкостью, но встречалось.

Судя по возрасту, Павел вполне мог быть их первым ребенком. А единственным ли? В автобиографии не указаны сводные братья и сестры, но она написана авторучкой. Михаил, видимо, скопировал ее из какого-то кадрового дела. Мог автор умолчать о брате или сестре от другого брака его матери? Вполне.

Все это пока не проливало света на личность самого Павла Клименко, на его связи с московским фондом «Ветеран», на причастность к гибели вице-президента этой структуры и группы полицейских в ДТП на трассе Минск—Пинск. Но то, что Клименко лично знаком с руководством фонда, можно было считать фактом. Дела не делаются, если руководители фирм не общаются между собой. А Рыбников к Клименко в Минск не заезжал! Да и основная масса денег со счетов фонда ушла не в Беларусь, а рассосалась по Москве.

Получалось, что Беларусь вроде бы не входила в сферу интересов российского фонда. Но именно здесь погибали люди, имеющие отношение к этим делам. Гуров чувствовал, что разгадка где-то рядом, что он вот-вот ухватит эту ниточку, но ее кончик снова и снова ускользал от него.

Старательный дедок в черной фуфайке и кирзовых сапогах мел тропинку, подбирал и складывал в тележку на расшатанных колесиках сухие ветки, бумагу. Гуров невольно засмотрелся на этого человека. Работает тут, целыми днями бродит среди могил, а лицо спокойное, благообразное, какое-то умиротворенное. Наверное, и к кладбищу можно относиться по-разному.

— Дед, иди сюда, посидим да покурим, — предложил Гуров самым доброжелательным голосом.

Старик поднял на незнакомца водянистые глаза, поскреб седую щетину и положил метелку поперек тележки. Отряхнув скорее для порядка штаны на коленях, он подошел ко Льву Ивановичу и посмотрел на памятник, стоящий на могиле Юнгеровой.

— Я не курю, сынок, — спокойно заявил дед. — А это тебе кто? Родственница?

— Нет, просто знакомая. А что же не куришь-то?

— Бросил. — Старик пожал плечами. — Как старуху свою тут похоронил, один остался, так и завязал. Поначалу жить не для чего стало, к ней похаживал, тосковал. Все же сорок лет вместе. А потом так уборщиком тут и сделался. Покойно здесь. Как-то так с этим покоем и от курева отвык.

— Да, тихо, — согласился Гуров. — Видно, что люди редко сюда ходят. Вон сколько могил неприбранных.

— Всяко жизнь складывается. Живое живым. А бывает, что уже и некому прибираться.

— А ты, дед, я смотрю, философом тут стал.

— Философом... — повторил старик мудреное слово. — Тут все другое, и люди тоже. Знаешь, почему на кладбищах всегда такая тишина стоит? Нет? Даже ветер праха людского беспокоить не хочет. Не положено его тревожить. А поминать надо молча. Ты вот стоишь и видишь ее, какой она при жизни была. Вспоминаем-то мы не мертвых, а живых. Вот и выходит, что нет смерти. Они живут в нашей памяти.

— Это да, — согласился Гуров, мысленно ругая себя за то, что ему никак не удается повернуть разговор в нужное русло. — В памяти они живут, а вот мы ее порой плохо храним. Вот хороший пример. Могилка давняя, а кто-то за ней следит. Дети, наверное. Память о матери хранят.

— Детей у нее я не видел. Женщина ходит одна, подругой называлась.

— А вы что, всех посетителей тут знаете?

— А как же не знать? Я тут не первый год. Да и люди не толпами ходят, как в городе. Всех помню, могу рассказать, кто и куда ходит.

— А вот эту могилу, ты сказал, женщина навещает. И как часто?

— Каждую неделю. По ней же видно, что живет она своими воспоминаниями, нету у нее никого, только память. Как суббота, так часам к одиннадцати и приходит. Приберется, если намусорил кто. С часок посидит, вроде разговаривает, глаза все платочком вытирает. А потом встает и уходит.

— Подруга, говоришь? А может, родственница?

— Говорила, что подруга. — Старик пожал плечами. — Тут со мной многие разговаривают. А кто из провизии чего приносит. Вроде как помянуть просят. Водочки могут оставить. Много ли мне надо? Если люди хорошие, то я могу не только дорожки убирать, но и за могилкой поглядеть. Ведь в жизни как ведется: ты людям, они тебе. Так вот и живем.

Глава 8

Была пятница. Как ни хотелось Гурову поехать в больницу к Станиславу, но дел у него в Пинске было много. В субботу придет на кладбище подруга Юнгеровой. Надо познакомиться с ней, постараться вызвать доверие, разговорить. А сегодня, чтобы день не пропал даром, хорошо бы пообщаться со следователем, который ведет дело Рыбникова. Давно пора это сделать.

Гуров достал листок бумаги и еще раз мысленно поблагодарил Михаила за бесценную помощь. Кто бы его ни нанял, чьи бы он интересы здесь ни представлял, пользы от него было очень даже много.

Итак, старший следователь капитан юстиции Олег Николаевич Чуриков. Адрес, номер служебного телефона. Жалко, что нет мобильного, но и Михаил не всемогущ.

Гуров набирал номер четырежды, с интервалом в пятнадцать-двадцать минут. Трубку никто не брал. Повезло с пятого раза. Усталый голос произнес дежурное слово «слушаю», и в трубке воцарилась тишина.

— Здравствуйте. Вы — Олег Николаевич Чуриков? — уточнил сыщик.

— Да, слушаю вас, — проговорил следователь уже с заметными недовольными интонациями.

— У меня есть информация по делу о гибели генерала Рыбникова. Очень важная для вас.

— Даже так? — В голосе следователя просквозила легкая ирония. — Вы хотите дать показания?

— Я хочу поделиться с вами этой информацией, а уж в какой форме ее регистрировать, мы с вами обсудим отдельно. Вы готовы меня выслушать?

— Да, конечно. Если только эта информация действительно заслуживает внимания.

— Вы не рады моему звонку? — с максимальным сарказмом в голосе спросил Гуров. — Вы это дело похоронили и не будете по нему больше работать?

— Послушайте, если вы действительно хотите помочь следствию, то я вас жду у себя, — недовольно сказал следователь.

— Нет, Олег Николаевич! — заявил Гуров. — Так не пойдет. Давайте сначала поговорим на нейтральной территории. Вы оцените сведения, которыми я располагаю, а потом уже мы решим, как нам быть дальше. Вы против? Боитесь?

— А мне что-то может угрожать? — совсем уж недовольно огрызнулся Чуриков. — Хорошо. Когда и где?

— Да хоть сейчас. Недалеко от вашего здания есть парк и небольшой пруд. Вот возле него и буду сидеть на лавочке. Как мне вас узнать?

— Ну, среднего роста и телосложения. Волосы короткие, черты лица правильные.

— И я вас по этим признакам узнаю? Одеты вы во что?

— Костюм серый, рубашка черная без галстука. Ботинки темно-коричневые. Хотя там холодно сегодня. Куртка темно-зеленая, спортивного покроя, со строчками на карманах, воротник стойкой.

— Жду вас в парке, Олег Николаевич. Только не надо разыгрывать мое задержание. Я ни в чем не виноват, к криминалу отношения не имею. Я могу обидеться и не поделиться информацией.

Чуриков согласился и повесил трубку.

Гуров задумчиво смотрел на поверхность маленького пруда и размышлял об этом следователе. Человек явно не горит на работе. Может, просто сильно устал? Уровень его как специалиста должен соответствовать важности уголовного дела. На такое кое-кого не поставят.

Значит, профессионализм предполагается высокий, а Чуриков так равнодушно отнесся к предложению поделиться информацией. Боится провокации, ему уже угрожали, давили на него? Или он по жизни скептик и никогда не показывает своей заинтересованности собеседникам? Стиль работы у него такой. Хорошо, если это так и есть. Плохо, если это признак равнодушия.

Чуриков появился через двадцать минут. Гуров не опасался подвоха, попыток задержания. Следователь был заинтересован в том, чтобы люди добровольно передавали ему максимально полную информацию. Работа у него такая — добывать сведения. Должен клюнуть.

Гуров сидел на лавке и смотрел на воду. В парке было не очень людно, но следователь все равно вряд ли мог сразу точно определить, кто его ждет. Тем более что звонил ему мужчина, а на встречу могла прийти и женщина.

— Это я звонил, Олег Николаевич, — окликнул Гуров следователя, проходившего мимо. — Присаживайтесь. Здесь и поговорим.

Чуриков окинул незнакомца профессиональным взглядом, потом так же осмотрел окрестности, зябко поежился, запахнул куртку и сел рядом с Гуровым. Он уставился на руки Льва Ивановича, которые свободно лежали на коленях, сцепленные в замок.

— Как мне к вам обращаться? — спросил следователь. — А то как-то неудобно. Вы ко мне по имени-отчеству, а я вас...

— Меня зовут Лев Иванович. Этого достаточно?

— Вполне. А кто вы по званию?

— Слушайте, Чуриков, я отдаю должное вашей проницательности и профессионализму, но прошу не играть со мной в ваши игры. Не пытайтесь выудить у меня больше того, что я вам собираюсь сказать. Сейчас я предлагаю вам заключить союз. Я могу обойтись и без вас, а вы — без меня. Но быть вместе нам сейчас полезнее.

— Ясно. Вы очередной представитель российской полиции или из тех, кто все это затеял. Ренегат, так сказать. В любом случае я буду с вами разговаривать. Итак?

— Скажите, Олег Николаевич, дорожно-транспортное происшествие на трассе Минск—Пинск, в котором погибли трое полицейских из России и один ваш начальник уголовного розыска, является частью дела Рыбникова?

— Это служебная информация, не подлежащая разглашению. Поймите меня правильно.

— Да черт с вами! Вы этим ДТП занимаетесь или кто-то другой?

— ДТП занимаются дознаватели.

— Тогда, чтобы не терять времени, я вам скажу, что это одно и то же дело. ДТП подстроено. Это убийство.

— Какие у вас есть основания предполагать такое?

— Я не предполагаю, а уверен в этом. Вы разве не расслышали, что я сказал? Первая часть не вызывает сомнений. Некто угоняет большегрузный самосвал с площадки дорожно-строительной организации и совершает на нем аварию на трассе. А потом он скрывается с места происшествия, и его никто не находит. Повторю, что в этом никто не сомневается. Но есть и вторая часть этого происшествия. В то же самое время неизвестные люди в форме дорожной полиции перекрывают трассу южнее. Они направляют машины в объезд якобы из-за ремонта дорожного полотна. Севернее места гибели российских полицейских, на подъезде к узкому мостку, тогда же происходит авария сразу трех легковых частных автомашин. Движение перекрыто полностью, объехать место аварии нет никакой возможности. Милиция, правда, прибывает уже через пятнадцать минут. Еще через четверть часа, все измерив, составив все схемы и сам протокол, они освобождают дорогу от затора.

— И что же? — уловив паузу в рассказе незнакомца, спросил Чуриков. — Совпадение, и только.

— Я бы тоже так подумал, если бы не результаты элементарной проверки. Руководство местной дорожной полиции никого на трассе не ставило. В журнале дежурного не зафиксирован приказ выехать на такой-то километр и пускать машины в объезд. Заявления об аварии у моста тоже не было. Никто из инспекторов на аварию туда не выезжал. Такие материалы в дежурную часть не поступали.

— Вы уверены в этом? — Следователь наконец-то посмотрел Гурову в лицо.

— Проверьте, убедитесь сами. Это не сложно. Можете даже официальный запрос сделать.

Следователь вдруг замолчал, обводя пруд странным напряженным взглядом. Гуров заметил, как у него ходят желваки на скулах, хотя внешне Чуриков выглядел вполне спокойным.

— На вас оказывают давление? Я правильно понимаю? — спросил Гуров, не получил ответа и продолжил: — Ясно. Это о многом говорит. Извините, что побеспокоил, я просто думал, что вы...

— Да перестаньте! — вдруг зло процедил следователь сквозь зубы. — Все вы понимаете, все вам ясно! Кто вы вообще такой, что приходите, поучаете, намекаете? Кто вы? Боитесь сказать? Так какого хрена вы мне тут сочувственные песни поете?

— Ого!.. — Лев Иванович улыбнулся. — Вот это темперамент. А я считал вас спокойным и выдержанным человеком. Допекли?

— Не ваше дело, — буркнул Чуриков, успокаиваясь.

— Слушайте, а давайте начистоту, а? — вдруг весело сказал Гуров. — Я с вами до конца честным буду, вы — со мной.

Глядишь, вместе мы такое дело провернем, что всем тошно станет.

— Тошно станет прежде всего мне. Потому что я тогда не смогу тут работать. Сожрут как меня, так и моего шефа, через которого мне пожелания спускают. Пока в вежливой форме.

— А если я вам помогу?

Следователь вытаращился на собеседника с таким видом, как будто тот только что свалился с неба, а теперь сидит тут как ни в чем не бывало. Он даже не ушибся. Гуров смотрел на следователя добрыми глазами и покровительственно кивал. Ни дать ни взять — добрый дядюшка.

— Да, я помогу вам раскрутить это дело. Вы предстанете в выигрышном свете в своем ведомстве. Мы прищемим хвост тем, кто покрывал преступников. Вы пойдете на повышение и получите майора.

— Сказочник! — заявил Чуриков.

— Я-то? — Гуров усмехнулся и вдруг стал серьезным. — Я, Олег Николаевич, не сказочник и не пустомеля. Полковник Гуров, к вашему сведению. Главное управление уголовного розыска МВД России.

— Вот даже как! — Чуриков прищурился.

— Именно так. Учтите, что с вами или без вас, но я тут все вверх дном переверну, обязательно найду тех негодяев, которые убили моих товарищей. Только вам это будет уже все равно. Работать тут вы уже не будете. Я об этом позабочусь. Уважаю я только тех, кто до конца выполняет свой долг. Пришел в Следственное управление, так работай, а не протирай штаны и не лижи руки тем, кто выше тебя по положению.

Чуриков промолчал. Он снова уставился в пруд. Его лицо налилось пунцовым цветом, желваки снова ходили ходуном под кожей на скулах.

«Злится, — подметил Гуров. — Это хорошо. Значит, не боится. Выходит, что ему все это очень даже не нравится. Он будет только рад сломать систему».

— Ну так вот, — продолжил Гуров, как будто и не было у них лирических отступлений от главной темы разговора. — Это еще не все, Олег Николаевич. Я предположил, что водитель угнанного самосвала после аварии не просто убежал куда-нибудь. Если там все четко спланировано, а так оно и было, то водителя, после того как он выпрыгнул из кабины и удрал в лес, должен был кто-то подобрать и куда-то увезти. Я нашел следы, подтверждающие мои умозаключения.

— Следы? Какие? — заинтересовался Чуриков.

— Я прикинул кратчайший путь в лес, потом решил разыскать там хоть какую-то лесную дорогу и нашел ее. На ней я заметил следы легковой машины, долго стоявшей там, а также человека, который ждал около часа. Там неподалеку есть родничок. Человек отошел, чтобы попить, и оставил след, вполне подлежащий идентификации. — Гуров вытащил из внутреннего кармана пиджака сложенный вчетверо лист бумаги, на который скопировал отпечаток подошвы башмака, снятый у родника.

Чуриков взял лист, развернул и буквально разинул рот. Он разглядывал рисунок подошвы, то поднося листок ближе к лицу, то отодвигая его. Гуров сразу понял, что следователь очень даже обрадовался такому подарку. Через минуту Чуриков аккуратно положил на лавку рядом с собой листок, полученный от Льва Ивановича, порылся в своей папке и извлек оттуда другой. Он протянул их Гурову и с торжествующим видом откинулся на спинку лавки.

— Это что? — Сыщик держал перед собой листы и сравнивал рисунки. — Одна и та же нога! Вот и дефект на рисунке, видите? В форме латинской буквы «Y»! Откуда это у вас? Где этот тип наследил?

— Сначала вы скажите: вам знаком полковник Крячко Станислав Васильевич? — Сосредоточенные, прищуренные глаза смотрели на Гурова. — Вижу, что знаком. Вы в курсе, что он несколько дней назад ехал из Минска в Пинск и исчез из поезда?

— Да, я в курсе этой истории.

— Этот след криминалисты транспортной милиции сняли в тамбуре того самого вагона, в котором ехал Крячко. Подробности вас интересуют? Две женщины, его соседки по купе, рассказали, что он перед сном вышел покурить и не вернулся. Они решили, что их попутчик мог встретить знакомых и засидеться у них до утра. Но Крячко не пришел. Проводнику пришлось решать вопрос с вещами пропавшего пассажира, когда поезд пришел на конечную станцию, в Пинск. Криминалисты не придали значения этому следу в тамбуре. Ведь после событий той ночи там прошли десятки людей. Но я решил его сохранить. Как чувствовал!

— Где именно они зафиксировали этот след?

— На полу возле самой стены. Я подумал, что нормальный человек туда наступать не будет. Незачем ему туда лезть. А в процессе борьбы вполне кто-то мог. Ботинки свободного, почти спортивного покроя. Кстати, что с вашим другом? У вас есть сведения о нем?

— Пока порадовать вас мне нечем, — уклончиво ответил Гуров. — Значит, мы имеем косвенное доказательство того, что в гибели полицейских замешан этот человек. Он же причастен к исчезновению из поезда полковника российской полиции.

— Как видите.

— Это не все, Олег Николаевич. У меня имеется еще один такой же след, но найден он в лесу, неподалеку от места убийства генерала Рыбникова. Тоже рядом со следами колес машины. Теперь вы верите, что все эти преступления являются звеньями одной цепочки?

— А вот это уже серьезно!

— Даже очень, — сказал Гуров, возвращая Чурикову листы бумаги. — Теперь скажите, какое давление на вас оказывается и кем именно?

— Кем — точно сказать не могу. Все это передается мне через моего шефа. Ему такая ситуация тоже очень не нравится, но он, как и я, не хочет рисковать положением и карьерой. Особого давления не оказывалось, был просто весомый намек на то, что я должен вывести из дела об убийстве генерала Рыбникова историю о ДТП с российскими полицейскими. Я это сделал. Расследование ДТП было передано по территориальности дознавателям дорожной полиции.

— Нормально. Тогда так, Олег Николаевич. Я предлагаю вам не афишировать свои действия, даже тщательно их скрывать, но все же собрать официальные доказательства тех фактов, о которых мы с вами сейчас говорили. Готовьте свою бомбу, а выложите вы ее, когда я вам подам знак. Постарайтесь выяснить, кто в вашем руководстве пытается замять это дело, покрывает преступников. Не уверен, что эти личности работают в вашем здании. Инициаторы преступлений могут сидеть и в МВД республики, и в ГУВД Минска. У меня есть и кое-какие свои возможности. Доказательств я вам накидаю, причем вполне официальных. Вы согласны? По рукам?

Чуриков, почти не помедлив, протянул ладонь.

Суббота, времени почти одиннадцать, но на дорожке, ведущей в ту часть кладбища, где находится могила Юнгеровой, никого нет. Гуров бродил тут уже около получаса. Люди иногда посещали соседние могилы, но к Юнгеровой никто не подошел.

Сыщик вполне понимал, что женщина, которую он ждал, могла сегодня не прийти по десятку объективных причин. Верить на слово старику-уборщику не стоило. Мало ли что он сказал! Может, ему только кажется, что на могилу подруга приходит каждую субботу, да еще и именно к одиннадцати? Но придется ждать, отрабатывать этот вариант во что бы то ни стало. За такие подарки судьбы надо хвататься мертвой хваткой.

Гуров снова остановился возле могилы и стал рассматривать фото на памятнике. Он в очередной раз попытался представить себе эту женщину, ее характер, прикинуть, какие его черты могли передаться сыну. Не бывает таких матерей, которые от рождения представляют жизнь своего ребенка такой, какой она будет на самом деле. Матери не верят, что сын станет преступником, сядет в тюрьму. Любая мать мечтает, горячо верит, что ее сына ждет светлое будущее, что она в старости будет им гордиться.

— Здравствуйте, — тихо произнес совсем рядом женский голос.

Гуров обернулся на голос и увидел перед собой маленькую пожилую женщину в вылинявшем осеннем пальтишке из смесовой ткани и вязаной бесформенной шапочке на голове. Определить ее возраст он не решился, потому что на лице этой женщины было написано многое: горе и страдания, тянувшиеся долгие годы, одиночество, безнадежность. Слишком характерен был образ пожилой, одинокой, усталой женщины. Сотни тысяч таких мы видим на улицах наших городов, ходим мимо них каждый день и раздражаемся, когда они путаются у нас под ногами. В аптеках они долго выясняют достоинства и цену того или иного лекарства, в магазинах медленно отсчитывают мелочь, извлеченную из стареньких кошельков. Наше прошлое или несостоявшееся будущее.

— Здравствуйте. — Гуров посторонился, освобождая для женщины калитку в ограде.

— Вы знали Оленьку?.. — Женщина внимательно и немного подслеповато рассматривала незнакомца.

— Да, знал немного. — Гуров кивнул, и внутри у него все сморщилось от кощунственной лжи, к которой он вынужден был прибегнуть. — Бродил вот. Сперва одноклассника своего нашел, с которым за одной партой почти десять лет просидел. А теперь и Ольгу увидел.

— А вы ей кто? Я что-то не узнаю вас.

— Да вы меня, наверное, и не знали раньше. Мы с ней по работе немного были знакомы. Давно, когда ее сына Пашку первый раз чуть не посадили. Я тогда помогал ей.

— Эх, Пашка!.. — Женщина покачала головой, и на ее лице появилась скорбная гримаса. — Вот ведь была у нее отдушина в жизни, да и той она тогда лишилась. Совсем одинокой умерла. Только я у нее и была.

— А он что, все-таки сел в тюрьму? Почему она одинокой-то осталась?

— Сидел. А как вышел, то перебрался в Минск. Поначалу ездил, навещал. А потом все реже и реже. Вот и памятник этот не от него, а от мужа ее первого. При деньгах был, вот и поставил. А Пашка уже сколько лет и носа не кажет. А я старая, мне тяжело уже за могилкой-то следить. Руки болят, на коленках стоять не могу, а тут ведь травку подергать надо, земли подсыпать. Цветы вон посадила весной, а они завяли.

Слово за слово, и Гуров узнал, как сложилась судьба Пашки. Мать по нему убивалась, а он, неблагодарный, теперь и могилу ее не навещает. Сыщик узнал, что эту женщину зовут

Галиной Семеновной Архиповой, что она подруга Ольги Юнгеровой еще со школы.

Гуров сочувствовал своей собеседнице, но ему была нужна информация иного рода. За рассуждениями о прежней и современной жизни пролетело минут тридцать. Лев Иванович помог отнести к контейнеру мусор, который собрала Галина Семеновна. Сыщика просто подмывало признаться, рассказать правду о том, зачем ему нужна была эта встреча у могилы.

— Вы, Лев Иванович, уж не откажите мне, одинокой, — попросила вдруг Архипова. — Для меня эти воспоминания — все, что осталось от жизни. Зайдите на чаек. Посидим, я вам фотографии старые покажу. Теперь ведь их не хранят, все, как вон у моей соседки, на компьютере смотрят. А ведь это не телевизор, а память. Фотографии должны храниться в альбоме, чтобы страницы перелистывать.

— Как страницы жизни, — подхватил Гуров. — Одну за другой, все свое прошлое.

— Вот вы меня понимаете. Так зайдете? — почти умоляюще спросила женщина. — Тут и остановка в двух шагах.

Лев Иванович остановил такси, несмотря на сетования женщины, усадил ее в машину и сел рядом сам. Архипова прослезилась от такого внимания и относилась к Гурову почти как давнему доброму знакомому. Через двадцать минут машина остановилась возле старого пятиэтажного дома.

Потом снова были рассказы, воспоминания и, конечно же, душистый чай с бергамотом. У Галины Семеновны нашлось в доме и варенье, и мед, и печенье, которым она готова была закормить гостя. Сердце сыщика сжималось, когда он представлял, что скоро уйдет и у этой женщины снова потянутся безрадостные дни одиночества. Что дни! Годы...

Вскоре, когда со стола было убрано, появился и старый пухлый альбом с фотографиями. Женщина переворачивала листы, тыкала пальцем с утолщенными ревматическими суставами и комментировала:

— Это мы с Олей на спортивной площадке. Соревнования были у нас. А это художественная самодеятельность, она ведь пела хорошо. Вот мы в туристическом походе. А это свадьба. У меня только и сохранилась фотография, где они расписываются. Жалко, что со спины, а то ведь Оленька такая красивая была. Это ее первый, Сергей. Он после института в армии остался. Недолго они прожили. Сынишка родился, а Сергей их и оставил. Перевели его в Москву, говорят, блат у него был какой-то. Вот там, в москвах своих, он другую и нашел.

— Сынишка — это Павел?

— Нет, того они Альбертом назвали. Иностранное какое-то имя придумали. А Павел у нее от второго мужа.

— А Альберт сейчас где?

— Ох, не знаю, Лев Иванович! Он ведь Альбертика забрал у Олюшки. Она со вторым сошлась, а тот пить начал, погуливать. Сергей иногда навещал их. И как увидел, что такое в семье творится, то и забрал. Я уж и не знаю, как у него судьба сложилась. А Оля все молчала да плакала. Понимала, что в Москве, да с родным отцом ему пользы будет больше, а все жалела. А вот они все вместе. Это когда Сергей приезжал их навестить. Вон велосипед Альбертику привез.

Опешивший Гуров смотрел на невысокого, начинающего грузнеть мужчину с намечающейся лысиной. Он держал велосипед, а мальчонка лет десяти с трудом ухитрялся на нем усидеть. Ольга Юнгерова сцепила на груди руки, явно пугалась, что сын упадет. Мужчина был лет на двадцать моложе, чем теперь, но все равно его можно было узнать. На фото вместе с сыном и первой женой был снят Сергей Сергеевич Ломакин.

— Так Сашка Клименко и спился, потом помер. А Пашка в уличную компанию попал, чуть в тюрьму не посадили. Так вам это все известно! А вы, Лев Иванович, при какой должности-то, почему с этим связаны были?

Пришло время объединять прошлое с настоящим. Шить предстояло белыми нитками, но деваться было некуда. Требовалось провести профессиональную экспертизу снимка, сличение, получить официальный документ, подтверждающий результаты этой работы. Теперь все представало совсем в ином свете.

— А у вас, Галина Семеновна, только одна фотография Альберта и его отца?

— Одна! — с каким-то непонятным энтузиазмом заверила женщина. — Я ведь ее почти тайком забрала. Когда Сашка-то, второй ее, помер, Сергей приезжал. Ольга потом сокрушалась, что он все фотографии себе забрал и ни одной с Альбертиком не осталось. Очень тяжкий разговор у них тогда был. Сережа попрекал ее, что с Клименко сошлась, второго сына не сберегла. Я ведь думаю, что это Сергей Пашку-то на путь истинный наставил. Да, не люблю я его, а все же скажу, что не бросил семью в беде. Только Оленьке теперь уж все равно. Хотя, может, и видит она оттуда, что и второй ее сынок при деле. Только вот могилку матери не навещает.

— Галина Семеновна, вы спрашивали, по какой части я служу. Так вот, я офицер российской полиции. И сюда я приехал не случайно, и с вами встретился не просто так. Я искал хоть кого-нибудь, кто может что-то рассказать мне о жизни Ольги Юнгеровой, о ее первом муже и их сыне Альберте. — Гуров говорил экспромтом, потому что мысль насчет Альберта Юнгерова плотно засела в его мозгу.

Об исчезновении всех фотографий из дома Ольги он тоже не забывал.

— Мне нужна ваша помощь, Галина Семеновна.

— Господи! — Женщина всплеснула руками. — Неужели случилось что?

— Я пока не знаю. Нужно разобраться во всем. Вы ведь понимаете, как легко обвинить человека, а вот извиняться потом очень трудно. Да и нужны ли ему будут извинения, если он на весь мир опозорен подозрениями и недоверием? Доброе имя дороже денег.

— Так что же случилось-то, Лев Иванович?

— Не хочется мне вам говорить, Галина Семеновна, расстраивать вас, но объяснять все равно придется. Вы ведь не чужой человек Ольге. Только очень прошу вас, никому о нашем разговоре! Ради памяти вашей подруги и ее детей. Никому!

— Да я же понимаю! — Женщина сжала кулачки возле груди.

— Сергей, первый муж вашей Ольги, сейчас занимается очень серьезными делами, ворочает большими деньгами. Что-то там у них произошло в этой организации. Погиб человек, один из помощников Сергея. А убили его здесь, в Пинске. Нам надо очень аккуратно разобраться во всем. Я прошу вас,

Галина Семеновна, отдайте мне вот эту фотографию! Я поклянусь всем, чем хотите, что обязательно верну ее вам. Я прекрасно понимаю, насколько она вам дорога.

— Я даже... берите, раз так! Господи, чего же людям не живется-то? Она ведь так коротка, эта наша жизнь. Ведь надо наслаждаться каждым денечком, который нам отпущен! Как они так могут? Ведь всех денег все равно не загребешь. Да и куда их столько, на что тратить-то? Больше, чем в рот поместится, все равно не съешь. В трех квартирах не проживешь, на трех машинах ездить не сможешь. Вот вы мне объясните, Лев Иванович, зачем людям столько денег, что они с ними делают?

— Разве такое объяснишь?! — Сыщик горько усмехнулся. — Я на это не способен. Тут надо быть философом. Или писателем. Почитайте «Скупого рыцаря», там есть ответы.

Сегодня с головы Станислава сняли большую часть бинтов. Он лежал, блаженно улыбался и периодически жадно почесывался.

— Самая большая мечта у меня сейчас — это помыться, — сказал он Гурову, который насмешливо наблюдал за этими действиями. — Уже сколько раз просил, так нет, не разрешают! — Крячко произнес эту фразу, с притворной злобой глядя на санитарку через плечо Гурова.

Сегодня Стас выглядел значительно лучше, но почему-то уклонялся от всяких разговоров, старался побольше рассказывать о своих ощущениях и воспоминаниях, которые его, как он утверждал, периодически посещают. Крячко очень старательно вдалбливал всем окружающим, что его воспоминания — это истина в последней инстанции.

Гуров ждал, когда старый друг перестанет валять дурака. Неужели он серьезно подозревает эту санитарку в связях с преступниками? Стас считает, что она все пересказывает кому-то все то, что услышала в палате?

— Есть у меня ощущения, что я работал водителем. Да или нет? — спросил он Гурова. — Вы подождите, не отвечайте.

Дайте-ка я сам попытаюсь вспоминать. Мне кажется, что, напрягая свои извилины, я добьюсь лучшего результата.

Гуров улыбнулся и пожал плечами, а Стас продолжил:

— Да, именно водителем в какой-то фирме. Причем персональным. А начальник у меня был с погонами. Аж целый полковник! Хотя это, наверное, просто фантазии. А может, я работал на железной дороге? — С этими словами Крячко как-то особенно жизнерадостно ткнул пальцем в сторону Гурова.

Лев Иванович насторожился. Из всего того, что наговорил Стас, он пытался сложить нужный узор, рисунок. Друг сейчас хотел что-то ему сказать. Во всей этой болтовне имелась какая-то изюминка.

— Водитель, железная дорога... — задумчиво произнес Стас и в который раз почесал перевязанную голову. — А моя любимая певица — Алла Пугачева. Эх, Алла! Типичная блондинка, а при делах. Я видел ее в возрасте лет двадцати с небольшим. Глупышка, которая ничего из себя не представляет. А машина у нее была, да и водитель тоже. Кажется, в газетах или в Интернете я видел «Волгу» и подпись, что это первая машина Аллы. Сейчас на «Волгах» не ездят...

— Да, теперь всем подавай иномарки, — пристально глядя в глаза другу, вставил Гуров. — Если у тебя нет «Тойоты», то ты не человек.

Крячко улыбнулся и молча, с огромным удовлетворением кивнул. Гуров его понял.

Но тут им пришлось прервать разговор, потому что в палату совершенно бесцеремонно ввалилась Маша. Она кокетливо покачивала подолом короткой юбочки, блестела стройными ножками в колготках с лайкрой и теребила рукой смешные дурацкие инфантильные косички.

— Здравствуйте! — Маша расплылась в улыбке до ушей. — Ой, я вам помешала, да? Я просто хотела с вами поговорить, Лев Иванович. А вы как, Станислав Васильевич? Поправляетесь? Я в коридоре подожду, ладно? — Она вышла.

Крячко с изумлением уставился на Гурова, потом с такой же физиономией поглядел на дверь палаты. Лев Иванович понял, что Стас Машу откуда-то знал. Он был очень удивлен, увидев ее. Она не могла находиться здесь? Где именно? В палате, в больнице районного центра Иваново, вообще в

Беларуси? Как спросить товарища об этом? Гуров сморщился, теребя ухо и соображая, как повернуть двусмысленный разговор и все выяснить.

Крячко помог ему. Он отрицательно покачал головой и произнес нараспев:

— Эх, хороша девчушка, да коротка кольчужка!

Гуров посмотрел другу в глаза и кивнул, показывая, что понял. Присказку насчет кольчужки Крячко повторял очень часто. Эта фраза была взята из старого-старого фильма «Александр Невский». Там ее произносил один из ратников-ополченцев. И касалась она именно длины кольчуги, которая оказалась недостаточной, и его поразили кинжалом. Стас любил эту приговорку. Она означала, что ситуация неправильная, действия ошибочные, данной информации верить нельзя. В этом случае Крячко давал другу понять, что Маша вызывает у него подозрения, ей верить нельзя, что он что-то такое про нее знает.

— Ладно, все будет хорошо, — вставая, сказал Гуров. — Скоро все кончится. Покажем тебя хорошим, дорогим врачам. Не беда, если память не сразу восстановится. У тебя есть друзья, которые все расскажут и покажут. Вылечим мы тебя не мытьем, так катаньем.

Крячко кивнул и сделал вид, что устал и хочет поспать. Гуров пошел к двери и поймал на себе недобрый взгляд санитарки. Мол, ходят тут всякие, ногами топают, а больному покой нужен.

— Чего стряслось? — выйдя из палаты, спросил Гуров Машу, которая подскочила к нему, как попрыгунчик.

— Лев Иванович, тут такие дела!.. Пойдемте, мне нужно столько всего рассказать, обсудить. Есть хотите? — вдруг выпалила она с таким видом, как будто ей в голову пришла наигениальнейшая идея.

— Честно говоря, да, — признался Гуров, отдирая от себя Машу, которая вцепилась в рукав его пиджака и пыталась тащить сыщика к выходу. — Только давай не с таким энтузиазмом. Он отбивает у меня весь аппетит.

Остудить пыл девушки ему удалось ровно на двадцать минут, пока они шли по улице, усаживались в кафе за столик и делали заказ.

После того как ушла официантка, Маша снова взялась терзать Гурова:

— Лев Иванович, вы только Михаилу не говорите, что я здесь, с вами в Иваново была, а не в Минске. Я, если честно, обманула его и удрала. Но вы не судите меня строго, не думайте, что я легкомысленная особа. Просто на то были очень веские причины. Это весьма важно, поэтому и я прискакала сюда, чтобы с вами поговорить.

— Это все? — остановил сыщик жаркий шепот девушки. — Ты причины полностью изложила или хватит еще минут на тридцать? Я просто удивляюсь тебе, Маша! Ты же журналист, должна владеть словом, уметь формулировать свои мысли. А ты трещишь как...

— Вы тоже не особенно лаконичны, Лев Иванович, — девушка усмехнулась и добавила совсем иным тоном: — Так вы обещаете не выдавать меня Михаилу?

— Обещаю-обещаю. Так что случилось?

— Случилось то, что я ехала в одном купе с вашим Крячко.

— Что?.. — Гуров поперхнулся и вытаращился на журналистку.

Собственно, тут было чему удивляться. Девушка буквально на глазах меняла свой облик. Она не снимала маску, не стирала макияж, не отклеивала фальшивые брови, ресницы, не снимала накладки телесного цвета с носа, скул или подбородка. Ничего подобного с ней не происходило. Она просто потерла руками лицо, глубоко вздохнула, потом стянула резинки со своих дурацких косичек, торчащих в разные стороны.

Теперь перед Гуровым сидела молодая женщина с умными усталыми глазами. Она еще шевелила губами, как будто разминала их после долгого ношения образа шустрой девчонки.

— Так... — Гуров откинулся на спинку кресла и стал разглядывать новый образ Маши. — Значит, спектакль? Театральное действо? А вы молодец, вполне достойно сработали. Я бы вам сейчас выдал диплом Щукинского или любого другого театрального училища. И кто же вы такая?

— Можете продолжать обращаться ко мне на «ты» и называть Машей. Это мое настоящее имя. Представлюсь: капитан ФСБ Фадеева.

— Ладно, Маша Фадеева, и что все это означает?

— Извините, товарищ полковник, но вы же должны понимать, что при проведении операций такого рода не всегда можно предупредить смежников о введении своего сотрудника. Иногда даже и лучше этого не делать. Так сказать, идти параллельно к одной цели.

— Кстати, можешь по-прежнему называть меня Львом Ивановичем. И давай начнем с самого начала. Ты всегда знала, кто я такой?

— Нет, сначала я пыталась присмотреться к Крячко со стороны и понять, кому он может мешать и есть ли люди, желающие, как и прежде, избавляться от российских полицейских, отправляемых в Беларусь.

— Нет, Машенька, это не начало. Скажи-ка, зачем тебя сюда послали, что вы такого нарыли, как вышли на одно с нами дело?

Женщина улыбнулась и ответила:

— Это понятно. Перевод огромной суммы денег! Мы такие вещи всегда отслеживаем. Мало ли!.. Финансирование терроризма, хищения бюджетных средств и тому подобное. Но поскольку деньги фонда «Ветеран» не являются бюджетными, то наша контора первое время не особенно взволновалась. Затем выяснилось, что в Беларуси убит вице-президент фонда, а в Москве в результате ДТП пострадала, а потом и скончалась в клинике женщина — главный бухгалтер той же структуры. Тогда наши аналитики сделали кое-какие выводы.

— Понятно, бережете народное добро.

— А вы разве не бережете, в конечном итоге занимаетесь не этим же самым?

— Ну-ну, Маша, не надо так. Я хорошо отношусь к вашей конторе. А Михаил, значит, не из вашего ведомства?

— Михаил — хороший паровоз, к которому я так удачно прицепилась. Он нанят членом попечительского совета фонда по фамилии Крикунов. Тоже бывший генерал Вооруженных сил. Михаила отправили для того, чтобы он параллельно с белорусской милицией провел независимое расследование причин гибели Рыбникова. Они там, в фонде, не понимают, куда и кто загнал их деньги. Формально это сделали Рыбников и главный бухгалтер. Но произошло все слишком уж откровенно, с заменой счета, с подставными реквизитами. Люди, которые таким образом похитили деньги, конечно же, должны были немедленно скрыться и ждать где-нибудь в офшоре прихода денег по сложной схеме и длинной цепочке. А они даже не пытались унести ноги.

— А то, что и вице-президента, и главного бухгалтера убили, является доказательством, что их обоих просто подставили?

— У нас нет фактов, подтверждающих, что главного бухгалтера Остросельцеву убили. Но логика подсказывает, что она мешала инициаторам кражи. В результате мы получаем вторую задачу: кто же на самом деле похитил деньги и где их искать?

— Значит, Михаил нам не враг. Так чего же вы его опасаетесь и почему такая секретность?

— Он нанят человеком, который формально может быть организатором похищения денег, то есть относится к категории подозреваемых.

— Допустим. А как вы меня узнали, как поняли, что я из полиции?

— В купе остались документы Крячко. Я запросила начальство, они вышли на вашу контору и выяснили, что если в командировку отправили полковника Крячко, то вместе с ним должен был ехать и полковник Гуров. Они давние напарники и лучше сыщики страны.

— А без подхалимажа можно? Теперь колись, Маша, что случилось в поезде, что произошло с Крячко?

— Вот этого я не знаю. Я специально пошла с ним на сближение, решила разыграть ту же партию, что и с Михаилом. Пронырливая журналистка и все такое прочее. Когда в вагоне все уже собирались укладываться, я предложила Крячко пойти покурить. Он вышел в коридор, я решила переодеться, в результате немного задержалась. Чистая случайность. А когда я вышла, Крячко уже нигде не было. Я даже и предположить не могла, что на него прямо в поезде совершат нападение. Думала, что он ушел к каким-то знакомым в другой вагон, может, засиделся в нашем же, но в другом купе. Но Станислав Васильевич не вернулся и утром. Когда поезд пришел на конечную, в Пинск, я поняла, что случилась беда. Тогда я и стала искать вас, а параллельно и полковника Крячко. Вас я нашла быстрее. Только вот пришлось Михаилу пудрить мозги и придумывать для него доводы, чтобы познакомиться с вами и начать сотрудничество.

— Все логично, но это и пугает. Не люблю, когда все идеально и совершенно правильно.

— Понимаю, — без улыбки сказала Маша. — Если я вру и представляю преступное сообщество, то вы слишком рискуете, доверяя мне. Дело в том, что вы с самого утра не заглядывали в электронную почту. А вы посмотрите ее. Там вам есть сообщение и новые рекомендации от вашего начальства. — Маша перекинула на стол свою мешкообразную сумку и вытащила оттуда планшетник.

Она включила его, и в этот момент в кармане у полковника полиции завибрировал мобильный телефон. На экране высветился номер Орлова.

— Лев Иванович, ты как там? Все нервы измотал! Ты почему на связь не выходишь? Вторые сутки от тебя ни слуху ни духу. Как Станислав?

— Ну, во-первых, здравствуй, Петр, — проговорил Гуров, недовольный таким напором.

— Здорово, — проворчал Орлов. — Что там у тебя происходит?

— Стаса я нашел, он в больнице. Ему пока ничего не угрожает. Судя по всему, на него совершили покушение.

— Опять? Да они там что, войну нам объявить решили?!

— Есть у меня определенные мысли на этот счет, Петр, но я пока не готов отвечать на твои вопросы. Сейчас как раз многое решается. Черт, ты очень не вовремя позвонил. Я вообще не готов с тобой говорить!

— Хорошие дела, — неожиданно спокойно и даже чуть грустно ответил генерал. — Уехали оба и пропали. Я тут себе места не нахожу, а он еще и общаться со мной не хочет. Ладно, я понял. У тебя там сейчас важная встреча, и ты не можешь разговаривать при посторонних. Перезвони, когда закончишь, как сможешь, но обязательно сегодня же. И последнее: там к тебе обратится наш союзник из смежной конторы. Ей можешь верить, это опытный офицер. Пароль для контакта такой. Она спросит: «Не подскажете, который сейчас час?» Ты ответишь: «Часы можно купить в магазине за углом». Она: «Я купила двое, только ни одни не ходят».

— Хорошо. Я перезвоню.

— Я эту информацию отправил тебе на электронную почту. Ты смотрел?

— Нет еще. Как раз сейчас собирался. Ладно, перезвоню. — Гуров нажал кнопку на телефоне и вопросительно посмотрел на Машу.

Женщина вдруг расплылась в открытой обезоруживающей улыбке и на миг снова превратилась в шуструю, но инфантильную журналистку.

— Не подскажете, который час? — поинтересовалась она игриво.

— Часы можно купить в магазине за углом.

— Я купила двое. — Маша развела руками. — Только ни одни не ходят. Теперь есть контакт, Лев Иванович?

— Есть. Ладно, на чем мы остановились?

— На том, что случилось с вашим товарищем в поезде.

— Боюсь, что после твоего эффектного появления в палате он окончательно потеряет память, — заявил Гуров и усмехнулся. — Зачем тебе это было нужно? Не могла подождать?

— Я хотела убедиться в том, что он и правда потерял память, а не прикидывается. Я кое-что слышала о вас и Крячко. Мне что-то не верится в заурядные ситуации и нелепые случаи. Вы профессионалы высочайшего класса, с вами так просто не разберешься. Значит, он не потерял память?

— Конечно же нет. Станислав Васильевич хорошо понимает, что для него такая вот игра — единственное спасение, пока он валяется в больнице с переломами. Раньше нас Стаса могли найти преступники, а человека, потерявшего память, не обязательно убивать. Это ведь дополнительные сложности, лишние следы. Он и мне голову морочил несколько дней, пока я понял то, что Крячко хотел сказать своими намеками. Прямо он не говорит, видимо, не исключает возможности установления подслушивающей аппаратуры в палате. В его положении это естественно. Упрекать Стаса за такую недоверчивость некорректно.

— И на что он намекал?

— В поезде на него напали. Одним из этих типов был персональный водитель генерального директора минской фирмы «Комплект-Ресурс». Эта компания поддерживает деловые контакты с фондом «Ветеран». Не самый большой, но стабильный партнер по поставкам медицинского оборудования, приборов.

— Зачем? Эта фирма что, организатор всех махинаций «Ветерана»? Не очень похоже. Какой им смысл нападать на Крячко? Не затеяли же они войны с российской полицией?

— Нет, не затеяли. Видишь ли, Маша, я, например, четко ощущаю, что все беды, произошедшие до нашего с Крячко приезда сюда, были организованы умными и дальновидными людьми. Все действия преступников были логичными, четко построенными. А вот с нашим приездом сюда разумность их поступков нарушается. Теперь они носят характер судорожных и торопливых движений. Все решения принимались не здесь, а в Москве. В Беларуси лишь доигрывался чужой сценарий.

— Значит, убийство Рыбникова после похищения денег, попытка убрать главного бухгалтера, а также имитация ДТП с машиной, в которой ехала группа наших интерполовцев, — все это действия одного плана? А нападение на Крячко — уже отсебятина?

— Именно так, Маша. Эту отсебятину затеяли те личности, которые испугались разоблачения. Это совсем другие люди, мелочь по сравнению с организаторами всего дела, рядовые исполнители. Они испугались, когда в офис «Комплект-Ресурса» заявился Крячко. Он сразу, еще в Пинске, понял, что причин убивать Рыбникова не было ни у кого. Никакая старая любовь тут не замешана. Станислав прикинул объемы платежей из Москвы, их регулярность и сразу решил, что это больше похоже на выдачу зарплаты. Ну не может фирма закупать каждый квартал оборудования на одни и те же суммы. А потом точно такие же деньги проходили через фирмы-однодневки. Это обналичка, Маша, форма получения зарплаты. Значит, богатые московские дяди содержат эту минскую фирму. А для чего?

— Для того, чтобы кто-то выполнял в Беларуси какие-то их грязные криминальные поручения, — ответила Маша.

— Я не вижу тут регулярных поручений. Налицо одно-единственное и хорошо организованное убийство. А потом была проведена операция по его прикрытию, намеренному привлечению внимания к Беларуси. Тогда как некие важные события должны были произойти в Москве. Потом Крячко явился в минский офис. Тамошние заправилы подумали, что он что-то пронюхал, и решили его убрать. Это был не просто страх, Маша, а самая настоящая паника. Мне даже кажется, что кто-то здесь давно живет вместе с ней.

— Организуем аресты в офисе этой фирмы, возьмем водителя, генерального директора?

— Я поработал со следователем, думаю, что он наш союзник. Не будем вмешиваться в его работу. Нам важнее другое: связь Москвы и Минска. Точнее, Москвы, Минска и Пинска. Хочешь сюрприз?

— Хочу, — с интересом ответила Маша. — В таких делах сюрпризы особенно интересны.

— Тогда получай, как мы говорили в детстве, фашист гранату. Генеральный директор «Комплект-Ресурса» Павел Александрович Клименко — сын первой жены президента фонда «Ветеран» Ломакина.

— Ого! — восхитилась Маша. — А ведь в этом случае многое объясняется, и роли участников событий выглядят несколько по-иному. Ломакин в этом случае организатор, пусть и не единственный. Рыбников и главный бухгалтер Остросельцева — подставные фигуры. Их просто использовали. А вот два члена попечительского совета — просто олухи или соучастники. Что-то из этого придется доказывать. Альберт Крикунов тайно нанял Михаила и отправил сюда. Шилов затаился, ищет пропавшие деньги в Москве, но находится под нашим четким наблюдением. Крикунов явно попадает в категорию олухов. У него из-под носа ушли баснословные суммы. Возможно, он был бы и сам рад ими завладеть, но Ломакин успел раньше. Роль Шилова пока не понятна. Он может изображать, что ищет деньги, или же делает это на полном серьезе. Не исключено, что он в сговоре с Ломакиным.

— Маша, вы со своей стороны биографию Ломакина не изучали?

— Изучали, конечно, но пока не нашли ничего такого, что навело бы нас на похищенные деньги.

— Бывает и так, — согласился Гуров.

Глава 9

Обыск в квартире Лукина происходил практически одновременно с его задержанием. Оперативники уголовного розыска постарались взять водителя так, чтобы никто из его родственников или работников офиса «Комплект-Ресурса» не узнал об этом. Лукина уже три часа вели по городу, фиксировали его контакты. Работа по выявлению связей этого субъекта не прекращалась ни на минуту вот уже несколько суток, но сегодня планировался финиш.

Недалеко от вокзала, под раскидистыми вязами, закрывающими листвой фонари уличного освещения, на проезжую часть шагнул милиционер в зеленом жилете со светоотражающими полосками и форменной фуражке с зеленым околышем. Последовал резкий взмах полосатого жезла, и «Тойота» замигала правым поворотником.

Лукин недовольно поморщился, потом мельком осмотрелся по сторонам. Старший лейтенант был один. В тени деревьев стояла его «десятка» с большими буквами «ГАИ» на боках. В машине никого не было. Да и на улицах по причине позднего времени редко замечались прохожие и машины. Не выключая двигателя, Лукин сунул руку во внутренний карман куртки, достал бумажник, потом извлек из него регистрационное свидетельство и права.

Старший лейтенант, чуть ли не зевая, подошел к передку машины, почему-то очень внимательно посмотрел на номер, потом двинулся к опустившемуся стеклу.

— Старший лейтенант Майоров, — невнятно пробормотал он и протянул руку: — Документы ваши, пожалуйста.

Лукин усмехнулся и протянул документы. Сочетание звания и фамилии насмешило его. Он даже немного расслабился, сбросил напряжение. Старший лейтенант Майоров! А как он будет представляться, когда станет майором? Майор Майоров? Смешно!

— Слышь, командир! — чуть высунув голову в окно, проговорил Лукин. — А как ты будешь представляться, когда майора получишь? А?

— Так и буду, — снова невнятно проговорил старший лейтенант. — А самых веселых хочу предупредить о том, что передний номер у них на соплях держится. Хочешь потерять? Чтобы тебя штрафанули за это?

— Чего? — Лукин вскинул брови. — Что там с номером?

— Номер у тебя, я говорю, еле держится, — возвращая документы, сказал старший лейтенант. — Сейчас поветрие пошло номера воровать, а потом продавать хозяевам. Наверное, у тебя пытались свинтить его. — С этими словами инспектор ГАИ повернулся и спокойно пошел вперед, заложив руки за спину.

Лукин чертыхнулся и заглушил двигатель. Дернув ручник, он открыл дверь и выбрался из машины. В голове водителя возникла мысль о том, что никакого инструмента в машине нет. Даже отвертки или плоскогубцев. Если номер и в самом деле...

Додумать эту мысль Лукин не успел. Инспектор уже поднял жезл, останавливая микроавтобус, проезжающий мимо на невысокой скорости. Из него вдруг вывалились двое здоровых парней, которые массой своих тел свалили Лукина на капот его же машины.

Он вдруг все понял. Звериное чутье у Владимира Лукина по кличке Лука было отточено зоной, десятком продуманных, организованных и удачно проведенных разбоев. Он всегда остро ощущал опасность, но сейчас его переиграли, усыпили бдительность. Этот тупорылый старший лейтенант, дурацкий намек на номер, пустая улица!..

Парни удерживали Лукина, не давали ему разогнуться, а старший лейтенант уже защелкивал браслеты на заведенных за спину руках задержанного.

— Суки, беспредел творите! — прохрипел Лукин и натужился, но сильные руки уже выпрямили его, развернули лицом к проезжей части.

Кто-то ударил его ступней по ногам и заставил расставить их шире плеч. По карманам пробежали две пары рук, из-за ремня сзади вытащили пистолет «ГШ-18».

— Ну-ну, Лука, не психуй, — проговорил за спиной уверенный голос. — Ты же опытный человек, ты же знаешь, что шмона без причины не бывает. Такова процедура, Лука.

Гуров сидел в кабинете Чурикова и набрасывал что-то в своем блокноте. Следователь инструктировал понятых и двух мужчин, приглашенных для проведения процедуры опознания. Лукина ввели и усадили посреди комнаты на стул. Плечистый прапорщик снял с него наручники и отступил на два шага в сторону, как и положено по инструкции. Задержанный ни на кого не смотрел и только сосредоточенно тер запястья, где краснели следы браслетов.

Гуров чисто физически чувствовал волну ненависти и безысходности, которую этот субъект распространял вокруг себя. Лукин был опытным человеком и не мог не понимать, что это задержание может стоить ему очень и очень дорого. Если следаки докажут хотя бы пару эпизодов, уличат его в умышленных убийствах с целью сокрытия других тяжких преступлений, то высшей меры ему не миновать. Он знал, что в таком случае его ждет не пуля в затылок, а пожизненное заключение, но это не делало судьбу Лукина хоть сколько-нибудь радужной.

Гурову было совершенно ясно, что этот человек приготовился за себя сражаться. Он будет драться до последнего, до исступления, в кровь.

— Назовите себя, — предложил следователь. — Ваши фамилия, имя, отчество!

— Вы сначала предъяву мне сделайте! Беспредельщики! Вон ксива моя на столе лежит! Что, про ствол спрашивать будете? Так нашел я его. Мужик просил подвезти да, видать, и выронил. Я поднял, а как гаишник меня останавливать начал, так испугался и за спину сунул. Нет у вас на меня ничего, чист я, начальнички. А что было, за то я уже свое отбарабанил. Все!

— Нет, не все, — Гуров покачал головой, встал, подвинул стул, поставил его перед Лукиным и уселся. — Очень даже не все, Лука. Давай мы с тобой дадим передышку следователю и чуть-чуть поболтаем. Я ведь специально из Москвы приехал сюда, чтобы разобраться в одном очень мрачном деле...

— А мне по хрену ваши дела! Ты мне лапшу на уши не вешай!..

— Ну-ка, милок, давай повежливей, — процедил Гуров сквозь зубы. — Перед тобой полковник-важняк из Главного управления уголовного розыска. Это не детские игры. Попал ты, Лука, по полной программе. От того, как ты станешь сотрудничать со следствием, зависит очень многое. Или ты сам закроешь за собой железную дверь навсегда, или у тебя будет шанс лет через двадцать пять попробовать отмолить вину и попроситься на свободу. Ты понимаешь это, Лука? Есть шанс хоть больным, хоть шелудивым, но выползти, снова солнышко увидеть не в клеточку. Пусть подохнуть, но на свободе и на белой простыне!

— Нет за мной ничего, — упрямо пробурчал Лукин.

— А влип ты вот во что, — заявил Гуров, проигнорировав его слова. — Один очень хитрый мужик в Москве подвязал сына своей покойной жены в крупное дело. Я тебе назову сейчас сумму, которую он в Москве украл, а ты постарайся со стула не упасть. Восемьсот миллионов! Этих денег тебе, например, даже не истратить за остаток своих дней. Фантазии не хватит! Этот дядя в Москве настрополил своего пасынка, чтобы он тут, в Беларуси, организовал убийство генерала Рыбникова. Я сразу скажу, что вам пообещали за это безнадежное дело копейки, крохи, объедки с барского стола, а могли сделать миллионерами. Вас как шавок, дешевых шестерок наняли на грязное дело, чтобы помянутый дядя потом обжирался за границей.

— Ничего не знаю...

— Слушай меня! Ты каким-то образом выманил Рыбникова из дома Ольги Синицкой в деревне Оброво, отвез его на развалины бункера в лесу и убил ударом ножа в сердце. Но ты хитрый, не оставил машину у бывшего КПП, где все бросают их, когда приезжают на место расположения части. Ты проехал подальше, где раньше забор стоял, а теперь просека замечается. Окольным путем ты возвращался с места убийства, но наследил в темноте. Не знал ты, что местное население все еще навещает остатки строений и кое-что вывозит. Там куча рыхлой земли была. Ты оставил на ней след своего ботинка. Вот он. Ты там еще джинсы зацепил за колючую проволоку, помнишь? — Гуров дотянулся до стола, сдернул с него листок с ксерокопией следа и сунул под нос Лукину.

Тот побледнел, но продолжал молчать.

Лев Иванович взял второй листок, помахал им перед лицом задержанного водителя и пояснил:

— А вот это второй твой след, идентичный первому по рисунку и мелким повреждениям. Его ты оставил в лесу, неподалеку от того места, где ждал исполнителя другого убийства. Он угнал самосвал из дорожно-строительной организации и протаранил микроавтобус, на котором ехала группа российских полицейских. Ты организовал блокировку дороги в оба конца. С одной стороны твои переодетые дружки или продажные милиционеры всех пускали в объезд, а с другой — трое твоих парней устроили аварию. На нее выезжали, опять же, липовые гаишники, потому что в райотделе нет никаких следов этого ДТП. Тебе все это надо было для того, чтобы исполнитель аварии смог беспрепятственно сбежать.

— Домыслы, начальник, — вяло произнес Лукин.

— Ты ждал его с машиной метрах в двухстах в лесочке. Потом тебя жажда замучила, ты услышал ручеек, пошел попить и опять там наследил. А вот еще один след. Его, Лука, ты оставил в поезде.

— Не знаю я никакого поезда.

— Дома у тебя сейчас прошел обыск. Как положено, с понятыми. Ботиночки твои уже изъяли и везут сюда. Твои ботинки, следы и тяжкие преступления, совершенные умышленно, группой лиц и по предварительному сговору!.. А страшнее всего тот факт, что все это было сделано для сокрытия еще одного преступления — финансовой аферы на огромную, просто астрономическую сумму.

Гуров кивнул следователю, и тот велел пригласить понятых и двоих мужчин для проведения процедуры опознания. Они были одного с Лукиным телосложения, примерно того же возраста, с такими же короткими прическами. Одеты в свитера и куртки. Следователь посадил всех троих в ряд у стены и еще раз объяснил понятым, что и с какой целью сейчас будет проведено. Потом он разрешил ввести свидетеля.

Лицо Лукина сделалось совсем серым, когда он увидел Крячко с перевязанной головой. Стас вошел в кабинет, опираясь на палочку. Водитель со стеклянными глазами сидел во время процедуры опознания, да и потом, когда все посторонние вышли из кабинета.

Гуров снова уселся прямо перед Лукиным и продолжил:

— Хочешь, Лука, мой коллега полковник Крячко тщательно опишет других негодяев, нападавших на него? Можешь не сомневаться в том, что мы временно задержали два десятка твоих знакомых, с которыми ты активно общался. Мы в два счета на опознании, а потом и по результатам экспертиз докажем причастность кого-то из них к преступлениям, совершенным под твоим руководством. Да и тетю Валю мы уже спросили о том, что ты ей велел делать в палате Крячко, в районной больнице города Иваново. Она должна была подслушивать все разговоры больного и сообщить тебе, если к нему начнет возвращаться память.

— Чего ты хочешь? — прошипел Лукин, глядя в пространство между российским полковником и белорусским следователем.

— Чтобы там помог, начал сотрудничать. Крышка всем, но разницу я тебе объяснил. Тебя кинули за копейки, Лука, так ты хоть обиделся бы, что ли. Даже за то, что мы сейчас доказали, тебя ждет зона. Не сомневайся, что и все остальное мы тоже докажем.

— Да пошли они все! — с дикой злобой в голосе заорал Лукин и закрыл лицо руками.

Вдруг на столе у Чурикова зазвонил телефон.

Следователь коротко переговорил с кем-то, положил трубку и сообщил:

— Порядок, Лев Иванович. У двоих дома нашли милицейскую форму. Ее отдали на экспертизу. У одного в тайнике оказался «ПМ». По номеру ясно, что он пропал после убийства участкового инспектора, совершенного восемь лет назад. Так что, я думаю, Лукину пора начинать говорить, пока мы его и без показаний не закрыли навсегда.

Лукин сидел молча еще с минуту, потом, не убирая рук от лица, произнес глухим голосом:

— Клименко всем тут рулил. Он меня, падла, подбил на это, сытую жизнь обещал. Купился я на то, что крыша у него в Москве надежная. А оказалось все фуфло!

— Клименко? Кто это?

— Директор «Комплект-Ресурса», — ответил Лукин. — Дерьмо кошачье!

В течение двух часов водитель рассказывал в микрофон, как сошелся с Пашей Клименко. Свели их кореша-сидельцы, знакомые еще по зоне. Клименко тогда сильно пил, а деньги у него периодически откуда-то появлялись.

Лукин в дело Клима не брал, не верил он пьяницам, а потом вдруг тот сам пришел к нему и попросил помочь. Оказывается, он ночью по пьяному делу убил собственного отца. Но Лукин вмешиваться не спешил и понял потом, что правильно сделал. Появился какой-то мужичок, который все обставил и отмазал Клима. Лукин не знал, сколько уж бабок он роздал разным чинам, но папашу признали умершим в результате сердечного приступа.

Когда этот всемогущий мужик исчез, Лукин начал потихоньку шантажировать Клименко, а тот вдруг предложил ему дело. Не очень пыльное и вполне доходное.

Ничего особенного делать было не нужно. Работать водителем, подобрать крепких и умелых помощников и быть готовыми. А потом, когда уже прошло много лет, поступила команда «фас».

— Каким способом Клименко убил своего отца? — задал косвенный вопрос следователь.

— Задушил. Еще, кажется, шею ему сломал.

— Вы сможете по фотографии или лично опознать того всемогущего человека, который помог Клименко скрыть убийство отца?

— Смогу. Он человек приметный! — Лукин брезгливо выпятил губу. — Сразу видно, что начальничек.

Допрос продолжался еще пять часов. За это время Лукина три раза выводили в соседний кабинет, где кормили горячим. Еще час ему дали подремать на диване под надзором пары крепких омоновцев. В четыре часа утра Владимир Лукин поставил последнюю подпись под протоколами допросов.

Постановления о проведении необходимых экспертиз и эксгумации тела Александра Трофимовича Клименко Чуриков решил оформить утром. Голова уже не работала, глаза закрывались. Нужно было поспать хоть четыре часа, чтобы продолжить работу. Теперь дело начнет разбухать как снежный ком.

Гуров просил Чурикова без него не начинать разговор с начальником. Сыщику очень важно было сразу выяснить, кто же именно пытался замять дело с аварией и гибелью российских полицейских. Выходить на этого человека, сидящего в верхах республиканского МВД, нужно было с железными доказательствами.

Продержать Павла Клименко в неведении удалось почти сутки. По истечении этого времени, когда наконец-то закончилась судебно-медицинская экспертиза, его арестовали. Брали Клименко тихо, в подъезде собственного дома.

В семь вечера генеральный директор «Комплект-Ресурса» дождался сообщения о том, что такси ждет его у входа в офисный центр, и покинул свой кабинет. Он не искал Лукина с машиной. Водитель, находящийся под надзором следователя и технических специалистов, позвонил ему и сообщил, что попал в аварию на трассе недалеко от Минска. Зачем его туда понесло, он обещал объяснить лично, при встрече, клялся за сутки притащить разбитую машину в Пинск. Клименко страшно ругался, но вынужден был ждать. Иного выхода у него не было.

Он подъехал к подъезду своего дома, расплатился с таксистом и вышел из машины. Прямо у дверей сантехники сматывали шланги от баллонов газовой сварки, тут же лежали ржавые водопроводные трубы со следами краски. Обычное дело, идет ремонт. Клименко вошел в подъезд и быстрым шагом поднялся к себе на третий этаж. Парень с девушкой, спускавшиеся навстречу ему, почему-то громко смеялись, чем здорово раздражали бизнесмена. А тут еще девушка выронила из сумочки свою косметичку, из которой рассыпались всякие дамские причиндалы.

Клименко отшатнулся к стене, выругался сквозь зубы и повернулся к двери, чтобы вставить ключ в замок. Он уже сделал два оборота, и тут его кто-то захватил за шею, упер коленку в позвоночник и опрокинул прямо на пол. Затопали ноги, загалдели властные голоса. Руки, заведенные за спину, ощутили на запястьях холод металла. Потом Клименко, оглушенный и ошарашенный, был поднят на ноги и введен в собственную квартиру.

Он слышал, как кто-то давал пояснения людям, которых называли понятыми. Шустрые парни осмотрели квартиру. Потом Клименко был усажен в кресло, стоявшее в гостиной. Рядом с ним оказался здоровенный оперативник.

Все было знакомо до боли. Как тогда, еще в юности, когда он чудом не сел в колонию. Хотя потом, спустя несколько лет, Клименко все-таки угодил за решетку. Вот так все и было. Следователь с понятыми, оперативники, обыск на квартире. Только тогда на нем висело всего лишь участие в разбойных нападениях. Был он там на второстепенных ролях. А сейчас!..

— Клименко Павел Александрович! — прозвучал твердый голос следователя. — Вы арестованы по подозрению в убийстве гражданина Российской Федерации генерал-майора в отставке Владимира Марковича Рыбникова, а также в организации убийства пяти человек путем инсценировки дорожно-транспортного происшествия. Трех офицеров российских правоохранительных органов, майора милиции начальника Пинского уголовного розыска, а также водителя микроавтобуса. Вы признаете себя виновным в перечисленных преступлениях?

Губы у Клименко пересохли. Он попытался сказать, что ничего подобного не признает, но из его горла вырывались только хриплые стоны. Дикая безысходность навалилась на него всей своей тяжестью. Он ведь чувствовал, догадывался, ожидал чего-то такого. Ведь не зря Ломакин боялся столько лет! Но он теперь уже далеко, а Клименко остался один на один с этими ментами.

Пусть когда-то он и был уголовником, но теперь стал бизнесменом. Как быстро человек привыкает к хорошему и как больно отдирать его от себя с кожей, с мясом! А ведь он еще не знал всего, что готовы были предъявить ему следственные органы.

Клименко привезли из изолятора, проводили в наручниках по коридорам Следственного управления и ввели в кабинет Чурикова. Рядом со столом следователя стоял мужчина в возрасте с седеющими висками и широкими плечами. Судя по осанке — мент в высоком звании, а может, вообще из той конторы, которая когда-то называлась КГБ. Лицо очень уж самоуверенное. Точно, из конторы. Только этого не хватало!..

— Садитесь, Клименко, — велел следователь, но сам не стал устраиваться за своим рабочим столом, опустился прямо на приставной столик и поджал ногу. — Сегодня мы начинаем официальные допросы, но, прежде чем приступим к заполнению обязательных форм, хотелось бы поговорить с вами чисто по-человечески. Меня вы уже знаете. Я ваш следователь, капитан юстиции Чуриков Олег Николаевич. А вот этот человек специально приехал из Москвы, чтобы разобраться в одном очень большом и весьма грязном деле. Это Гуров Лев Иванович, полковник российской полиции, сотрудник Главного управления уголовного розыска. Видите, как далеко о вас знают. Аж на самом верху российской полиции. Поговорим?

— О чем? — едва выдавил из себя Клименко, опять борясь с предательской сухостью в горле, от которой у него получались не слова, а какое-то воронье карканье.

— О вашей жизни, — проговорил полковник и подошел поближе к Клименко. — Совершенно неудавшейся, никчемной и дурной. Вы ведь ничего сами делать не умеете, ни черта в жизни добиться не смогли. Разве что ввязались в преступную

356

группу и начали нападать в темноте на прохожих. Самое ваше большое достижение — ходка в колонию. Вот это вы сделали сами. Или я что-то упустил?

— У меня фирма, я занимаюсь бизнесом...

— Брось, Паша! — Гуров поморщился. — Не надо. Тебя сначала купили как настоящую шлюху, потом подставили. А в промежутке между этими делами из тебя взрастили куклу, которая сродни надувной резиновой бабе. Потом тебя использовали точно так же, как и ее. Сколько ты имел от Ломакина, первого мужа своей матери? В среднем восемьдесят тысяч российских рублей в месяц, да? Хорошо и это, потому что сам ты зарабатывать так толком и не научился. Тебя содержали, потом поимели и бросили. Фактически сдали в милицию.

— Я не понимаю! Чего вы от меня хотите, что за загадки? — Фраза получилась слишком длинной для пересохшего горла Клименко, и он затрясся в спазмах сухого кашля.

Гуров спокойно подошел к холодильнику, достал бутылку воды, наполнил пластиковый стаканчик и протянул Клименко. Тот с жадностью схватил его и стал пить, разливая воду по подбородку и груди. Руки у него тряслись, как у паралитика.

«Это хорошо! Я крепко зацепил его за нервное окончание, — подумал Гуров. — Пусть потрясется, повибрирует. В таком состоянии он не сможет придумать себе легенду. Еще полчаса, и конец ему. Слабак!»

Лев Иванович присел на стул рядом с Клименко, наклонился к нему и сказал:

— Так вот, Паша, мы получили разрешение на эксгумацию тела твоего отца.

Клименко дернулся так, что чуть не свалился со стула. Он смотрел на полковника с нескрываемым страхом. Сыщику стало понятно, что клиент этого не ожидал.

— Да, Паша, на убийства нет срока давности. Естественно, экспертиза подтвердила, что повреждение шейных позвонков в виде перелома кручением никак не вяжется с инфарктом миокарда. Где сердце, а где шея?.. А вот где твое сердце, Паша? — грохотал в комнате голос Гурова.

Лицо Клименко побледнело, а подбородок непроизвольно задрожал.

— Где твое сердце, Паша? Это же твой отец, кровь и плоть. Как ты мог, как у тебя рука поднялась? Не мне выносить приговор тебе и твоим помощникам, в том числе и Лукину, который знал об убийстве. Пусть это делает тот, кому положено, — судья. Ведь ты сначала прибежал тогда именно к Лукину. Ломакин прикрыл тебя большими деньгами, хорошими взятками. С этим мы тоже разберемся, но потом. Сейчас нас больше интересует твоя подготовка к преступлению. Как ты организовал убийство?..

— Нет! — закричал вдруг Клименко. — Нет-нет! Все суки! Все вокруг меня продали. — Он поднял лицо и ясным горячим взором уставился на Гурова, потом на следователя.

Клименко жадно облизывал губы, которые его не слушались.

— Я всех сдам! Я про всех расскажу! Я не хочу один оказаться там. Он думает, что унесет ноги в свою Европу. А вот хрен ему по всей морде!

Гуров поднялся и снова налил Клименко воды. Чуриков включил магнитофон и поправил микрофон на столике. Иногда так работать удобнее. Особенно когда обвиняемый начинает взахлеб во всем каяться.

Крайне желательно зафиксировать его признания, выдаваемые в бешеном темпе, не заставлять его ждать, пока ты шлепаешь пальцами по клавишам. У раскаявшегося грешника от таких пауз и кураж может пропасть. А так пусть выговаривается. Ему только наводящими вопросами помогать надо. Потом придется сутки сидеть и перепечатывать все в форме протокола допроса. Затем новый вызов и допрос, после которого клиент ставит подписи.

Когда допрос закончился и конвойные уже выводил Клименко из кабинета, Гуров остановил их.

— Скажи, Паша, а когда ты в последний раз видел своего сводного брата? — осведомился он.

— Кого? — На измученном, мокром от пота лице Клименко появилось непонимание.

— У твоей матери Ольги Юнгеровой был сын от первого брака. Его звали Альберт.

— Сын Ломакина? Не знаю. Я сел, а когда вышел, Ломакин мне велел в Минске окопаться. А потом мать умерла.

— Значит, не знаешь?

— Что-то не в курсе. Может, Ломакин к себе его забрал?

Клименко увели. Гуров вернулся к столу и некоторое время смотрел, как Чуриков сворачивал провода микрофона и устраивался переписывать показания с магнитофона.

— Наверное, я здесь уже ничем помочь не могу, — сказал Гуров. — Это вам разгребать по территориальной принадлежности. А нам надо возвращаться в Москву. Теперь все дела там. Цепочка снова потянулась назад.·

— Как Станислав Васильевич?

— Под усиленной охраной отправили домой. Пусть долечивается.

— А что мне теперь делать с Михаилом вашим?

— Брать его не за что. Он в преступлениях не замешан. У вас на него все равно ничего нет и не будет. В Москве мы с ним поговорим, конечно, но он все равно ничего не скажет. Его заказчик сам не в курсе дела. Они ведь, как мне кажется, сами хотели эти деньги попилить, а один всех перехитрил и успел первым.

— Штандартенфюрер тоже был превосходным таксидермистом, но Кристобаль Хозиевич успел первым, — задумчиво и со вкусом произнес Чуриков.

— Что? — не понял Гуров. — Какой штандартенфюрер?

— Не обращайте внимания, Лев Иванович. Это из Стругацких. «Понедельник начинается в субботу». Книга моего детства. Просто вы сказали с подходящей интонацией, что один из них успел первым.

Глава 10

Гуров шел по коридору управления, хмурился и молча кивал в ответ на приветствия коллег. Кое-кто из совсем уж близких, с кем имелись почти дружеские отношения, останавливался и поздравлял полковника. Еще бы! За такой короткий период раскрыть преступление в другой стране, взять исполнителей, добиться, чтобы они начали активно давать показания. Даже заказчика выявить! А тут еще приходили люди из Национального бюро Интерпола, чтобы лично поблагодарить Льва Ивановича и почтить память погибших товарищей. Из Следственного комитета тоже.

— Ну, заходи, герой, — громогласно прозвучал голос Орлова.

Генерал остановил Гурова прямо посреди кабинета и кинулся обниматься.

— Давай садись, рассказывай. Про Станислава я все знаю, звонили уже. Опасения по поводу возможных осложнений не подтвердились. Так что надо пару недель, чтобы все срослось, а потом отправлю-ка я его своей властью в санаторий! Как считаешь? Подлечим друга?

Гуров улыбнулся и опустил лицо, чтобы его улыбка не была видна Орлову.

Но генерал заметил ее, чувствительно ткнул подчиненного в плечо и с притворной ворчливостью произнес:

— Чего лыбишься? Думаешь, я забыл наш последний разговор? Нет, помню! Ворчал я тогда по-стариковски.

— Ладно, Петр. Давай о делах, а? Я чего к тебе пришел. О Ломакине сведения есть?

— Пока нет. Канул, сволочь, в небытие. Теперь всплывет за морями, за горами, где его не достанешь. С такими-то деньжищами!..

— И что, не удалось остановить переводы за границу?

— Частично удалось, но, увы, большая часть ушла. Нам и Интерпол готов был помочь, но и они не всесильны. Видишь ли, банки — это ведь государство в государстве. У полиции не всегда имеется возможность заставить их выдать тайну вкладов, назвать имена клиентов. Если бы мы имели представление о его партнерах за рубежом, о намерениях этого типа!.. Ничего такого у нас нет. Хитрый гад, столько лет готовил подобную кражу, все предусмотрел.

— Нет, не все, Петр. Оставь меня на этом деле. Есть у меня кое-какие соображения.

— Да ты что? Имеешь сведения о том, где Ломакин может скрываться? Или о контактах за границей?

360

— Другое. Понимаешь, у него в Беларуси еще по молодости лет была жена. Еще при Союзе она вернулась в Минск, а потом снова поселилась в своем родном Пинске.

— Да, я понял. Этот господин, глава минской фирмы, он вроде как сын его первой жены от второго мужа. Не слишком ли путано. Что тебе это даст? Мы ведь можем белорусским коллегам послать просьбу, и они...

— Не там, здесь надо рыть, Петр. У Ломакина ведь сын был от первой жены.

— И где он сейчас?

— Никто не знает. А я думаю, что это зацепочка. Мне кажется, что именно через этого пропавшего сына мы и выйдем на Ломакина. Или хотя бы на его планы.

— Я, конечно, о тебе высокого мнения, Лев Иванович, — Орлов покачал головой. — Но тут ты что-то в детство впал. Рассуждаешь как институтка, девочка наивная. На нем столько трупов, он проявил себя до такой степени беспринципным человеком, а ты говоришь про отческие чувства! Да он не только сына, мать родную не пожалеет, Родину предаст. Что там «предаст», он ее уже предал. Откровенно и цинично! Бывший генерал Российской армии украл деньги из фонда, который занимался помощью офицерам в отставке, заслуженным ветеранам. А ты о сыне!

— У тебя все? — спокойно осведомился Гуров. — Закончил пропагандировать? А теперь ответь сам себе на вопрос, что мы можем еще предпринять в плане розыска Ломакина и его задержания, а также возврата похищенных денег?

— За жабры берешь? — Орлов ехидно улыбнулся. — Давишь на самолюбие начальника? Намекаешь, что с меня все равно спросят, все ли я направления отработал, все ли возможные варианты провентилировал? Как не стыдно, Лев Иванович?

— Нет, не стыдно. Я же о тебе беспокоюсь, о твоей репутации. Исключительно! Так что, оставляешь меня на этом деле?

— Болтун! — Орлов вздохнул и пошел к своему рабочему креслу. — У Стаса нахватался этих штучек. Вот ведь парочка — гусь да гагарочка. Слова им не скажи, обязательно все переиначат. — Продолжая ворчать, Орлов уселся за свой стол и сразу перестал быть старым другом.

Теперь он выглядел как матёрый генерал МВД, старый прожжённый опер. Ведь Петр не перестал быть таковым.

Дождавшись, когда Гуров смиренно подойдёт и сядет у приставного столика, он почесал бровь и сказал:

— Значит, есть шанс, говоришь? Ладно, давай попробуем. Что ты планируешь предпринять?

— Пока точно по пунктам сформулировать не могу. Мне нужно поразмыслить пару дней, углубиться в биографию Ломакина, порыться в документации фонда «Ветеран», познакомиться с личными делами членов попечительского совета. Они, я надеюсь, не смоются за границу?

— Шутишь? Оба под подпиской о невыезде. В самом фонде сейчас работает аудиторская фирма. Так что твоё появление там особых вопросов не вызовет. Я свяжу тебя с их старшим, чтобы он организовал тебе доступ к любым бумажкам и сведениям. Еще что?

— Да пока вроде ничего. Надо подумать.

— Ладно. Два дня тебе на раздумья, потом жду с конкретным планом работы. Учти, что мне все равно придется докладывать по этому делу. Ты отлично знаешь, что спросят с меня. И за Ломакина лично, и за денежки, ушедшие из-под самого носа.

— Ну, не только с тебя. ФСБ вон тоже проворонила такие суммы.

— Это ты про девочку, про их капитаншу? — оживился Орлов. — И как она? Здорово тебя провела? Стареешь, Гуров, сдаешь! Сопливые девочки тебя уже за нос водят. Ладно, теперь остается только привыкать к этому, а не кручиниться. Кстати, наши коллеги из ФСБ до бесконечности играть с членом попечительского совета Шиловым не могут. Они сейчас делают вид, что помогают ему искать те самые фирмы-однодневки, которые исчезли вместе с деньгами. Они и других заставляют изображать, что те тоже помогают. Но скоро придется прекращать это кино и заниматься самим Шиловым.

— А открыты эти фирмы были по паспортам, украденным когда-то у простых граждан?

— Как обычно. Накатанная схема. Но про девочку не забудь.

Гуров нахмурился и встал из-за стола. Замечание было резонным. Он меньше всего подозревал, что под личиной инфантильной журналистки с косичками кроется офицер ФСБ. Хотя его тогда беспокоила прежде всего ее возможная принадлежность к преступному сообществу, а не к правоохранительным органам. Так ошибаться гораздо приятнее.

Гуров прочитал протоколы допроса секретарши Светланы и подумал, что Ломакин умел подбирать себе персонал. Типичная блондинка, которая только и умеет попкой крутить и походкой привлекать. Наверное, она еще и кофе готовит. А ведь секретарша — это личный помощник, который все знает, помнит и...

Потом он причитал протоколы допроса заместителя главного бухгалтера. Все сходилось к одному узловому моменту. Огромные деньги со счетов фонда были перечислены в отсутствие первого лица, распорядителя финансами. Конечно, в банке на такой случай всегда имеется доверенность на право первой подписи его заместителя. Но такие суммы! Формальных нарушений вроде и не было. Но как главный бухгалтер, эта самая Остросельцева додумалась перегонять деньги без Ломакина?

Гуров старался двигать две линии одновременно: поиск сына Ломакина и его самого. Он понимал, что эти линии вполне могут когда-то сойтись в одну, хотя Орлов и не верил в теплые отцовские чувства Ломакина. А может, дело и не в них, не в этих чувствах?..

— Я сама слышала, — терзая мокрый от слез платок, говорила заместитель главного бухгалтера. — Сергей Сергеевич по телефону разрешил перечислить деньги в указанные фирмы. Собственно, перечень платежей был оговорен заранее, просто Сергей Сергеевич задерживался с возвращением из отпуска, а Рыбникову уже надо было лететь в Беларусь. Он и так на сутки задержался. Там у них какой-то юбилей намечался.

— Простите, давайте вернемся к телефонному звонку, — прервал Гуров женщину. — Что вы слышали лично? Как это было?

— Я не то чтобы лично слышала, просто рядом находилась, когда Валентина Геннадьевна подняла трубку. Она переговорила с Ломакиным, а потом пояснила, что он разрешил перегнать деньги и сам позвонит Рыбникову. На следующий день шеф якобы разрешил Владимиру Марковичу уехать.

— Значит, это Остросельцева вам пересказала их разговор с Ломакиным?

Женщина мгновенно испугалась, и ее глаза снова наполнились слезами. Наверное, ей страшно было подумать о том, что Остросельцева, трагически погибшая, могла оказаться причастной к такой страшной краже.

— Да, — выдавила она из себя лишь одно слово.

Все это подтвердила и секретарша Светлана. То же и со слов Остросельцевой. Только бухгалтерша, которая набирала платежку со счета, принесенного ей из приемной с визой Ломакина «оплатить», задумалась.

— Я только теперь стала сомневаться, — заявила она. — Счет уже был подписан. А потом вдруг Светлана принесла его из приемной. Я сунулась в папку, а того счета, который там был раньше, почему-то нет. Обычно у нас не принято по чужим папкам лазить, даже если там и нет ничего секретного. Я потом собиралась высказать свое неудовольствие, но не успела. Все это закрутилось.

— Светлана вам счет принесла до ухода Ломакина в отпуск? — осведомился Гуров.

— Нет, что вы! Как раз за день до отъезда Рыбникова. Я вечером напечатала, они с Остросельцевой расписались, печать поставили, и я наутро в банк отнесла.

Гурову пришлось снова разговаривать с секретаршей.

— Сергей Сергеевич мне позвонил и сказал, чтобы я открыла кабинет, взяла с его стола счет с визой и отнесла в бухгалтерию, — заявила Светлана. — Якобы он там один лежит, и перепутать не с чем. Я его сначала к Остросельцевой хотела занести, а она мельком глянула и сказала, что пусть платежку печатают.

Сыщику оставалось предположить, что именно Ломакин и подготовил второй счет с реквизитами совершенно другой фирмы. Никто не заподозрил подвоха, потому что реквизиты в любом случае были новыми, непривычными. Их подмена не бросилась в глаза.

Вечером, когда солнце уже вознамерилось садиться в лесные кроны, но пока никак не решалось это сделать, Гуров приехал в элитный поселок Усово-Рублевское, располагавшийся в одиннадцати километрах от МКАД по Рублево-Успенскому шоссе. Низкое солнце пускало по асфальту и высоким заборам длинные тени, любовалось разнообразием архитектуры домов и узором тротуарной плитки во дворах.

Гуров бродил между коттеджами, смотрел на окна и балконы, на дорогие иномарки, частенько проезжающие по улочкам поселка. Заходить в дом Ломакина смысла пока не было. Или совсем. Оперативники все обыски уже провели, экономка допрошена несколько раз.

Лев Иванович ознакомился с протоколами ее допроса. Увы, о сыне своего хозяина женщина ничего не знала. Да и в этом доме она работала не так давно. Собственно, с момента его покупки.

Гуров открыл свою записную книжку и сверился с хронологической таблицей, которую недавно стал для себя создавать. После того как Ломакин забрал сына Альберта из Пинска к себе в Москву, мальчик должен был еще четыре года учиться в какой-то школе. Потом, учитывая возможности отца, он вполне мог пять лет заниматься в вузе. После этого Альберт еще три года где-то должен был находиться.

Гурову не хотелось думать о том, что сына Ломакина уже нет в живых. Да и какой смысл отцу избавляться от него? Чтобы тот не наследовал родительские богатства? Учитывая аферу, задуманную много лет назад и прокрученную весьма лихо, Ломакин явно рассчитывал исчезнуть из страны вместе с деньгами.

Значит, экономка про сына не знала. Гуров еще пару часов бродил возле дома Ломакина. За это время он сумел переговорить с двумя его соседями и садовником, служившим неподалеку. Ломакина знали все, здоровались с ним при встрече. Один из соседей даже бывал в доме Ломакина. Но ни детей, ни игрушек, вообще ничего, что наводило бы на мысль о них, никто не видел.

На следующий день, пользуясь тем, что это было воскресенье, Гуров отправился на Ильинское шоссе, где в четырнадцати километрах от МКАД, в историческом месте, почти у Москвы-реки, стоял поселок Петрово-Дальнее. По сведениям, которыми располагало следствие, Ломакин имел там дом как раз в те времена, когда и привез из Беларуси сына. Двенадцать лет назад — срок немалый. Помнят ли его здесь? Стоит ли на месте тот дом, который он продал тогда?

Дом Гуров нашел. Тот стоял почти на самой окраине поселка. Какое это было место! Сосновая роща плавно уходила к реке, по ней вилась желтая песчаная тропинка, усыпанная хвоей. Сыщику казалось, что на дворе не самое начало октября, пусть и теплого, эти крыши, дорожки и травы пригрело вовсе не бабье, а самое настоящее лето. Еще немного, и зальются на зорях иволги, по вечерам на этих вот лавочках у реки снова станут собираться девчонки и пацаны. Ночные купания, песни под гитару...

Гуров вдруг поймал себя на том, что подменяет видение собственными воспоминаниями, пришедшими из древних времен его сопливой молодости. Он нахмурился и пошел звонить в ворота.

Калитку ему открыла молодая хорошенькая женщина. Лев Иванович извинился за беспокойство, предъявил служебное удостоверение и принялся расспрашивать ее про бывшего хозяина этого дома. Оказалось, что молодая пара в те годы купила особняк через агентство. Бывшего хозяина они и в глаза не видели. Но, судя по состоянию дома, человек он был аккуратный и приличный.

Второй дом от леса оказался необитаемым. Там шли ремонтные работы, которые по причине выходного дня приостановились. Еще в одном доме Гурову открыли пожилые мужчина и женщина. Они служили в здесь по хозяйству давно, уже лет двадцать и изложили сыщику едва ли не всю историю поселка. Кто, когда и где жил, чем занимался. Эти люди помнили только самого Ломакина. О мальчике они ничего не знали.

Гуров совсем было отчаялся, но вовсе не из-за того, что его поиски оказались безрезультатными. Рушилась теория, основанная на том, что Ломакин забрал сына к себе в дом. А по сути? Увы, судьба мальчика пока оставалась неизвестной.

Его невеселые размышления прервала молодая девушка, лихо подкатившая к одному из коттеджей на красном спорткаре.

— Простите, — Гуров галантно улыбнулся и погладил яркое крыло машины. — Вы не были бы так любезны ответить мне на один вопрос?

— Да?.. — Девушка улыбнулась как-то очень уж профессионально. — Что вы хотели?

Лев Иванович смотрел на эту особу лет двадцати пяти, на деловое выражение ее лица, на дорогую машину. Сыщику даже казалось, что она отвечает ему, а мысли, все ее сознание где-то там, возможно, в офисе собственной фирмы, может быть, в бутике или салоне красоты, принадлежащем ей. Девушка смотрела на него, но, кажется, не видела. И тут ему до ужаса захотелось вернуть эту, в принципе, очень даже миленькую персону в мир живых людей, природы, которая вон всего в двух шагах отсюда, птиц, ярких красок, запахов.

— У меня к вам один вопрос: вы могли бы выйти замуж не задумываясь, просто по первой симпатии? Не зная человека! — вдруг неожиданно для себя самого проговорил Гуров.

Дежурная профессиональная деловая улыбка на лице девушки сменилась каким-то жалобно-удивленным выражением. Она наконец-то увидела перед собой не просто абстрактного человека, а довольно симпатичного, зрелого и мужественного мужчину, который задал ей такой странный вопрос.

— Простите?! — Четко очерченные брови девушки чуть шевельнулись. — А вы кто?

— А я старик-лесовик вон из той чащи, — Гуров показал пальцем. — Хожу, задаю вопросы, смотрю людям в глаза и в души, ищу тех, кто еще помнит детство.

Девушка некоторое время смотрела на хитрое лицо незнакомца, а потом вдруг залилась смехом. Смеялась она, красиво приоткрывая ротик и показывая ровные белые зубки. Это был девчачий заразительный смех.

— А если серьезно, то я полковник полиции Гуров. — Сыщик вытащил удостоверение и развернул его перед лицом девушки. — Мне хотелось задать вам пару вопросов о вашем поселке.

— Полковник? — Девушка уже не смеялась, но задорная улыбка все еще не сходила с ее лица. — Лучше бы вы и правда были старичком-лесовичком! Сказка — это так здорово. А родители мне говорят, что я просто никак не повзрослею.

— Значит, как полковник я впечатления не произвожу? — спросил Лев Иванович и улыбнулся.

— Производите. — Девушка вздохнула. — Вполне симпатичный полковник.

— Можете называть меня Львом Ивановичем. А как мне обращаться к вам?

— Элен! Но можно просто Лена.

— Элен? Здорово! — оценил Гуров. — Вам идет.

— Это просто игра еще со студенческих времен. Нас было три подруги, и все звали нас Элен, Ирэн и Вероника. Вот до сих пор дурачимся, когда встречаемся. А что вы, Лев Иванович, хотели у меня узнать?

— Вон там, — Гуров повернулся и показал на бывший дом Ломакина, — некогда жил один мужчина. Звали его Сергей Сергеевич...

— А у него был сын, — с грустной улыбкой добавила девушка, и полковник полиции чуть не поперхнулся от неожиданности. — Помню, конечно. А что случилось? Почему вы их разыскиваете?

— Знаете что, Лена, — Гуров сделал серьезное лицо. — В дом вы меня все равно не позовете, потому что незнакомых людей приглашать к себе нельзя. Мы сами этому всех учим. Я предлагаю пройтись вон до того угла. Там есть вполне приличное кафе, где мы можем посидеть за чашечкой кофе и поговорить.

— Да? — Девушка хмыкнула. — А вы полагаете, что идти куда-то с незнакомым мужчиной гораздо безопаснее? Ну уж нет. Не проведете! Хотите поговорить, тогда милости прошу в мой дом. Кстати, попробуйте-ка прямо сейчас представить себе, как вы будете на меня нападать.

Лена толкнула калитку в заборе, и тут же по дорожке, выложенной красным камнем, к ней рванули два здоровенных черных дога. Таких псов сыщик еще не видел. Разве что в фильме «Собака Баскервилей».

— Заходите, они вас не съедят, — заявила девушка и первой вошла во двор.

В доме девушке и в самом деле бояться было нечего. Кроме двух догов, которые ходили за ней неотлучно, помахивая своими жердеобразными хвостами, во дворе находился молодой крепкий садовник, а еще старик-плотник что-то мастерил. В доме хлопотала кухарка, девушка-горничная громко с кем-то спорила по поводу электропроводки.

— Вот видите, у нас так всегда, — Елена обвела рукой обширный и шумный первый этаж. — Тихо бывает только ночью. Я в этом доме родилась, но с тех пор он стал мал, и к нему приделали чуть ли не половину. С самого начала строительства покоя в нем не стало. Зато весело!

— Шумновато, — согласился Гуров. — Так где мы поговорим?

— Пойдемте в столовую. Там у нас есть бар, если хотите выпить. Но можем ограничиться и кофе. Я, если честно, терпеть не могу казенщины, обожаю пить кофе дома, из любимых чашек.

Они сидели на высоких стульях друг напротив друга и болтали о семейном уюте, пока толстая улыбчивая повариха ставила на стол поднос с чашками кофе, емкостью для сливок и сахарницей. Когда женщина стрельнула глазами на гостя и ушла, Елена снова стала серьезной.

— Сергей Сергеевич Ломакин сейчас живет в другом поселке, далеко отсюда, — начал Гуров свой рассказ, помешивая ложечкой в чашке. — Он возглавляет некий фонд, занимающийся помощью военным ветеранам. Я не могу вам из понятных соображений рассказать все, но скажу, что в этом фонде произошло преступление, связанное с хищением денег. Сумма большая, виновных называть не буду, потому что их определит суд, который все и подытожит. Беда в том, что сам Сергей Сергеевич пропал. Мы не можем его найти. Вот я и хочу отыскать его сына Альберта, с которым он тут жил когда-то.

— А Альберт разве сейчас не с ним живет? Я почему-то думала, что отец обеспечит ему приличное будущее.

— Ничего не могу вам сказать, Лена. Сам не пойму, куда делся Альберт из родительского дома. Наверное, Ломакин отправил его куда-то учиться. Может, даже за границу. Вот я и пытаюсь найти людей, которые помогли бы мне связаться с Альбертом. А вы, значит, хорошо знали парня?

— Знала, — с затаенной грустью сказала девушка, глядя в окно поверх плеча собеседника. — Может, это была часть сказки моего детства. Мы с Аликом встречались тайком еще с шестого класса, как только он тут появился. Отец почему-то не разрешал ему бывать на улице и показываться соседям. Не напрямую, а косвенно намекал на это. Алик не мог этого принять. В Беларуси, откуда отец его привез, он любил бывать на природе. А тут вот он лес, вон река! И это была наша с ним игра. Как в партизаны!

— А как вы с ним вообще познакомились?

— Случайно. Он возник из ниоткуда, когда я с подружками шла с Москвы-реки мимо их дома. Подружки ушли, а он стоял и смотрел на меня во все глаза. Вы же знаете, что девочки рано начинают воображать из себя принцесс. И я такая была, но с ним мне почему-то не хотелось нос задирать. Мы разговорились, потом почти два часа бродили по округе и болтали. Он рассказывал о Беларуси, я — о Подмосковье. Альберт не ходил в школу, занимался дома с репетитором. А потом все кончилось.

— Что все? Ваша сказка?

— Да. Когда это произошло, я поняла, что он был не таким, как все, а особенным. Маленький тщедушный мальчик с большой душой. Это я уже во взрослом возрасте придумала.

— Так куда делся этот мальчик с большой душой?

— Куда деваются мальчики? — Елена хмыкнула. — Уезжают с отцами в другое место. Просто в один прекрасный день он не пришел, как обычно тайком, в условленное место. Я удивилась, потом ходила хмурая, плакала дома в подушку. Позже узнала, что в их коттедж въехали другие люди. И все. В следующий раз я услышала об Альберте только сегодня, от вас.

— Значит, еще один день впустую, — сказал Гуров, потягивая кофе. — Знаете, Лена, вы с ним, конечно, были тогда еще слишком малы, но мне кажется, что это называется любовью. Вы не можете его забыть, как всякую первую любовь.

— Наверное. Я до сих пор грущу по нему, по тому времени и нашей игре. Встретились в юном возрасте два человека, близких по каким-то признакам, две родственных души.

— Бывает и такое, — согласился Гуров. — Спасибо вам, Лена, за разговор, за кофе и за интересный рассказ. Был бы я писателем, обязательно вставил бы вашу трогательную историю в какой-нибудь роман. Но, увы, бог таланта не дал.

— Лев Иванович! — уже у калитки окликнула его девушка. — А вам не будет трудно, если вы Альберта все же найдете, сказать ему про меня? Даже не сказать, а просто намекнуть, что мы были знакомы, что я все помню.

— Попробую, — проговорил Гуров совершенно серьезно, посчитав, что любая улыбка сейчас будет выглядеть пошло и неискренне. — Это обещаю. А что выйдет, это уже от меня не зависит.

— Глупости все это. — Елена как-то нервно засмеялась. — Наплела вам, сопли распустила перед посторонним человеком. Забудьте!

— Нет, Лена. Это не глупости. Просто у меня талант располагать к себе людей, заставлять их открываться. — Лев Иванович подмигнул девушке, помахал ей рукой и пошел в сторону соседней улицы, где его ждала оперативная машина.

Он не хотел этого делать, но все-таки не выдержал и обернулся. Девушка все стояла в проеме калитки и смотрела ему вслед. Он еще раз помахал ей рукой.

Гуров весь день просидел в офисе фонда, перебирая бумаги и стараясь не путать их. Он просматривал сведения о деловых партнерах этой конторы за долгие годы ее деятельности. Названия фирм, города, фамилии руководителей — все это проходило перед его глазами, но ничего заслуживающего внимания он не встречал. Сыщик даже не мог точно сказать, что именно искал. Может, какую-то фирму из Беларуси, с которой велись дела уже давно, или...

Сыщик едва не выпустил из пальцев договор, в котором только что перечитывал реквизиты. Фамилия — Мытная! Он снова перевернул листок и посмотрел в нижнюю часть. Мытная Ю. Х. Генеральный директор ООО «Аэлита», Владимирская область, город Киржач. Что такое сейчас в голове просквозило?

Гуров посидел несколько секунд, потом решительно подошел к стопке документов. Там была папка каких-то актов десятилетней давности, даже больше. Вся документация обычно сдается в архив, а тут сберегли, не выбросили какие-то внутренние акты. Он нашел нужную страницу.

Одиннадцать лет назад главным бухгалтером фонда работала Мытная Ю. Х. Совпадение? Если бы инициалы были какие-нибудь простые, вроде В. В., то можно было бы заподозрить и совпадение даже при такой необычной фамилии. Но Ю. Х.!

— Петр, — тихо сказал Гуров, выйдя на улицу и набрав номер Орлова. — Я, кажется, что-то нашел. Я изучал прошлую деятельность фонда и заметил интересную вещь. У Ломакина главным бухгалтером работала одна дама. Потом она вдруг возникает в качестве генерального директора фирмы, расположенной в городе Киржач Владимирской области, делового партнера фонда.

— И что? Почему тебя это заинтересовало?

— Я думаю, что Ломакин не зря отправил своего человека за триста километров от Москвы. Подарить своей любовнице квартиру, фирму и готовые партнерские отношения — это слишком дорого. Если бы он жене фирму готовую купил или дочери, то я бы его понял. А просто главному бухгалтеру за хорошую работу...

— Так какие проблемы? Возьми и съезди в этот Киржач. А что ты намерен там найти? В чем причина такого подарка?

— Это не подарок, Петр, а свой человек на хозяйстве. Для чего-то ему там нужен такой, надежный, купленный.

Фирму в Киржаче Гуров нашел быстро. Он неторопливо проехался по этому уютному зеленому и какому-то патриархальному провинциальному городку, и на душе у него стало спокойно. Нет суеты, сплошных потоков машин, огромных торгово-развлекательных комплексов, бешеного ритма столичной жизни.

Рекламный щит с названием ООО «Аэлита» он видел дважды. Теперь Льву Ивановичу предстояло найти их офис. Ему пришлось прибегнуть к помощи навигатора, который через пять минут вывел сыщика на улицу, указанную на рекламном щите.

Двухэтажный особняк, построенный в начале двадцатого века, находился в идеальном состоянии. Как будто он только что был возведен и сдан в эксплуатацию. На парковке стояли пять приличных иномарок. Пластиковые окна были изготовлены не стандартно, а в соответствии с габаритами старинных оконных проемов с полукруглым верхом.

Гуров вошел в холл, где тут же столкнулся с вежливым, но суровым молодым мужчиной в униформе охранника. Полковнику пришлось сделать спесивое лицо и потребовать объяснить, а где тут сидит руководство. Через минуту Гуров степенно шел по коридору второго этажа, мимо комнат, где люди шумно общались по телефонам, кого-то куда-то посылали с накладными, а кто-то искал вагон, растворившийся на товарной станции.

Молодой парень с коробкой в руках чуть не сбил Гурова с ног, выходя из комнаты слева. За ним тут же выскочила девушка и крикнула вслед, чтобы он не забыл завезти подарки в интернат.

— Шумно у вас, — поделился глубочайшими наблюдениями Гуров, важно вваливаясь в приемную генерального директора. — Работа кипит, деньги капают?

— Здравствуйте! — Вымуштрованная секретарша с короткой прической вежливо улыбнулась, бегло оценивая статус визитера.

Кажется, он не показался ей слишком ничтожным. Костюм Гурова стоил дорого, а ботинки они с Машей покупали весной в бутике. Этот процесс сопровождался большими спорами. Полковника больно уж подкупала гарантия в двадцать пять лет.

— Чем могу вам помочь? — прозвучала дежурная фраза секретарши.

— Я представляю химический комплекс, строящийся под Питером, — начал врать Гуров. — Вот езжу по просторам родной страны, ищу надежных поставщиков. Вас мне рекомендовали в Москве как солидную фирму, которая всегда, при любых обстоятельствах выполняет свои обязательства.

Представление о том, чем занимается «Аэлита», сыщик получил только что, взглянув на рекламный плакат на улице. Что-то связанное с поставками всякой всячины. Но там упоминались текстильные изделия на заказ, специализированная мебель, что-то из области электромонтажа и специального оборудования. Этим ему и предстояло оперировать.

— Может, мне проводить вас в службу маркетинга? — предложила секретарша.

— С маркетингом я пообщаться всегда успею, — немного капризно ответил Гуров. — Мне для этого из кресла в своем кабинете не надо было вставать. Я хотел бы пообщаться с генеральным директором.

— Как вас представить?

— Гуров, коммерческий директор химического холдинга «Нева-Хеншель».

Через три секунды секретарша вводила сыщика в просторный светлый кабинет, стилизованный под гостиную старой дворянской усадьбы. Такое оформление показалось Гурову, мягко говоря, несколько безвкусным, но он воздержался от комментариев.

Последовал обмен приветствиями с Юлией Харлампиевной, взаимными заверениями в том, что это наиприятнейшая встреча, очень важная в рамках неких тенденций в стране и всем ближнем зарубежье. Гуров нес эту чепуху и делал значительное лицо. Потом сухопарая, даже костлявая дама с крашеными короткими волосами стала нахваливать работу своей фирмы, которая могла поставлять партнерам буквально что угодно.

Гуров вежливо кивал и рассматривал целый иконостас из дипломов, благодарственных писем и других красочных бланков в красивых рамках, выставленных за спиной генерального директора. Одна рамка привлекла его внимание больше других. Это был, по сути, рисунок, сделанный детской рукой цветными карандашами. Поверх него было напечатано благодарственное письмо от коллектива детского дома-интерната № 3. Гурову с его кресла было не видно, за что именно.

Юлия Харлампиевна перехватила его взгляд и тут же принялась рассказывать, как много внимания фирма уделяет интернату. Ведь дети для сотрудников фирмы — это святое, самое-самое...

Интернат! Лев Иванович слышал это слово в коридоре, теперь здесь. Главный бухгалтер фонда наверняка доверенный человек, потому что иной у такого прохиндея, как Ломакин, эту должность никак не займет. Потом эта Юлия Харлампиевна вдруг всплывает в районном городке директором фирмы и партнером фонда. Хитрые схемы для отмывания денег? Интернат!

Эта дама тут возникла в то же самое время, когда Ломакин поменял один дом в элитном поселке под Москвой на другой, в ином престижном месте. Тогда же соседи перестали видеть в его доме мальчика.

Интернат!

Льву Ивановичу пришлось терпеть еще пятнадцать минут. Он не желал ломать только что придуманную легенду и рассказывал о своем химическом комбинате. Потом Гуров заявил, что доволен знакомством. Он тут проездом, направляется в Нижний Новгород. На обратном пути снова заедет. К тому времени его подчиненные подготовят перечень всего того, что надо бы закупить у «Аэлиты».

Адрес интерната Гуров узнал у инспектора ДПС, который скучал в машине возле перекрестка. Оказалось, что это заведение находилось совсем рядом. Гуров не стал возвращаться за машиной, предусмотрительно оставленной метрах в пятидесяти от офиса «Аэлиты», и прошел пешком остаток квартала.

Интернат ничем не отличался от сотен тысяч подобных учреждений, рассыпанных по всей стране. Гуров повидал их немало. И этот такой же, с подслеповатыми окнами, недавно выкрашенным, но каким-то запыленным фасадом, черными воротами. Наверное, гнетущую атмосферу вокруг себя создавало содержимое этого заведения — пара сотен детей, брошенных родителями, потерявших их, не знающих, что такое материнская ласка. А еще хуже, если знающих, но обреченных остаться без нее навсегда.

Гуров подошел к столику, стоявшему в начале длиннющего коридора, полы в котором были покрашены красной краской.

Он протянул свое удостоверение пожилому мужчине в очках и проговорил:

— Здравствуйте! Мне нужен директор, завуч или тот из воспитателей, кто владеет информацией по воспитанникам за несколько лет.

— Так вы, товарищ полковник, пройдите до конца, а там лестница. На второй этаж поднимитесь, и почти рядом дверь. Там табличка «Директор». Ее зовут Анна Ивановна, она на месте.

Гуров поднялся по лестнице, удивляясь тишине, царившей в здании. Может, классы находятся в соседнем корпусе, а тут административная часть, спальный корпус? Сейчас все дети на уроках?

Гуров увидел в кабинете полную усталую тетку с явно с измотанными нервами.

— Разрешите? Я из полиции, из Москвы.

Женщина дернулась, но вовремя взяла себя в руки. Сперва она взглянула на удостоверение гостя, потом услышала, что же нужно этому полковнику, немного успокоилась и перенаправила его к молоденькой женщине с порывистыми движениями и дежурным голосом массовика-затейника. Та представилась заместителем директора по воспитательной работе.

— Вы не смотрите на Анну Ивановну, она замотанная всякими проверками, — проговорила женщина. — Как с цепи все инстанции сорвались, ей-богу. Так вам кто-то конкретный нужен?.. — Она отперла высокую дверь и пропустила гостя в кабинет, одна из стен которого была заставлена стеллажами.

— Не было ли у вас среди воспитанников Альберта Сергеевича Юнгерова примерно восемь или десять лет назад?

Женщина улыбнулась и ответила:

— Списки учащихся у нас, конечно же, есть. Значит, надо поднять документы за... — Она посмотрела в какой-то рабочий журнал, лежащий на столе, взялась за телефонную трубку и попросила какую-то Юлю принести ей приказы за такие-то года.

Через пять минут эта дама расположилась за отдельным большим столом у окна. Она развязывала папки и перебирала бумаги, подшитые по учебным годам и четвертям.

— Вот, — проговорила женщина минут через пять, — нашла.

Гуров даже не сразу поверил в такую удачу. Он медленно взял папку, протянутую ему, и посмотрел на отвернутый лист. Юнгеров Альберт Сергеевич. Год рождения... зачислить в списки обучающихся. Потом они нашли приказ о прибытии Юнгерова, посмотрели постановление местной комиссии по делам несовершеннолетних, свидетельство о смерти матери. Гуров ясно видел, что свидетельство липовое. А вот решение местных органов наверняка подлинное.

— Вот, а убыл он по достижении восемнадцати лет, как и положено. — Женщина перевернула еще один лист. — Да, в Москву для поступления в МГУ с направлением от местного отдела образования, как... ну, в общем, победитель олимпиад и все такое прочее.

— Значит, вы фиксируете и то, куда выбывает ваш бывший воспитанник?

— Конечно. Мы обязательно отслеживаем первые годы их взрослой жизни, потому что это связано с обязательствами государственных или муниципальных органов по обеспечению жильем наших бывших воспитанников.

— А поступил Юнгеров или нет, у вас отмечено?

— Конечно. — Женщина повела пальцем по листку, тут же виновато посмотрела на Гурова и сказала: — Не понимаю! Тут не отмечено. Мы просили указать номер приказа о зачислении, если Юнгеров выдержал вступительные экзамены, или причины, по которым он не был зачислен в МГУ. Ответа не пришло. Может, его сперва просто не подшили, а потом он потерялся.

Гуров поднялся со стула и взял свою куртку.

«Значит, мальчик нашелся и снова исчез, — подумал он. — Вот теперь его найти будет уже сложнее. С детьми в нашей стране проще. Они у нас все на учете, а вот взрослые умеют эти формальности обходить».

— Спасибо вам за помощь. Видимо, вскоре из Москвы к вам придет официальный запрос по поводу этого мальчика. Так что далеко книгу приказов не убирайте.

— С ним что-то случилось? Он попал в...

— Ничего не знаю, мы просто его ищем. До свидания!

Гуров докладывал Орлову результаты своей работы на ходу, прямо из машины:

— Одним словом, опять мы его потеряли. Восемь лет назад парня выпустили в большую взрослую жизнь, предварительно вручив паспорт и аттестат о среднем образовании. Время до вечера у меня есть, так что я заскочу в МГУ, в учебную часть. Попробую выяснить, пытался ли Юнгеров поступать туда. Но что-то мне подсказывает, что нет. Не для того папа прятал его в сотнях километров от Москвы.

— Тогда приезжай сразу в управление. Часа четыре ты на дорогу потратишь точно. За это время я свяжусь с МГУ и попробую все организовать без твоего визита туда. Если он сдал документы в приемную комиссию и сразу забрал их назад, то его следы мы там найдем.

Гуров приехал в столицу через четыре с половиной часа. Пробки на въезде в Москву были ужасными. Ему пришлось бросать машину и пересаживаться на метро. Он вошел в кабинет Орлова и обомлел. У окна на стульчике скромно сидела Маша. Точнее говоря, капитан ФСБ Мария Фадеева.

— Вот это сюрприз! Смежники пожаловали? Ну, привет, Маша-журналистка, лисий хвост.

— Скажете тоже, Лев Иванович, — женщина скромно улыбнулась. — Но я вижу, что вы рады меня видеть. Это уже хорошо.

— Так, любезностями вы обменялись? Теперь беремся за дела. — Орлов показал рукой Гурову и Маше, чтобы они подсаживались поближе к столу. — Итак, пока ты терял время и попусту жег бензин, мы тут выяснили ряд важных фактов. Коллеги из ФСБ любезно взялись нам помочь и подтолкнуть по своей линии руководство МГУ. Вы, Мария, сами поделитесь со Львом Ивановичем, расскажите все еще раз. Прошу!

— В МГУ Юнгеров не поступал, — начала рассказывать Маша. — Ни в год окончания школы-интерната, ни в следующий, ни позже. Собственно, дальше мы и не выясняли, потому что мне засела в голову одна ваша мысль, Лев Иванович. Я убедила свое начальство ее проверить. Так вот, в год окончания школы-интерната Альберт Юнгеров получил заграничный паспорт и по официальному вызову выехал в Марбургский университет.

— Тю-тю денежки, — проворчал Гуров. — Внутренний голос мне подсказывает, что папа Ломакин ждал, пока сын выучится в Германии, а потом открыл ему там скромный бизнес. Теперь вот это дело должно перестать быть скромным. Оно взлетит до небес.

— А вот это вряд ли, Лев Иванович, — сказала Маша и задорно, по-детски улыбнулась. — Я консультировалась у наших коллег. Даже в Германии, вообще в любой западной стране нельзя просто так положить деньги на счет юридического лица. Да и физического тоже. Тем более русского. Они же там до сих пор видят мафию в каждом нашем человеке, приезжающем к ним. Его деньги, если их много, считаются криминальными. Нет, тут нужна хитрая схема легализации средств.

— Короче, надо ехать в Марбург, Петр, — с готовностью заявил Гуров. — Надо доводить дело до конца. Все эти украденные суммы соберутся в этом месте. Потому что там готовый бизнес. Жирей и плодись. Все схвачено!

— Ну-ну, развоевался. У меня бюджета не хватит на твои операции, Джеймс Бонд. Думаю, что обойдемся без заграничной командировки. Да ты и немецкого языка не знаешь.

— Яволь, натюрлих! — с готовностью продемонстрировал Гуров едва ли не весь объем своих познаний в этой области.

Кажется, они это дело раскрыли. Осталось завершить всего лишь несколько формальностей. Настроение сыщика улучшилось. Тяжело ему становилось лишь при воспоминании о том, сколько смертей произошло из-за этих денег.

— Будет проще, Лев Иванович, если немецкую часть этого дела доведут наши офицеры, — вставила Маша. — К тому же вы понимаете, что у нас имеются кое-какие возможности и там. Есть люди и связи.

— Ну, кто бы сомневался.

— Тогда давайте подождем, — предложил Орлов.

Через неделю Гуров проводил Крячко в санаторий в Сочи. Потом он вернулся в свой кабинет и попытался сосредоточиться на бумагах. Опять бесконечные отчеты!.. Телефон на столе зазвонил. Полковник на ощупь нашел трубку и приложил ее к уху.

— На месте? Ну так зайди ко мне, Лев Иванович, — послышался голос Орлова.

Гуров с сожалением посмотрел на свой стол и кипу бумаг, в суть которых он только-только стал вникать, и отправился в кабинет Орлова. Вездесущая капитан Фадеева была там и одарила полковника ослепительной улыбкой. Судя по тому, что она оказалась здесь, вызов имел отношение к делу фонда «Ветеран».

— Давно не виделись, — проворчал Гуров. — Помощь нужна? Провалили операцию в Германии?

— Что-то вы невеселы сегодня, Лев Иванович, — промурлыкала Маша. — Я к вам с сюрпризом, можно сказать, от чистого сердца. А вы букой смотрите.

— Ну, перестаньте! Что вы как дети, право слово! — проговорил Орлов, который сегодня пребывал в весьма добродушном настроении. — Кончено дело, Лев Иванович. Сегодня вечером идем с тобой к заместителю министра. Получим официальную благодарность за раскрытие серьезного дела и за деньги, возвращенные государству.

— Как, в каком смысле возвращенные?

Орлов кивнул Маше и с довольным видом откинулся на спинку кресла.

Сотрудница ФСБ сложила пальчики на колене и принялась рассказывать:

— Как вы и ожидали, Лев Иванович, схема оказалась не очень простой. Она гарантировала вливание денег, похищенных в России, в бизнес Альберта Юнгерова в Германии. Только он теперь герр Альберт Юнгетод. Вы с вашими обширными познаниями в немецком языке знаете, как переводится его фамилия?

— С моими-то? — Гуров усмехнулся. — Думаю, что немцы просто чуть переделали его русскую фамилию.

— Возможно. Но переводится она как «молодая смерть».

— Да? Интересно, — заявил Гуров. — Там старая любовь, тут молодая смерть.

— Так вот, Лев Иванович, когда Альберт окончил университет, Ломакин открыл ему бизнес в Германии. Что-то там связанное с компьютерными технологиями и телекоммуникациями. Одним словом, основанное на современных достижениях. Деньги, которые он украл здесь, осели на счетах нескольких фирм, открытых специально для этого. С ними планировалось заключать липовые контракты в течение двух лет и за этот срок легализовать все деньги. Представляете, за два года бизнес сына взлетел бы с сущей мелочи до тридцати миллионов долларов. Но не это самое интересное. Альберт абсолютно ничего не знал!..

— Как это? В смысле чего он не знал?

— Если по порядку, то отец убедил его, что находится в опасности, его хотят убить. Дескать, очень вероятно, что бандиты могут навредить сыну, желая покрепче надавить на отца. Именно поэтому он, мол, и прятал мальчишку от посторонних глаз, а потом отправил в Киржач, в интернат, под надзор этой дамы с фамилией Мытная. Папаша оплачивал репетиторов. Немецкий язык Альберт к десятому классу знал так же хорошо, как и родной русский.

— А потом университет в Марбурге, диплом с отличием?

— Да. Потом отец помог сыну открыть бизнес в Германии и на первых порах подбрасывал ему контракты. А вот с украденными деньгами он намеревался влиться в бизнес сына без его ведома. Альберту повезло. Он нашел такого партнера.

— Значит, об украденных деньгах и убитых людях Альберт ничего не знал?

— Не знал. Мы в этом уверены.

— А деньги?

— То, что Альберт зарабатывает в Германии сам, с помощью своей компании, — это чистые деньги. Отец открывал ему фирму из своих личных капиталов. Это проверено. Так что бизнес Альберта не криминален. А деньги фонда мы в Германии блокировали. Сейчас банки ведут работу по возвращению их в Россию.

— У меня к тебе просьба, Лев Иванович, — заговорил Орлов. — Альберт сейчас в России. Решил приехать на время процесса над отцом.

— Ломакина взяли?

— Да, на пограничном переходе с поддельными документами. Так вот, ты займись им сегодня. Расскажи, как все было в Беларуси, позвони ребятам, с которыми там работал, чтобы встретили, если паренек захочет съездить на могилу матери. Ну и тут введи в курс дела. Ты мужик гибкий, найдешь слова, решишь, как и что ему рассказать, а о чем умолчать. Все-таки он у нас важный свидетель.

— Хорошо, — согласился Гуров не очень охотно. — По долгу службы мне приходилось играть самые разные роли. Но вот нянькой я еще не был.

Содержание

Литературно-художественное издание

ЧЕРНАЯ КОШКА

**Леонов Николай Иванович
Макеев Алексей Викторович**

ЛЮКС С ВИДОМ НА КЛАДБИЩЕ

Ответственный редактор *А. Дышев*
Редактор *А. Маковцев*
Художественный редактор *В. Щербаков*
Технический редактор *И. Гришина*
Компьютерная верстка *Л. Панина*
Корректор *О. Супрун*

ООО «Издательство «Эксмо»
123308, Москва, ул. Зорге, д. 1. Тел. 8 (495) 411-68-86,8 (495) 956-39-21.
Home page: **www.eksmo.ru**   E-mail: **info@eksmo.ru**

Өндіруші: «ЭКСМО» АҚБ Баспасы, 123308, Мәскеу, Ресей, Зорге көшесі, 1 үй.
Тел. 8 (495) 411-68-86, 8 (495) 956-39-21
Home page: www.eksmo.ru   E-mail: info@eksmo.ru.

Тауар белгісі: «Эксмо»
Қазақстан Республикасында дистрибьютор және өнім бойынша арыз-талаптарды қабылдаушының
өкілі «РДЦ-Алматы» ЖШС, Алматы қ., Домбровский көш., 3«а», литер Б, офис 1.
Тел.: 8(727) 251-59-89,90,91,92, факс: 8 (727) 251-58-12, вн.107; E-mail: RDC-Almaty@eksmo.kz
Өнімнің жарамдылық мерзімі шектелмеген.
Сертификация туралы ақпарат сайтта: www.eksmo.ru/certification

Сведения о подтверждении соответствия издания согласно законодательству РФ
о техническом регулировании можно получить по адресу: http://eksmo.ru/certification/

Өндірген мемлекет: Ресей
Сертификация қарастырылмаған

Подписано в печать 17.07.2014. Формат 60×90$^{1}/_{16}$.
Гарнитура «Таймс». Печать офсетная. Усл. печ. л. 24,0.
Тираж 5 000 экз. Заказ 4996.

Отпечатано с готовых файлов заказчика
в ОАО «Первая Образцовая типография»,
филиал «УЛЬЯНОВСКИЙ ДОМ ПЕЧАТИ»
432980, г. Ульяновск, ул. Гончарова, 14

ISBN 978-5-699-74695-8